商务印书馆语言学出版基金
《中国语言学文库》第三辑

《朱子语类》述补结构研究

刘子瑜 著

商务印书馆
2008年·北京

图书在版编目(CIP)数据

《朱子语类》述补结构研究/刘子瑜著.—北京：商务印书馆,2008
(中国语言学文库.第三辑)
ISBN 7-100-05329-3

I.朱… II.刘… III.朱子语类－动补－研究
IV. H146.3

中国版本图书馆 CIP 数据核字(2007)第 002957 号

所有权利保留。
未经许可,不得以任何方式使用。

ZHŪZǏYǓLÈI SHÙBǓJIÉGÒU YÁNJIŪ
《朱子语类》述补结构研究
刘子瑜 著

商 务 印 书 馆 出 版
(北京王府井大街36号 邮政编码100710)
商 务 印 书 馆 发 行
北 京 民 族 印 刷 厂 印 刷
ISBN 7-100-05329-3/H·1281

2008年7月第1版　　　　开本 880×1230 1/32
2008年7月北京第1次印刷　　印张 12 ¾
定价：25.00元

目 录

序 …………………………………………………… 蒋绍愚 1

绪论 ……………………………………………………………… 4
  一 选题 ……………………………………………………… 4
  二 研究现状 ………………………………………………… 6
  三 研究目标和研究语料 …………………………………… 9
  四 理论框架和研究方法 …………………………………… 11
  五 结构安排 ………………………………………………… 14
  六 语法术语及指称符号的说明 …………………………… 15
  本章参考文献 ……………………………………………… 19

第一章 《朱子语类》述补结构的界定分类 …………… 23
  第一节 现代汉语述补结构的界定分类 ………………… 23
    一 界定分类 ……………………………………………… 23
    二 界定分类的原则标准及意见分歧 …………………… 26
  第二节 《朱子语类》述补结构的界定分类 …………… 27
    一 《朱子语类》述补结构的界定 ……………………… 27
    二 《朱子语类》述补结构的分类 ……………………… 33
  本章参考文献 ……………………………………………… 44

第二章 《朱子语类》中的动结式述补结构 ……………… 46
  第一节 《朱子语类》动结式述补结构的形式和语义特征 …… 46
    一 结成述补结构的形式和语义特征 …………………… 46
    二 结态述补结构的形式和语义特征 …………………… 54
    三 结度述补结构的形式和语义特征 …………………… 68

 第二节 相关格式的讨论 ………………………………… 73
  一 "V_1(+NP)+使/令/教/交(+NP)+V_2/A"结构及相关格式 …… 73
  二 "为、做、作"用于动词后所构成的相关格式 …………… 95
  三 完成动词及相关结构 …………………………… 105
 本章小结 ……………………………………………… 108
 本章参考文献 ………………………………………… 113
 附录:《朱子语类》动结式述补结构用法一览表 ………… 115

第三章 《朱子语类》中的动趋式述补结构 ………… 137
 第一节 《朱子语类》动趋式述补结构的形式和语义特征 …… 137
  一 趋方述补结构的形式和语义特征 ………………… 137
  二 趋成述补结构的形式和语义特征 ………………… 156
  三 趋态述补结构的形式和语义特征 ………………… 164
 第二节 相关格式的讨论 ………………………………… 168
  一 "V 将 $V_趋$"结构 …………………………………… 168
  二 "V+介宾词组+$V_趋$"结构 ……………………… 172
  三 "V 来 V 去"结构 …………………………………… 175
  四 "V 来"结构 ………………………………………… 176
 本章小结 ……………………………………………… 176
 本章参考文献 ………………………………………… 180
 附录:《朱子语类》动趋式述补结构用法一览表 ………… 181

第四章 《朱子语类》中的"V 得(O)"述补结构 ……… 197
 第一节 《朱子语类》"V 得(O)"述补结构的界定分类 …… 197
  一 "V 得(O)"结果述补结构 ………………………… 198
  二 "V 得(O)"动态述补结构 ………………………… 198
  三 "V 得(O)"能性述补结构 ………………………… 205
  四 "V 得(O)"动态/能性述补结构 …………………… 209
 第二节 《朱子语类》"V 得(O)"述补结构的形式和语义特征 … 211

一 "V得(O)"结果述补结构的形式和语义特征 …………… 211
　　二 "V得(O)"动态述补结构的形式和语义特征 …………… 213
　　三 "V得(O)"能性述补结构的形式和语义特征 …………… 221
　　四 "V得(O)"动态/能性述补结构的形式和语义特征 ……… 227
　本章小结 ………………………………………………………… 230
　本章参考文献 …………………………………………………… 233

第五章 《朱子语类》中的"V得C"述补结构 …………………… 234
　第一节 《朱子语类》"V得C"述补结构的界定分类 ………… 234
　　一 "V得C"结果述补结构 ……………………………………… 235
　　二 "V得C"程度述补结构 ……………………………………… 236
　　三 "V得C"能性述补结构 ……………………………………… 237
　　四 "V得C"结果/能性述补结构 ……………………………… 238
　　五 "V得C"程度/能性述补结构 ……………………………… 239
　第二节 《朱子语类》"V得C"述补结构的形式和语义特征 … 239
　　一 "V得C"结果述补结构的形式和语义特征 ……………… 239
　　二 "V得C"程度述补结构的形式和语义特征 ……………… 248
　　三 "V得C"能性述补结构的形式和语义特征 ……………… 257
　　四 "V得C"结果/能性述补结构的形式和语义特征 ……… 262
　　五 "V得C"程度/能性述补结构的形式和语义特征 ……… 265
　本章小结 ………………………………………………………… 267
　本章参考文献 …………………………………………………… 274

第六章 《朱子语类》述补结构的历时共时比较研究 ………… 275
　第一节 《朱子语类》动结式述补结构的历时共时比较研究 … 276
　　一 《朱子语类》动结式述补结构的历时比较研究 ………… 276
　　二 《朱子语类》动结式述补结构的共时比较研究 ………… 290
　　三 相关问题的讨论 …………………………………………… 295
　第二节 《朱子语类》动趋式述补结构的历时共时比较研究 … 305

4 目录

    一 《朱子语类》动趋式述补结构的历时比较研究 …… 305
    二 《朱子语类》动趋式述补结构的共时比较研究 …… 317
  第三节 《朱子语类》"V得(O)"述补结构的历时共时比较研究 … 323
    一 《朱子语类》"V得(O)"述补结构的历时比较研究 …… 323
    二 《朱子语类》"V得(O)"述补结构的共时比较研究 …… 331
    三 相关问题的讨论 …… 334
  第四节 《朱子语类》"V得C"述补结构的历时共时比较研究 … 341
    一 《朱子语类》"V得C"述补结构的历时比较研究 …… 341
    二 《朱子语类》"V得C"述补结构的共时比较研究 …… 348
    三 相关问题的讨论 …… 352
  本章参考文献 …… 364

尾论 动结式述补结构的语法化机制 …… 366
  第一节 各类动结式述补结构的来源 …… 366
    一 结成述补结构 …… 366
    二 结态述补结构 …… 371
    三 结度述补结构 …… 375
  第二节 动结式述补结构的语法化机制 …… 376
    一 结构变化在动结式述补结构语法化过程中的作用 …… 376
    二 语义变化在动结式述补结构语法化过程中的作用 …… 378
    三 频率在动结式述补结构语法化过程中的作用 …… 382
  本章参考文献 …… 390

主要引用文献目录 …… 392
后记 …… 393
专家评审意见 …… 何乐士 395
专家评审意见 …… 曹广顺 398

序

　　述补结构是汉语的一种十分重要的语法结构。述补结构的产生、发展和成熟,是汉语在其历史发展过程中的一个标志性的变化;同时,述补结构的产生和发展还对汉语其他语法形式的演变带来深刻的影响。近年来,对述补结构的研究日趋深入,但由于述补结构相当复杂,到目前为止,还有不少问题尚需进一步深入,对汉语述补结构发展历史的总体的研究更是不够,对于汉语述补结构和汉语其他语法形式的互动关系的研究尤其缺乏。述补结构的研究,历来都是一个热门话题,但同时又是一个有待继续深入的课题,这个课题是需要汉语的研究者共同来完成的。

　　刘子瑜的《〈朱子语类〉述补结构研究》为这个课题作出了自己的贡献。选择《朱子语类》作为研究述补结构的语料,是非常合适的。因为在南宋时期,述补结构已经发展得比较成熟,《朱子语类》的篇幅又相当大,其中能找到述补结构的多种类型,研究《朱子语类》可以为宋以前的述补结构的发展做一个总结;另一方面,《朱子语类》的述补结构和现代汉语的述补结构又不完全相同,把《朱子语类》和现代汉语比较,又可以看到宋代以后述补结构的发展变化。但用《朱子语类》作为语料进行研究又是有很大难度的,因为《朱子语类》有240万字,其中包含述补结构的句子不下万个,而且这些句子无法用电脑收集,必须在阅读过程中一一摘录,然后排比分析进行研究,这种基础工作就要花费大量的时间和精力。大概是因为这个缘故,在此以前还没有人以《朱子语类》为材料对述补结构进行全面的研究。但刘子瑜知难而进,花大力气完成了这部书稿,填补了这个空白,把述补结构的研究推进了一步。

材料的丰富和扎实是这部书的一个显著特点。读者可以看到,无论是对《朱子语类》中各类述补结构的分析,还是对六朝、唐五代和《朱子语类》的述补结构的比较,书中都列出了详细的语言资料和具体的统计。不花工夫,是做不到这点的。这种扎扎实实的工夫,正是这本书成功的基础。当然,材料的收集和材料的分析是同时并进的,没有对材料的深入分析和归类,就不可能驾驭如此浩繁的材料,也不可能有分门别类的统计。读者同样会注意到,书中为述补结构建立了一个严密的、有特色的分类体系,首先根据是否含有可能性预设分为两大类,然后根据是否带"得"、述语与补语的语义关系、补语的语法成分等标准再一层一层地分类。作者对《朱子语类》述补结构的研究,就在这样一个框架中展开。

有了坚实的基础,还需要有正确的研究方法。和以往的研究相比,《〈朱子语类〉述补结构研究》的研究方法有不少新的进展。首先是充分注意形式和意义的结合。对《朱子语类》中述补结构的每一小类,都从形式特征和语义特征两个方面加以考察,并详细地列出了哪些词可以充当述语和补语,对这些词的语义特征做了分析和归纳。采用形式和意义结合的方法,可以解决一些仅凭形式不能解决的问题。如"V 得 O"中的"得",有的是结果补语,有的是动态补语,有的是动态助词。作者根据"V"的语义类别和一些形式特征,做了较好的区别。作者还深入考察语义特征对语法形式的影响和制约作用,从结构、语义和频率等方面多角度地探讨述补结构的发展的历程、动因和内在机制。这些都比以往仅仅着眼于语法形式前进了一步。其次是把静态的归纳描写和动态的分析解释结合起来。对于《朱子语类》中的述补结构,作者首先在共时平面上做了分类和描写,同时又充分注意各类不同的述补结构的不同历史来源和历史发展,联系六朝和唐五代的材料,研究其发展过程和类推关系,而且注意探讨述补结构产生发展的演变轨迹和演变特色,解释演变事实,总结演变规律,探寻演变的动因和机制。所以,这本书不仅仅是平面的材料分类,而是历史的语言研究,而且有作者的理论思考。此外,《〈朱子语类〉述补结构研究》还探讨了述补结构和汉语其他语法形式的互动关系。以往的汉语语法史研究,通常只着眼于某一种语法形式的历史发展,而对几种不同的语法形式在历史发展过程中的相互影响注意得很不够。《〈朱子语类〉述补结构研究》对这个问题进行探讨,是有创新意义的。

刘子瑜是一个有才华的、勤奋的青年学者。她的科研能力很强,善于驾驭材料,能对纷繁复杂的历史语言资料进行深入的分析,往往有自己独到的看法。她有较强的创新意识,注意吸取新的理论和方法,在扎实的材料基础上进行理论思考。这些年来,她发表了不少高质量的论文,引起了学术界的注意。述补结构是她近年来一直关注的问题,她2002年完成的博士论文《〈朱子语类〉述补结构研究》写得很扎实,也很有深度,得到了评阅专家的一致赞誉。后来,她的这篇博士论文经过严格的专家评审而选入了商务印书馆的《中国语言学文库》。在出版前,她对原稿做了不少修改和充实,质量又有了进一步的提高。从选题,到收集材料,到写出初稿,到写成论文,到反复修改,前后花了将近十年工夫,真可以说是"十年磨一剑"。她的刻苦努力取得了两方面的成果:一方面是此书的出版,另一方面是为她今后的研究打下了很好的基础。子瑜年富力强,精力充沛,正是做学问的好时候。希望她以此书的出版作为一个新的起点,继续前进,努力在学术研究方面达到新的高度。

蒋绍愚

2006年3月

绪　　论

一　选题

述补结构是汉语中的一种重要语法结构,种类繁多,发展过程复杂,关于述补结构的产生、发展、分类和功能的研究是汉语语法研究的重要课题,几十年来也一直是国内外汉语语法史研究领域中最引人关注的问题。述补结构在汉语言系统中具有重要地位,对汉语语法系统产生了深远影响,影响波及构词法、形态和句法结构等多个方面,汉语史中相当多语法现象的产生发展都与它有密切联系。从构词法来说,述补结构对汉语构词法有直接影响,是新型补充式复合词产生的重要途径;就虚词发展来看,汉语动态助词系统的形成与述补结构的发展直接相关;句法方面,诸如使动用法的衰亡,处置式、被动式的发展,重动结构的产生等等,这些汉语史中旧有表达格式的消亡以及新兴句法格式的产生发展都与述补结构的产生发展密切相关。述补结构的产生还使得汉语句法结构内部的语义关系更为丰富精密,能更大限度地满足日益精密完善的语言交际需要。对述补结构产生发展的过程以及由此带来的汉语言系统的巨大变革加以研究,不仅能使我们了解汉语史中这一重要句式的发展演变情况,还能帮助我们了解述补结构在汉语语法系统中的真正位置,它与相关语法形式之间的互动发展关系,以及汉语言系统语法格局的形成过程。

南宋时期是述补结构发展定型的重要时期,这一时期述补结构的形式已经非常丰富,述补结构的各主要结构形式包括新形式的产生、已有形式的逐步丰富完善等都在这一时期完成,因此,对南宋述补结构的发展面貌进行研究是弄清述补结构历时演变轨迹及其演变机制的一个重要环节。而且,汉语史中一些重要语法形式如动态助词系统的完善定型,处置式、被动句的发展繁复等等,也都发生在这一时期,又都与述补结构关系密切,所以,搞清南宋述补结构的发展演变情况,对于述补结构与相关句式发展演变的互动关系研究也意义重大。迄今为止尚未有人对南宋述补结构做过全面研究,述补结构的全面历史发展研究得也很不够,因此南宋述补结构的发展情况尚不清楚,汉语述补结构演变发展的机制和细节也有待进一步弄清。

《朱子语类》由南宋理学家朱熹的门人汇集朱子语录编撰而成,是朱熹一生教育活动的重要记载。今本《朱子语类》是南宋度宗咸淳六年(公元1270年)黎靖德编辑出版的,辑录了朱熹死后70年间所保存下来的语录,综合了97家的语录记载。全书卷帙浩繁,共140卷,约240万字,内容涉及哲学专题、个人治学、历史、政治、文学等多个领域,集中地反映了朱熹的哲学思想、政治思想、教育思想以及历史观、文学观等。

《朱子语类》在语言学研究上有十分重要的语料价值。宋儒语录是宋代语言文献的重要组成部分,《朱子语类》因其篇幅巨大而成为宋儒语录中最为重要的文献。作为一部文人的讲学语录,它记录的是南宋文人阶层的谈话情况,又出自多位学生之手,语言实录的真实性相当可靠,基本上反映了当时文人阶层的口语面貌,语言接近当时的口语面貌,因而成为研究南宋语言不可多得的口语化较强的语料。从《朱子语类》所处的历史时期来看,南宋时期是汉语史的重要发展阶段,相当多的语法现象在这一时期产生并且发展完善,要弄清这些语法形式的发展演变情况,《朱子语类》是不可或缺的重要语料。由于《朱子语类》卷帙浩繁,又受限于书中所表述的哲学义理等复杂内容的限制,存在着文白夹杂的问题,这些因素给《朱子语类》的语言研究造成了一定难度,所以,到目前为止,以《朱子语类》为基础的语言研究一直没有全面开展起来,也没有人对其中的述补结构做过全面深入的研究。

基于以上,本书选择"《朱子语类》述补结构研究"作为研究课题,拟对《朱子语类》述补结构的演变发展以及汉语述补结构的语法化机制进行全面深入的探讨研究。

二 研究现状

半个多世纪以来,述补结构一直都是学术界的研究热点。学术界对述补结构的历史发展研究主要从三个方面展开:其一,述补结构来源发展及相关问题研究,这类研究开始得很早,始于20世纪四五十年代,80年代后又有长足进步,主要研究成果有:王力(1943、1944、1958、1989)、余健萍(1957)、尹玉(1957)、周迟明(1958)、太田辰夫(1958)、祝敏彻(1958)、杨建国(1959)、潘允中(1980)、岳俊发(1984)、志村良治(1984)、李晓琪(1985)、杨平(1989、1990)、曹广顺(1990)、梅祖麟(1991)、李思明(1992)、蒋绍愚(1994、1999、2001、2003)、宋绍年(1994)、刘承慧(1998、1999、2000、2001)、刘子瑜(2003a、2005a、2005b)、吴福祥(1999、2002)、赵长才(2000、2002)、卢烈红(2002)等。其二,专书述补结构的描写研究,见于20世纪80年代,涉及的专书有《搜神记》、《世说新语》、《百喻经》、《敦煌变文集》、《祖堂集》、《朱子语类》、《朱子语类辑略》、《水浒传》、《西游记》、《儿女英雄传》等,主要研究文章有:刘丽川(1984、1992)、李平(1984)、商振哲(1985)、杨占武(1986)、祝敏彻(1990、1991、1996)、李思明(1991)、李索(1991)、力量(1991)、刘利(1992)、冯春田(1992)、刘子瑜(1994、2003b)、吴福祥(1996、2000)、林永泽(1998)、陈丽(2001)等,这些文章从不同方面对上述文献中的各类述补结构如动结式、动趋式、"得"字述补式的使用情况等进行了描写分析,有的还做了定性定量的归纳统计。其三,述补结构与相关语法形式发展关系研究,目前成果还不多,有曹广顺(1995、

2000),石毓智、李讷等(1997、1999、2001)。

　　几十年的研究取得了很大成绩。通过这些年的探讨,述补结构的基本特点和发展规律正逐步为人们所认识和揭示。特别是20世纪80年代以来的专书述补结构研究,对六朝以来的部分重要文献中述补结构的使用情况做了一定的描写分析,为述补结构的专题研究打下了基础。而在专书语法研究的基础上开始的述补结构专题研究,又对述补结构的历时发展规律进行了初步探讨,进一步揭示了述补结构的发展特点。一些学者还尝试着对述补结构与一些相关语法形式的互动发展关系进行了初步探讨。研究方法上也有新进展:一是从早期的主观随意取例到后来专书研究的定性定量分析,研究方法渐趋科学化;二是研究者开始注意运用共时静态描写与历时动态解释相结合,同时辅以比较的方法,去揭示述补结构的发展规律;三是开始注意结合语义去研究述补结构的发展特点。

　　上述研究仍然存在着问题,表现在:

　　一是专书研究不够,断代研究没有开展起来,建立在扎实语料描写基础上的全面历时发展研究需要进一步展开。

　　二是述补结构历史发展的一些重要问题尚待深入研究,主要有:(1)述补结构的界定分类。述补结构到底是一种什么样的结构?学界分歧较大,如有学者认为只有动词、形容词性成分充任补语的结构才是述补结构,包括述语和补语直接黏合的动结式和动趋式,以及述语和补语之间用"得"组合的述补结构。[1] 有学者则认为,除以上成分外,由介词词组以及某些名词性成分如数量词等充任补语的结构也是述补结构。[2] 此外,各家对述补结构各小类形式的认定上也存在着很大分歧。

---

[1] 见朱德熙《语法讲义》,商务印书馆,1982。
[2] 见黄伯荣、廖序东《现代汉语》,甘肃人民出版社,1985;胡裕树《现代汉语》,上海教育出版社(增订本),1981。

(2)述补结构的形式特征、语义特征以及二者之间的关系。主要包括：述补结构的形式特征,结构中各成分的功能性质,充当述语、补语、宾语语法成分的特点,宾语的位置特点,结构中各成分的语义性质,补语的语义指向,底层语义结构的特点,形式特征与语义特征间的内在联系及相互制约关系,语义在述补结构发展过程中的作用等。(3)述补结构的演变发展规律。如述补结构的产生时间、具体演变细节、各形式之间的发展类推关系、语法化的动因机制、在发展过程中出现的一系列相关形式与述补结构发展演变的关系问题等。(4)着眼于整个汉语语法系统,探讨述补结构与相关语法形式发展的互动关系研究还很不够。

三是研究方法上的问题,表现在:(1)忽视理论框架的构建。汉语史研究者所使用的研究方法多是经验性统计法,即完全从材料调查到结论,不能从理论高度去把握统率材料,缺乏理论指导性,从而使其研究结果局限于材料本身,缺乏理论框架的支撑和理论深度。(2)套用现代汉语框架。以分类为例,研究者基本上是套用现代汉语的分类框架,而忽略了古汉语述补结构自身的特点。事实上,古汉语述补结构有自己的特点,无论句法格式还是语义类别都不完全等同于现代汉语。(3)忽视语义平面。不少研究者的研究基本上还停留在句法层面的描写上,语义平面的探讨不够,因而对述补结构语义表达上的多样性和复杂性揭示不够,对其语法形式与语义之间相互联系的内在规律揭示不够。(4)孤立研究的方法。立足于整个汉语言系统去考察揭示语法现象的演变规律等方面做得还很不够,忽略了汉语语法的系统性以及系统中各语法形式之间的联动关系。虽有少数国外研究者开始注意到这个问题,不过,基本上还停留在理论解释的层面,由于研究不是建立在充分的汉语史语料调查描写的基础上,所以有些结论还有进一步考辨的必要,而建立在充分的汉语史语料描写基础上的深入研究工作则有待进一步开展。

三 研究目标和研究语料

（一）研究目标和拟做的工作

1. 《朱子语类》述补结构的分类研究。

2. 从形式和语义两平面对《朱子语类》述补结构进行定性定量的全面描写研究。

3. 共时、历时比较研究。选择六朝至南宋代表文献与《朱子语类》进行比较研究，探讨《朱子语类》述补结构的共时差异和历时变化，揭示《朱子语类》乃至整个宋代述补结构在汉语发展史中的重要作用。

4. 汉语述补结构的历史发展规律研究。包括：(1)探讨述补结构各语法形式与语义之间的内在联系。(2)探讨述补结构各语法形式之间的类推关系。(3)探讨述补结构的语法化机制。

5. 相关问题的研究。探讨在述补结构发展演变过程所涉及的一些相类格式与述补结构的发展关系，弄清这些句法形式发展演变的内在机制及其与述补结构的关系，揭示相关规律。

（二）研究语料

1. 《朱子语类》

作为文人讲学语录，《朱子语类》的语言基本上接近当时的口语面貌，是研究宋代语言最重要的语料。不过，语料中也存在着一些不确定因素，包括：(1)该书卷帙浩繁，内容庞杂，涉及古代政治、经济、文化、历史、人物等诸多方面，语料所反映的内容历史跨度近一千六七百年；(2)文人语录的特质及其内容决定了该书与当时口语的实际面貌会有一定距离，表现为：一是存在着文白夹杂的问题，二是各卷因所述内容的差异反映出来的口语化程度不一样；(3)朱熹本人的籍贯及生平活动对他的私人语言会有影响；(4)《朱子语类》是朱熹门人记录老师讲学的笔录，所用语言必然会与记录者的籍贯、生平活动、文化背景等相关，也会掺杂进一些记录者的私人语言。上述因素给《朱子语类》语言成分的定性诸如文白定性、方言与共同语成分的定性等带来一些不确定因素。不过，任何语言的历史研究都不可能要求语料口语成分的完全纯净，要把影响语言口语面貌的不纯净因素完全剔除掉也有相当的难度，甚至没有可操作性。而且，述补结构的产生发展基本上是六朝以后的事情，《朱子语类》一书中所论及的上古文献中的原始引文资料等对我们的语料提取工作基本没有什么影响。所以，实际操作时，我们基本上是将《朱子语类》作为一个共时状态下的通语语料来研究，不过分强调其中因内容、时间跨度、私人语言等诸方面因素所带来的差异。

此外，《朱子语类》篇幅浩大，考虑到《朱子》语料的雷同性特征以及同一述补结构复现率较高的特点，本书在进行语料统计时，只选择了第1、6、7、8册进行穷尽性统计分析，某些问题以四册语料不足以说明规律时，则统计全八册语料。第7、8册包括有"训门人"卷，其余内容也多涉及时事人物，是公认的口语化程度较高的两册书，至于第1、6册则是随机抽取出来的。

2. 共时历时比较语料

共时比较语料选择《三朝北盟汇编》和《刘知远诸宫调》，主要是考虑到两部文献都代表北方方言，语体跟《朱子语类》有较大差异，通过比较，希望能找到一些历时以外的因素诸如地域、语体内容等来解释语言现象的差异性。历时比较语料，限于时间和精力，每一历史时期只选择了两部重要代表文献，六朝语料选择《世说新语》和《贤愚经》，一为中土文献，一为汉译佛典，之所以这么选择，是考虑到两类文献内容风格有差异，而且，佛经文献语言现象的发展常常超前于中土文献。唐五代文献选择的是代表性口语文献《敦煌变文集》和《祖堂集》。

四 理论框架和研究方法

语法学史上有两种主要流派:传统语法和结构主义语法,他们在分析语法结构时基本上都是采取单一模式,前者重视意义而忽略形式,后者重视形式而忽略意义,都有局限性。传统语法理论在指导描写汉语实际、建立汉语语法学方面有不可磨灭的功绩。早期中国学者在研究汉语语法时基本上遵循的是传统语法,但由于过分重视意义而忽略形式,所以在解决语法问题时常常遇到障碍。结构主义语法主张通过形式来谈意义,其理论和方法比传统语法有进步,但在实践中却往往重形式而忽视意义,甚至回避意义,因此在实际语法操作时也常常碰到困难。

20世纪40年代始,一些学者注意到了这个问题,提出形式和意义相结合的原则,并应用于语言实践。吕叔湘在20世纪40年代的《中国文法要略》中已经从句法和语义两方面来考察句子,他在叙述句分析中,一方面根据结构分出了主语和谓语,另一方面又从与动词的语义关系角度分出了起词、止词和补词,并指出主语可以由起词或止词充当,这实际上已经是从不同平面去看句子的结构关系和语义关系了。王力在20世纪50年代研究汉语词类问题时也明确提出语法分析必须贯彻形式和意义相结合的原则,如他从"词汇范畴"和"语法范畴"相结合的角度提出了"意义、形态、句法"三结合的划分词类的标准。50年代关于词类和主宾语问题的两次大讨论,实际上就是对传统语法理论过于偏重意义的检讨。其后,朱德熙在80年代也一再强调形式和意义相结合,明确提出"进行语法分析,一定要分清结构、语义和表达这三个平面"的主张,并指出:"真正的结合是要使形式和意义互相渗透。讲形式的时候能够得到语义方面的验证,讲意义的时候能得到形式方面的验证。"大致同时,胡裕树等提出了"三个平面"的理论,强调语法分析要注意区分句法、语义和语用三个不同平面。① 朱、胡二先生所谈及的"三个平面"思想,实际上是形式和意义相结合原则的进一步发展。

原则是提出来了,但具体到如何去运用,如何把句法、语义、语用三个平面科学地结合起来,并运用于语言实践,还需要进一步探讨研究。现代汉语研究者在这方面进行了有益的探索,如胡裕树、范晓等先生在提出"三个平面"的理论后,有意识地把这一理论运用于汉语语法分析,建立了相应的语法分析模型,取得了一定成绩。② 当然,这种理论对于描写解释汉语语法现象是否完全有效还有待于进一步探讨,具体的操作程序也还有一个继续摸索完善的过程,但这些探索对于古代汉语和近代汉语语法研究有一定的借鉴意义。

(一)语法研究模式

本书在句法和语义两个平面的基础上尝试着建立起一个近代汉语述补结构的句法分析模型,从句法和语义两个平面着手,描写解释述补结构的发展特点和规律。在进行句法格式的具体描写时,我们吸收借用了"三个平面"理论的部分内容和术语。至于语用平面,考虑到近代汉语语用平面的复杂性,我们在建立句型分析模式时基本上不涉及,但若语言现象出现涉及语用平面的问题时,则借用相关原则和标准予以解决。

---

① 参见吕叔湘《中国文法要略》第四、五章,第42—68页,《吕叔湘文集》第一卷,商务印书馆,1942,1993。王力《关于汉语有无词类的问题》,北京大学学报,1955年第2期,又见《王力文集》第16卷,第254—270页,山东教育出版社,1990。朱德熙《语法答问》,第37、80页,商务印书馆,1985。胡附、文炼《句子分析漫谈》,《中国语文》1982年第3期。文炼、胡附《汉语语序研究中的几个问题》,《中国语文》1984年第3期。范晓、胡裕树《有关语法研究三个平面的几个问题》,《中国语文》1992年第4期。

② 可参见范晓先生的一些研究文章和著作,如《复动"得"字句》,《语言教学与研究》1993年第4期;《汉语的句子类型》,书海出版社,1998;等等。

1. 在句法平面研究的主要问题是：(1)述补结构中各语法成分的语法功能及其分布组合关系。(2)述补结构内部的音节构造特点。(3)述补结构与其他句式或语法成分的套合使用情况。

2. 在语义平面研究的主要问题是：(1)述补结构内部各语法成分的语义特征。(2)各语法成分搭配时语义上的选择限制。(3)名词与动词的"格关系"，即名词与动词组合时所担当的语义角色，如施事、受事、当事、时间、处所、工具等。(4)补语的语义指向。(5)述补结构的歧义。(6)底层语义结构即"动核结构"。这个概念借自"三个平面"理论，又叫"述谓结构"，它"由动词（广义的）和它联系着的某些语义成分组成"，动核指谓词所表示的语义成分，即语义结构的核心，由动核及其所联系的语义成分所组成的语义结构就是动核结构。概言之，即是以动词为核心的深层语义结构。它"是语义平面的基本结构，是生成句子的基底"，是"隐层的，必须通过句法结构才能显示。同一动核结构可以用不同的句法结构表示"。①

把句法和语义两个平面相结合，建立起一个可供操作的近代汉语句法研究模式，对于近代汉语句法研究具有重要意义。表现在：(1)可避免传统语法和结构主义语法的片面性，分析方法更科学、更全面、更精密。(2)增强对语言现象的解释力。语言现象的产生原因是多方面的，其特点也是多方面的，这些原因和特点往往涉及句法和语义两个方面，很多语言现象从单一角度常常不能得到圆满解释，在句法和语义相结合的平台上工作，就能解决以往难以解决的问题，增强对语言现象的解释力。以述补结构的研究为例，如:《朱子语类》中的"得"字述补结构在分类时存在着跨类现象，诸如兼跨结果和能性意义的"V 得(O)"(V

---

① 见胡裕树《汉语语法研究的回顾与展望》，载《三个平面:汉语语法研究的多维视野》，袁晖、戴耀晶编，第183页，语文出版社，1998。

为动词及动词性成分,O 为宾语)动态/能性述补结构,这类述补结构的出现就与述语动词的语义特征关系密切,单从形式难以把这类结构与其他同形格式辨析开,也难以对这类述补结构的产生原因作出圆满解释,但从语义入手,就能找到答案。(3)强调形式和意义的相互验证、相互渗透,更有利于揭示语法现象的本质。

(二)研究方法

1. 形式与意义相结合的研究方法。

2. 封闭系统中的归纳描写与定性定量分析方法。把《朱子语类》作为一个共时状态中的封闭系统,对其中的述补结构进行穷尽性的归纳统计,并在定性分析和定量统计的基础上进行全面描写,以揭示《朱子语类》述补结构在句法和语义两方面的基本特点。

3. 共时历时比较与动态解释相结合的方法。在对封闭系统语言事实描写归纳的基础上,选择六朝至南宋的重要文献与《朱子语类》进行共时历时比较,论证《朱子语类》述补结构的发展特色,考察它在共时、历时系统中的地位,并就其演变机制和重要规律进行解释。

五 结构安排

全书分绪论、尾论和六个章节的内容。"绪论"介绍本书选题、与选题有关的研究现状、本书的研究目标、所用语料、理论框架和研究方法、全书的结构安排,最后是语法术语与指称符号的说明。正文包括六章。第一章对《朱子语类》中的述补结构进行界定分类;第二章至第五章依次对《朱子语类》中的动结式述补结构、动趋式述补结构、"V 得(O)"述补结构及"V 得 C"述补结构的形式和语义特征进行分析研究,并就一些相关语法形式进行讨论;第六章是《朱子语类》述补结构的历时共时比较研究。"尾论"对动结式述补结构的演变机制进行探讨。

六　语法术语及指称符号的说明

(一)语法化和虚化

学术界经常使用这两个术语来描述语言现象的发展变化,但由于认识不清,或认识差异,在使用时出现混乱。本书在描述解释述补结构的演变发展时也会使用这两个术语,在此做一界定说明。

"语法化"一词源于英语的"grammaticalization",是一个新创的语言学术语。石毓智(2001)有如下解释:"语法化——一个新兴语法手段产生的历时过程。语法手段包括语法标记和语法结构两大类。在汉语语法史上,一个语法化过程往往同时涉及新标记和新结构的产生,两者经常是同一变化的两个方面。"语法化的一些常见特征包括:(1)一个词语一旦语法化,就会失去独立运用的能力,而成为一种附着成分。(2)一个实词的语法化过程往往会涉及两个成分的重新分析,会改变原来词语的词汇边界。(3)一个语法化过程常常涉及两个成分的重新分析,而两个成分的重新分析必须在紧邻的句法环境中进行。(4)一个实词的语法化过程往往会导致其语音形式的弱化。(5)词语的语法化可以改变所在短语结构的韵律特征。(6)一个词语虚化为一个语法标记之后,其用法和使用范围还会受到它原来词汇意义的影响。(7)一个词语的语法化常常会促使其原来意义的抽象化,退化掉一些原来的具体词汇意义。[1]

石先生认为,语法化发生后一定会造成新兴语法手段的产生,表现为新的语法标记和语法结构的出现,这是正确的。不过,他没有谈及语法化和虚化的关系,据其论述,二者似乎没有区别。

---

[1] 石毓智、李讷《汉语语法化的历程——形态句法发展的动因和机制》,第2—4页,北京大学出版社,2001。

我们认为语法化和虚化是两个不完全相同的概念。语法化是语法形式发生质变的历时演变过程,这一过程一定伴随有新兴语法形式的产生,即新兴语法形式的出现是语法化的直接结果。虚化则首先表现为一个实词词汇意义由实到虚的变化过程,包括词义的抽象化、泛化和弱化等,在这一变化的基础上,原有语法形式可能会进一步虚化,导致意义完全消失,成为只表语法意义的语法形式,即:词义虚化的结果可能只表现为意义变化,并不造成新兴语法形式的出现,也可能会造成原有语法单位的质变,产生出新的语法形式。所以,若虚化结果造成了新兴语法形式的出现,这时,虚化的概念就等同于语法化,若原有语法形式没有发生质变,只是意义由实到虚发生了改变,虚化就不等同于语法化。

以"得"为例做一简要说明。"得"在上古汉语中是表"获得"义的实义动词,可以单独使用,充当句中谓语动词,也可以跟在取义动词之后,构成连谓结构,一起作谓语。六朝以后,"得"可以出现在非取义动词后表示动作行为的完成实现,这时,"得"是黏着性成分,比之取义动词后面的"得",这类"得"明显虚化,但又还带有"到、成、完"等语义,是半虚化性的完成动词,所以,我们把六朝时期用于取义动词后面的"得"看作是表示结果意义的结果补语,把用于非取义动词后面表动作完成又还保留有意义的"得"看成是动态补语。这两类"得"没有发生语法化,它仍然是跟在动词后面作补语,不同的是所表示的语法意义有些微差别,这种差别不是质的不同,而是"得"充当补语时所表示的意义的虚实程度有别。所以,"得"从结果补语到动态补语的变化属"虚化"范畴。用例如:

①李问陈几叟借得文定《传》本,用薄纸真谨写一部。(7·2602)①

---

① 本书引例体例为:凡引例出自《朱子语类》,举例时的页码标示方法为"册数·页码",如"7·2602"表示该例出自第7册第2602页;凡引例出自其他文献,则选取该文献名中的一字或几字,再加注页码或卷数次第,如"变123",表示该例出自《敦煌变文集》第123页,"贤·卷1"表示该例出自《贤愚经》第1卷。各文献版本参见文后所列"引用文献目录"。

②今有一般人,看文字却只摸得些渣滓,到有深意好处,却全不识!
(7·2615)

唐宋时期发生了变化,在一定的语言环境中,"得"的实词义消失,成为只表语法意义的单位,如:当它出现在瞬间动词或动结式后面,或出现在"V_1得(O)V_2"(V_1是V_2的伴随动作)结构中时,就虚化成了表动态完成或持续的动态助词,相当于表完成貌或持续貌的动态助词"了""着"。例如:

③近两日方令书坊开得,然里面亦难晓。(8·3001)

④如此,只是推广得自家意思,如何见得古人意思!(1·180)

⑤尝见他执得一部吕不韦吕览到,道里面煞有道理,不知他见得是如何。(7·2867)

从动态补语到动态助词,"得"的实词意义完全丧失,成为一个只表示语法意义的成分,性质发生了质变,这一虚化过程就等同于语法化,语法化的结果是产生了新的语法形式——动态助词"得"。

为了在实际语用中把"虚化"和"语法化"这两个不完全等同的语法术语区分开,避免使用混乱,我们做出以下规定:凡意义发生变化,未造成新兴语法形式的出现,是为"虚化",即把"虚化"概念限定在表示词汇意义变化的范围内,不能用于表述新兴语法形式产生的语法化过程。至于"语法化",本书把它界定为用于表述新兴语法形式产生的语法术语,语法化完成后,原有语法形式的性质发生改变,新的语法形式产生。

(二)并列结构、连谓结构和复谓结构

述补结构的语法化与动词连谓结构有直接关系,本书在界定述补结构以及讨论述补结构的语法化过程或做形式特征分析时,常常会涉及"并列结构"、"连谓结构"、"复谓结构"等术语概念,而这些术语,学术界在使用时也不很统一,所以,有必要就本书的使用情况做一界定说明。

18 绪 论

"并列结构"指"几个成分并列在一起,地位平等,不分轻重主次"[①],这样形成的结构叫并列结构,一般也称之为"联合结构"。本书在使用该术语时一律用"并列结构"或"并列式"的名称。有时会使用"动词并用"或"动词性成分的等立连用"等表述方法,均概指"并列结构"。例如"坏破—破坏、坏碎—碎坏"等。

"连谓结构"即连动结构,它是由两个或两个以上谓词性词语连用而构成的结构,连用的谓词性成分之间有时间先后或主次之分,但都是同一施事主语发出的动作。[②] 通常有以下几种情况:(1)前后谓词性成分表示时间上的先后,如:项庄拔剑起舞(史记·项羽本纪);(2)前后谓词性成分之间有因果关系,如:发奋忘食,乐以忘忧(论语·述而);(3)前后谓词性成分之间有手段与目的关系,如:为坛而盟,祭以尉首(史记·陈涉世家);(4)前后谓词性成分之间有目的与动作(或结果)的关系,如:周公欲弑庄王而立王子克(左传·桓公八年);(5)前一个谓词性成分表示动作的方式,如:子路拱而立(论语·微子)。

本书一律用"连谓结构"或"连谓式"来概括上述结构,不用"连动结构"。

连谓结构与并列结构的区别在于:连谓结构的前后项之间有先后之分或主次之分,并列结构的各项之间则是地位平等,不分先后主次。

在行文中,本书还使用"复谓结构"的术语,概指由多种结构(如并列结构、连谓结构、主谓结构、述宾结构、偏正结构、述补结构等等)混用套合而形成的复杂谓词性结构。例如:

⑥其所引援,皆是半间不界无状之人,弄得天下之事日入于昏乱。(8·3088)

[①] 转引自北京大学中文系现代汉语教研室《现代汉语》,第274页,商务印书馆,1993。
[②] 本书关于连谓结构的界定参考了杨伯峻、何乐士《古汉语语法及其发展》一书的相关章节,引例也择自该书,见574-583页,语文出版社,1992。

⑦只是说得有详略,有急缓,只是这一个物事。(6·2387)

⑧格物,是穷得这事当如此,那事当如彼。(1·284)

(三)本书使用的指称符号

为行文方便,本书在讨论中将采用以下指称符号:V——动词及动词性成分,Vt——及物动词,Vi——不及物动词,A——形容词及形容词性成分,NP——名词及名词性成分,F——副词,Neg——否定词,S——主语,O——宾语,C——补语,N$_{施}$——施事,N$_{受}$——受事,(　)——隐含或省略。

本章参考文献

北京大学中文系现代汉语教研室 1993《现代汉语》,商务印书馆。
北京语言学院语言教学研究所编 1992《现代汉语补语研究资料》,北京语言学院出版社。
曹广顺 1990《魏晋南北朝到宋代的"动＋将"结构》,《中国语文》第 2 期。
—— 1995《近代汉语助词》,语文出版社。
—— 2000《试论汉语动态助词的形成过程》,《汉语史研究集刊》第 2 辑,巴蜀书社。
陈丽 2001《〈朱子语类〉中的结果补语式和趋向补语式》,《语言学论丛》第 23 辑,商务印书馆。
范晓、胡裕树 1992《有关语法研究三个平面的几个问题》,《中国语文》第 4 期。
范晓 1993《复动"得"字句》,《语言教学与研究》第 4 期。
—— 1998《汉语的句子类型》,书海出版社。
冯春田 1992《〈朱子语类〉"得"、"了"、"着"的主要用法分析》,《宋元明汉语研究》,程湘清主编,山东教育出版社。
胡附、文炼 1982《句子分析漫谈》,《中国语文》第 3 期。
胡裕树 1962/1981《现代汉语》,上海教育出版社。
—— 1994《汉语语法研究的回顾与展望》,载《三个平面:汉语语法研究的多维视野》,袁晖、戴耀晶编,语文出版社。
黄伯荣、廖序东 1985《现代汉语》(修订本),甘肃人民出版社。
蒋绍愚 1994《近代汉语研究概况》,北京大学出版社。

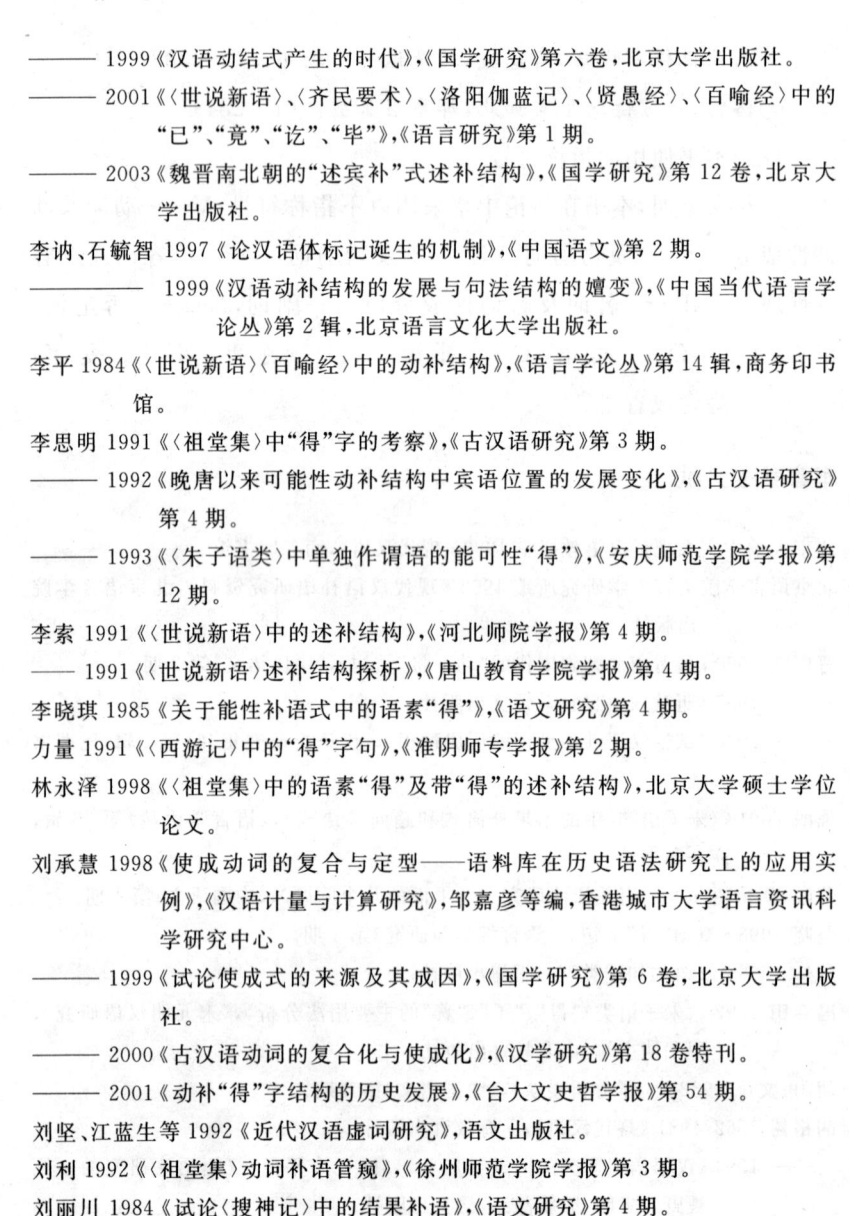

——— 1999《汉语动结式产生的时代》,《国学研究》第六卷,北京大学出版社。

——— 2001《〈世说新语〉、〈齐民要术〉、〈洛阳伽蓝记〉、〈贤愚经〉、〈百喻经〉中的"已"、"竟"、"讫"、"毕"》,《语言研究》第 1 期。

——— 2003《魏晋南北朝的"述宾补"式述补结构》,《国学研究》第 12 卷,北京大学出版社。

李讷、石毓智 1997《论汉语体标记诞生的机制》,《中国语文》第 2 期。

——————— 1999《汉语动补结构的发展与句法结构的嬗变》,《中国当代语言学论丛》第 2 辑,北京语言文化大学出版社。

李平 1984《〈世说新语〉〈百喻经〉中的动补结构》,《语言学论丛》第 14 辑,商务印书馆。

李思明 1991《〈祖堂集〉中"得"字的考察》,《古汉语研究》第 3 期。

——— 1992《晚唐以来可能性动补结构中宾语位置的发展变化》,《古汉语研究》第 4 期。

——— 1993《〈朱子语类〉中单独作谓语的能可性"得"》,《安庆师范学院学报》第 12 期。

李索 1991《〈世说新语〉中的述补结构》,《河北师院学报》第 4 期。

——— 1991《〈世说新语〉述补结构探析》,《唐山教育学院学报》第 4 期。

李晓琪 1985《关于能性补语式中的语素"得"》,《语文研究》第 4 期。

力量 1991《〈西游记〉中的"得"字句》,《淮阴师专学报》第 2 期。

林永泽 1998《〈祖堂集〉中的语素"得"及带"得"的述补结构》,北京大学硕士学位论文。

刘承慧 1998《使成动词的复合与定型——语料库在历史语法研究上的应用实例》,《汉语计量与计算研究》,邹嘉彦等编,香港城市大学语言资讯科学研究中心。

——— 1999《试论使成式的来源及其成因》,《国学研究》第 6 卷,北京大学出版社。

——— 2000《古汉语动词的复合化与使成化》,《汉学研究》第 18 卷特刊。

——— 2001《动补"得"字结构的历史发展》,《台大文史哲学报》第 54 期。

刘坚、江蓝生等 1992《近代汉语虚词研究》,语文出版社。

刘利 1992《〈祖堂集〉动词补语管窥》,《徐州师范学院学报》第 3 期。

刘丽川 1984《试论〈搜神记〉中的结果补语》,《语文研究》第 4 期。

——— 1992《〈搜神记〉中的趋向补语》,载《近代汉语研究》,胡竹安等编,商务印书馆。

刘子瑜 1994《敦煌变文中的三种动补式》,《湖北大学学报》第 3 期;又人民大学报
　　　　刊复印资料《语言文字学》第 7 期。
—— 2003a《也谈结构助词"得"的来源及"V 得 C"述补结构的形成》,《中国语
　　　　文》第 4 期。
—— 2003b《〈朱子语类〉中的"V 得 O"述补结构》,《语言学论丛》第 27 辑,商务
　　　　印书馆。
—— 2005a《汉语动结式述补结构的历史发展》,《语言学论丛》第 30 辑,商务
　　　　印书馆。
—— 2005b《动结式述补结构带宾语功能的历时考察》,《长江学术》,第 7 辑;又
　　　　人民大学报刊复印资料《语言文字学》第 12 期。
卢烈红 2002《"动+得+可能补语"中"得"字的语法性质》,《汉语史论文集》,宋绍
　　　　年等编,武汉出版社。
陆俭明 1993《八十年代中国语法研究》,商务印书馆。
吕叔湘 1942/1993《中国文法要略》,《吕叔湘文集》第 1 卷,商务印书馆。
梅祖麟 1991《从汉代的"动杀"、"动死"来看动补结构的发展》,《语言学论丛》第 16
　　　　辑,商务印书馆。
潘允中 1980《汉语动补结构的发展》,《中国语文》第 1 期。
商振哲 1985《〈水浒传〉里"得"的意义和用法》,《浙江师范大学学报》第 3 期。
石毓智、李讷 2001《汉语语法化的历程——形态句法发展的动因和机制》,北京大
　　　　学出版社。
宋绍年 1994《汉语结果补语式的再探讨》,《古汉语研究》第 2 期。
太田辰夫 1958/1987《中国语历史文法》,蒋绍愚、徐昌华译,北京大学出版社。
王力 1943/1985《中国现代语法》,《王力文集》第 2 卷,山东教育出版社。
—— 1944/1984《中国语法理论》,《王力文集》第 1 卷,山东教育出版社。
—— 1955《关于汉语有无词类的问题》,《北京大学学报》第 2 期;又见《王力文集》
　　　　第 16 卷,山东教育出版社 1990。
—— 1958/1980《汉语史稿》(中),中华书局。
—— 1989《汉语语法史》,商务印书馆。
文炼、胡附 1984《汉语语序研究中的几个问题》,《中国语文》第 3 期。
吴福祥 1996《敦煌变文语法研究》,岳麓书社。
—— 1999《试论现代汉语述补结构的来源》,《汉语现状与历史的研究》,中国社
　　　　会科学出版社。
—— 2000《〈朱子语类辑略〉中的带"得"的组合式述补结构》,《中古近代汉语研

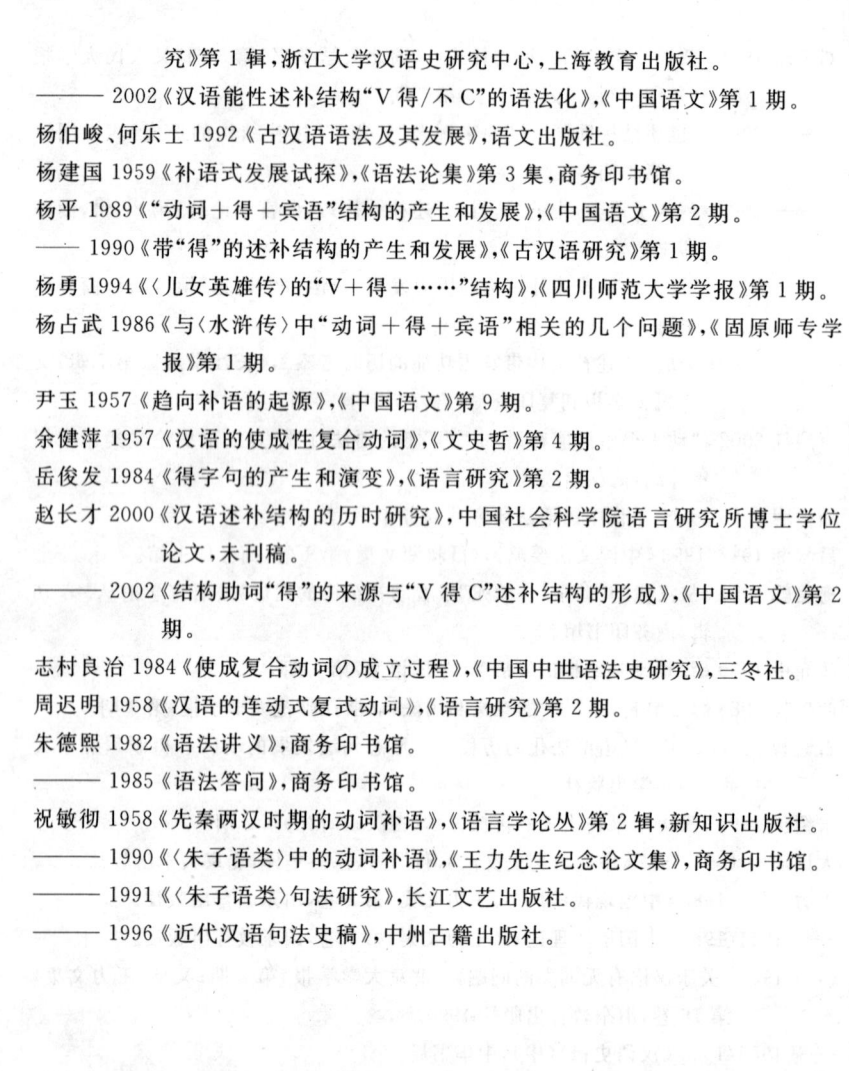

究》第 1 辑,浙江大学汉语史研究中心,上海教育出版社。
——— 2002《汉语能性述补结构"V 得/不 C"的语法化》,《中国语文》第 1 期。
杨伯峻、何乐士 1992《古汉语语法及其发展》,语文出版社。
杨建国 1959《补语式发展试探》,《语法论集》第 3 集,商务印书馆。
杨平 1989《"动词+得+宾语"结构的产生和发展》,《中国语文》第 2 期。
——— 1990《带"得"的述补结构的产生和发展》,《古汉语研究》第 1 期。
杨勇 1994《〈儿女英雄传〉的"V+得+……"结构》,《四川师范大学学报》第 1 期。
杨占武 1986《与〈水浒传〉中"动词+得+宾语"相关的几个问题》,《固原师专学报》第 1 期。
尹玉 1957《趋向补语的起源》,《中国语文》第 9 期。
余健萍 1957《汉语的使成性复合动词》,《文史哲》第 4 期。
岳俊发 1984《得字句的产生和演变》,《语言研究》第 2 期。
赵长才 2000《汉语述补结构的历时研究》,中国社会科学院语言研究所博士学位论文,未刊稿。
——— 2002《结构助词"得"的来源与"V 得 C"述补结构的形成》,《中国语文》第 2 期。
志村良治 1984《使成复合动词的成立过程》,《中国中世语法史研究》,三冬社。
周迟明 1958《汉语的连动式复式动词》,《语言研究》第 2 期。
朱德熙 1982《语法讲义》,商务印书馆。
——— 1985《语法答问》,商务印书馆。
祝敏彻 1958《先秦两汉时期的动词补语》,《语言学论丛》第 2 辑,新知识出版社。
——— 1990《〈朱子语类〉中的动词补语》,《王力先生纪念论文集》,商务印书馆。
——— 1991《〈朱子语类〉句法研究》,长江文艺出版社。
——— 1996《近代汉语句法史稿》,中州古籍出版社。

第一章 《朱子语类》述补结构的界定分类

第一节 现代汉语述补结构的界定分类

《朱子语类》述补结构的界定分类工作,前人或时贤没有做过。现代汉语述补结构的研究已经较为充分,审视其在界定分类问题上的研究成果以及存在的问题,对于我们进行《朱子语类》述补结构的界定分类工作无疑有借鉴意义。

一 界定分类

在传统语法体系中,结构是没有地位的,所以,最初没有述补结构或动补结构之类的提法。最早论及述补结构的是王力先生。王力(1943、1944)在20世纪40年代提出"使成式"的概念,50年代又在《汉语史稿》(1958)中从形式和意义两方面对使成式做出界定,虽未直接以"结构"来定名述补结构,但"使成式"的概念实际上已经包含有"结构"的意思。[1] 直接以"结构"来命名述补结构的是丁声树、吕叔湘等先生,丁、吕等先生(1961)在《现代汉语语法讲话》中提出了"补充结构"的名称,把动词带补

---

[1] 王力《中国现代语法》,《王力文集》第2卷,第116—122页,山东教育出版社,1985;《中国语法理论》,《王力文集》第1卷,第109—116页,山东教育出版社,1984;《汉语史稿》(中),第403—409页,中华书局,1980。

语叫做"动补结构",形容词带补语叫做"形补结构",合起来称做"补充结构",①此后,"动补结构"的名称就使用开来。但在名称的使用上没有完全统一,有叫"述补结构"的(朱德熙《语法讲义》,1982;北京大学中文系汉语教研室编《现代汉语》,1993),有叫"后补词组"的(胡裕树《现代汉语》,1981),还有称"补充词组"的(黄伯荣、廖序东《现代汉语》,1985)。

我们同意"述补结构"的提法,因为述补结构的前项成分可以是动词,也可以是形容词,用"述补结构"这个术语能与"谓语"这一更高层次的语法概念相区别。②

就现代汉语述补结构界定分类的研究情况看,代表性意见主要有以下几家:③

(一)丁声树、吕叔湘(1961)《现代汉语语法讲话》:"动词或形容词后面可以另外加上动词形容词之类,来表示前一个成分的结果、趋向等等,这一类成分叫做补语,因为它对前一个成分有所说明,有所补充。动词带补语叫'动补结构',形容词带补语叫'形补结构',合起来总称'补充结构'。"分为三大类:1. 不用"得"联系的,有结果补语(表示结果)、程度补语(表示程度)、趋向补语(表示趋向的动词作补语)、次动词加宾语的结构(表示行为的受事、时间、处所)。2. 用"得"联系的,分为表示可能、不表示可能两类。3. 带"个"的补语,包括肯定和否定形式。

(二)胡裕树等《现代汉语》(1962/1981):"后补词组""由两个部分组成,

---

① 丁声树、吕叔湘等《现代汉语语法讲话》,第 11 页,商务印书馆,1961。
② 朱德熙《语法讲义》,商务印书馆,1982。又《语法答问》,商务印书馆,1985。
③ 丁声树、吕叔湘等《现代汉语语法讲话》,第 11、56 页,商务印书馆,1961。胡裕树等《现代汉语》(1962 年初版,1981 年增订本版),第 335、361 页,上海教育出版社。朱德熙《语法讲义》,第 125 页,商务印书馆,1982;《语法答问》,第 49 页,商务印书馆,1985。黄伯荣、廖序东《现代汉语》,第 371—374 页,甘肃人民出版社,1985。北京大学中国语言文学系汉语教研室《现代汉语》,第 272—273、322—328 页,商务印书馆,1993。北京语言学院语言教学研究所编《现代汉语补语研究资料·序》,第 1 页,北京语言学院出版社,1992。

后一部分补充说明前一部分"。分三大类:1.不能用"得"的:主要是数量补语(少数表程度的形容词补语也是)。2.必须用"得"的:情态补语。3.用"得(不)"与不用"得(不)"构成平行格式的,包括结果补语和趋向补语,又分两类:(1)基本式:不用"得(不)"的形式,(2)可能式:用"得(不)"的形式。

(三)朱德熙(1982)《语法讲义》、(1985)《语法答问》:"补语和宾语的位置都在动词之后……补语只能是谓词性成分,不能是体词性成分……从意念上说……补语的作用在于说明动作的结果或状态。"分成两大类:1.黏合式述补结构:补语直接黏附在动词后头的格式,包括结果补语、趋向补语。2.组合式述补结构:带"得"的述补结构及其否定形式,包括可能补语、状态补语。

(四)黄伯荣、廖序东(1985)《现代汉语》:"谓词、谓词性词组、介词词组等充当补语,说明动作的结果、趋向、数量、时间、处所或性状的程度等。一部分补语和中心语之间有助词'得'。"分为六大类:1.结果补语:在动词后面表示动作的结果,一般用动词、形容词、代词(怎么样)以及谓词性词组充当。2.程度补语:用在形容词和少数动词(心理活动动词)后面表示性状的程度。3.趋向补语:用趋向动词表示动作的趋向。4.数量补语,有二:用数词和动量词来计算动作的次数;用数词和时间名词等计算动作所占时间的长短。5.时间、处所补语:多用介词词组来表示动作发生的"时点"和处所。6.可能补语:在动词后面用"得"和"不得"表示可能和不可能。

(五)北京大学中国语言文学系汉语教研室编《现代汉语》(1993):"在'洗干净'里,'洗'表示一种手段,'干净'是采取这个手段后所得到的结果……我们管这一类词组叫'述补结构'。前一部分('洗')叫'述语',后一部分('干净')叫'补语'。述补结构中间往往可以插入'得'字或'不'字。"分五大类:1.结果补语,表示述语的结果。由结果补语形成的述补结构中间不带"得"字。2.趋向补语,表示事物运动的方向,有单纯的和复合的两类。3.可能补语,动词和补语间插入"得"或"不",表示能怎么样或不能怎么样。

4.程度补语,表示述语所达到的程度或状态。分三类:带"得"、不带"得"和带"个"。5.由介词结构充任的补语,表示时间或者处所。

(六)陆俭明(1992)对现代汉语述补结构的分类研究做过一个总结,大致可以代表目前较为公认的分类结果:1.由谓词性成分充任补语的述补结构,有:(1)述语和补语直接黏合的,细分为:I.带结果补语的述补结构;II.带趋向补语的述补结构;III.带程度补语的述补结构。(2)述语和补语之间用"得"组合的,细分为:IV.带可能补语的述补结构;V.带状态补语的述补结构;VI.带程度补语的述补结构。(3)述语和补语之间用"个"组合的。(VII)2.由介词结构充任补语的述补结构。(VIII)3.由数量词充任补语的述补结构。(IX)

二 界定分类的原则标准及意见分歧

(一)原则标准

从以上看,现代汉语研究者对述补结构的界定大都较为笼统,形式界定的细化工作做得还不够。他们在界定分类时主要遵循形式和意义相结合的原则,分类的大致标准是:先从形式上,根据述语与补语之间有无"得(个)"类插入语,把有"得(个)"与无"得(个)"的述补结构分开;然后再从意义上,根据补语与述语之间的语义关系,即补语所表示的语法意义来区分各类述补结构。

(二)意见分歧

陆俭明(1992)曾就现代汉语研究者对述补结构界定分类的意见分歧做过说明:上文VII、VIII、IX类是不是述补结构,各家看法有分歧。如:VII类,有人认为是述补结构,并称这种述补结构里的补语为"带'个'的补语"(丁声树等著《现代汉语语法讲话》);有人则认为是述宾结构,并称这种宾语为"程度宾语"(朱德熙《语法讲义》)。VIII类,有人认为是述补结构,并把由介词结构充任的补语称为"时间、处所补语"

(黄伯荣、廖序东主编《现代汉语》);有人则认为是述宾结构,并称这种宾语为"处所宾语"、"时间宾语"(朱德熙《语法讲义》)。IX类,有人认为是述补结构,并称这种补语为"数量补语"(胡裕树主编《现代汉语》,黄伯荣、廖序东主编《现代汉语》);有人则认为是述宾结构,并称这种宾语为"准宾语"(朱德熙《语法讲义》)。

上述分歧涉及到理论体系问题,这里不做辨析。其实,各家除对于以上大类的划分有不同意见外,对于各大类中小类的归属也有分歧。如以"得"字述补结构为例,"得"字述补结构到底是分成状态、程度两类,还是统一成结果述补结构,或是状态述补结构,或是程度述补结构,而具体到结果、状态和程度三类之间的划类问题时,各家也难以有完全统一的意见。

概括起来,现代汉语研究者在述补结构分类问题上的分歧可以总结如下:

1. 带"个"的结构(如"问个明白")是不是述补结构。
2. 动词后头的表时量、动量的数量成分是不是补语。
3. 动词后头的介词结构是不是补语。
4. 结果、状态、程度补语的定名和划界问题。
5. 可能补语是否列为汉语补语的一个大类。

第二节 《朱子语类》述补结构的界定分类

一 《朱子语类》述补结构的界定

(一)《朱子语类》述补结构的界定

述补结构是由两个成分组成的谓词性结构,结构前项为述语,由动词或形容词充当,结构后项是补语,由动词、形容词以及动词、形容词性词组、数量词、介词词组等充当,部分述补结构的述语和补语之间插有结构助词"得"、"个"等。补语补充说明述语动作所造成的结果、状貌、程度、趋向、数量、时间、处所、对象、工具等。

需说明的是,从来源发展看,由动词带表时量、动量的数量词以及表时间、处所、对象、工具等的介宾词组所构成的述补结构的形式特征明确,所表示的语法意义也明确单一,从古到今变化不大,所发生的变化主要表现为词序移动(由动词前到动词后)和词汇替换,所以,本书不把它们纳入讨论范围。本书所讨论的述补结构是谓词性成分充当补语的述补结构。

动趋式述补结构和"得"字述补结构等的形式和语义特征比较明确,到近代汉语时期,已基本定型,一般不存在与别类结构的混淆问题。动结式述补结构的界定较为麻烦,其来源发展情况复杂,形式和语义特征也很繁复,存在着与连谓、主谓等结构的划界问题,所以,什么样的结构可以界定为动结式述补结构,一直是学术界研究的热点和难点,至今没有统一的意见。下面结合《朱子语类》语料,对其动结式述补结构做进一步界定。

(二)《朱子语类》动结式述补结构的界定

1. 前人对动结式述补结构的研究

动结式述补结构的研究已逾半个多世纪,但学界对其界定分类仍然歧见纷呈。在结构层面上明确给动结式做出过界定的有王力(1943、1944、1958)和梅祖麟(1991),此外,太田辰夫(1958)、志村良治(1984)、蒋绍愚(1999)、吴福祥(1999)等先生的研究也有涉及。[①]

---

① 王力《中国现代语法》,《王力文集》第2卷,第116—124页,山东教育出版社,1985;《中国语法理论》,《王力文集》第1卷,第109—116页,山东教育出版社,1980;《汉语史稿》(中),第403—409页,中华书局,1980。梅祖麟《从汉代的"动杀"、"动死"来看述补结构的发展》,《语言学论丛》第16辑,商务印书馆,1991。太田辰夫《中国语历史文法》,蒋绍愚、徐昌华译,第194—199页,北京大学出版社,1987。志村良治《中国中世语法史研究》,江蓝生、白维国译,第212—241页,中华书局,1995。蒋绍愚《汉语动结式产生的时代》,《国学研究》第6卷,北京大学出版社,1999。吴福祥《试论现代汉语述补结构的来源》,《汉语现状与历史的研究》,中国社会科学出版社,1999。

第二节 《朱子语类》述补结构的界定分类

王力(1943、1944)首次提出了"使成式"的概念:[①]"凡叙述词和它的末品补语成为因果关系者,叫做使成式(causative form)。"包括形容词和动词(含趋向动词)作末品补语的形式。后来(1958)又进一步从形式和意义两方面对使成式做出了规定:"使成式(causative form)是一种仿语的结构方式。从形式上说,是外动词带着形容词('修好','弄坏'),或者是外动词带着内动词('打死','救活');从意义上说,是把行为及结果在一个动词性仿语中表示出来。这种行为能使受事者得到某种结果,所以叫做使成式。"可见,王先生的"使成式"概指"及物动词带形容词或不及物动词"的动结式,结构的前后项之间有"使成"语义关系,表示通过某种动作行为使受事者得到某种结果,补语语义指向受事。王力(1958)还指出:"使成式产生于汉代,逐渐扩展于南北朝,普遍应用于唐代。"

不过,王力先生的使成式界定前后期有变化。早期界定中(1943、1944),使成式包括"及物动词＋不及物动词/形容词"的形式(如"打死、修好"),还包括"不及物动词＋不及物动词/形容词"的形式(如"饿死、站累"),后来(1958)则把后者排除在外,又举出结构前后项之间没有"使成"关系,补语语义指向施事和述语动词所表示的动作的动结式,如"踢错、看惯、打毒",并认为指向施事类是使成式在近代的新发展。

在王力先生研究的基础上,有学者对动结式产生于汉代提出疑义,原因是汉代的不及物动词和形容词都常常用作使动,因此,被认定为述补结构的语法形式可能还是连谓结构。为此,太田辰夫(1958)、志村良治(1984)、梅祖麟(1991)、蒋绍愚(1999)等为避免单纯依据语义或语感的主观性,尝试着从形式上去寻找标准来判定使成式的产生时代。

---

① 以下观点见王力《中国现代语法》,《王力文集》第 2 卷,第 116－124 页,山东教育出版社,1985;《中国语法理论》,《王力文集》第 1 卷,第 109－116 页,山东教育出版社,1984;《汉语史稿》(中),第 403－409 页,中华书局,1980。

明确提出动结式界定标准的是梅祖麟(1991)。他以"V 死 O"格式的出现作为判定动结式产生的标准,认为动结式产生于六朝,并提出四条界定标准:①(1)述补结构是由两个成分组成的复合词,前一个成分是他动词,后一个成分是自动词或形容词。(2)述补结构出现于主动句:施事者+述补结构+受事者。(3)述补结构的意义是在上列句型中,施事者用他动词所表示的动作使受事者得到自动词或形容词所表示的结果。(4)唐代以后第二条限制可以取消。

梅先生的意见得到了蒋绍愚(1999)、吴福祥(1999)的支持。② 蒋绍愚师进一步指出,判断"V_1+V_2"结构是不是述补结构的一个重要标准在于"V_2"的变化:"只有当'V_2'自动词化或虚化,或者自动词不再用作使动,和后面的宾语不能构成述宾关系,这才是动结式。"并提出确定动结式产生时代需考虑的几点因素:(1)使动用法什么时候开始衰微。(2)他动词什么时候自动词化。(3)"VOC"形式什么时候开始出现。(4)动词词缀"得"、"却"、"取"什么时候开始出现。(5)动结式的否定形式什么时候出现。吴福祥也"部分地接受梅先生的意见,认为唐代以前的'他动词(Vt)+自动词(Vi)'通常要带上宾语(O)才可以认定为动补结构"。

王力先生开创性地提出了"使成式"的概念,并从形式和意义两方面进行了界定,为动结式研究奠定了坚实基础。不过,他的"使成式"界定主要立足于动结式的早期形式,对动结式发展的描述较粗略,动结式在近代汉语时期出现的一些新形式未能在界定中得以体现。继王力以后,学者们努力寻找形式标准来判定动结式,避免了单纯依据语义或语

---

① 参见梅祖麟《从汉代的"动杀"、"动死"来看述补结构的发展》,《语言学论丛》第 16 辑,商务印书馆,1991。

② 蒋绍愚《汉语动结式产生的时代》,《国学研究》第 6 卷,北京大学出版社,1999。吴福祥《试论现代汉语述补结构的来源》,《汉语现状与历史的研究》,中国社会科学出版社,1999。

感的主观性,不过,各家对动结式的讨论仍主要着眼于早期形式的认定,而对动结式发展过程中所出现的多种形式未做详细研究,因此,动结式的各种形式在各家研究中没有得到全面反映,动结式的全面界定分类尚待进一步研究。

2. 我们认为在给动结式做出界定分类时,有以下几个方面的问题需要进一步考虑:

第一,动结式是一个多种语法结构的集合,集合中包括了不同形式的语法结构,各小类动结式在句法形式和语义特征上有异,来源发展的途径、方式、产生时间也不相同。因此,对动结式进行界定分类必须把动结式的形式特征与语义特征相结合,综合多方面因素,包括结构形式、补语所表示的语法意义、补语的语义指向以及动结式的来源发展途径等。

第二,要从历时发展角度对动结式进行全面的界定分类。以往各家都把动结式形式限定为"及物动词+不及物动词/形容词",实际上动结式在后代还发展出了"不及物动词+不及物动词/形容词"、"及物动词+及物动词"以及形容词作述语的形式;就补语语义指向而言,六朝除有指向受事的动结式外,指向述语动作的动结式也已出现,唐五代还出现了指向施事或相关名词性成分的动结式。这些形式都应该体现在界定分类中。

第三,关于"施事者+述补结构+受事者"句法槽。梅祖麟(1991)试图从形式上寻找检验动结式成立的标准,提出了上述句法槽,初期动结式多以此为基本形式,不过,部分动结式也可以出现在其他句法槽中,如"受事者+动结式"以及"施事者+动结式"等。即:是否带宾语是判定初期动结式的一项重要标准,但对这个标准也要具体情况具体分析。

梅祖麟(1991)认为,与动结式来源直接相关的有两类结构:甲,施事者＋他动词＋他动词＋受事者；乙,受事者＋他动词＋自动词。甲类在先秦汉代是并列结构,到六朝,由于受清浊别义衰落、使动式衰落以及"隔开型"动结式产生等因素的影响,后项他动词自动词化,变成了述补结构。乙类在六朝可以带上宾语,也变成了述补结构。也就是说,先秦两汉时期的甲乙两式并列结构到六朝都发生了变化,合流变成了"他动词＋自动词＋受事者"述补结构。不过,历时语料显示,在动结式产生之初的六朝时期也存在着不带宾语的动结式,这些动结式没有带宾语,无法用上述手段检验,但却不能把它们排斥在动结式之外。举个例子,《贤愚经》中有"V杀(O)"式,既有带宾语的用例,如"蹹杀人民、填杀下人、蹴杀我公"等,也有不带宾语的用例,如"宁受绞死不乐烧杀、以箭射杀"等。前者宾语不受"杀"管辖,是"V杀"支配的对象,可以肯定是动结式,后者没有带宾语,但不能简单地排除在动结式之外,而应结合动结式的历时发展情况具体分析。在动结式产生初期,与它并存有"VtVtO"和"VtVi"连谓结构,前者在六朝经由后项动词的不及物化语法化成动结式;后者在历时中有两类：一类是先秦汉代即有的"Vt-Vi"连谓结构,如"百余人炭崩尽压死(论衡·吉验)",一类是六朝产生的"VtVi"动结式,如"V杀"。要判断"VtVtO"连谓结构是否语法化成了动结式,主要是看后项动词是不是不及物化了,而判断后项动词不及物化的形式依据就是它带上宾语后不再对宾语构成支配,所以,在动结式产生之初,宾语的有无及其与后项动词的关系是判别动结式的一条重要标准。不过,对于六朝的"VtVi"结构,需要具体分析。这类结构仅就其形式特征无法确定结构性质,但可以采取互证法,结合相应的带宾语形式来判断,即：若有相应的带宾语形式的动结式,就可以认定不带宾语的"VtVi"式为动结式;反之,则难以排除连谓结构的嫌疑。唐代以后,由于动结式已经完全定型化,没有相应带宾语形式的"VtVi"连谓结构会在整个动结式的类推机制下语法化成为动结式,这时,带宾语与否就不再是验证动结式的必要条件了。

第四,学术界在判定动结式述补结构时十分重视形式标准,形式标准的客观性能够避免单纯依据语义或语感的主观性,不过语义在动结式语法化过程中所起的作用也值得重视。我们认为语义在动结式语法化过程中的作用有二:其一,是导致结构语法化的主要动因;其二,伴随着结构变化而产生,对结构变化起到推动作用。前者表现为前项动词语义特征对动结式语法化的影响,主要反映在部分后项成分虚化的动结式的语法化上,诸如"V见(O)"等等;后者表现为后项动词语义特征对动结式形成发展的影响,主要反映在对补语语义指向受事的"VtVi/A(O)"式动结式语法化过程的推动上,诸如"V破(O)"等等。具体情况将在后文做详细分析说明。

3.《朱子语类》动结式述补结构的界定

动结式是由两个成分组成的主从型谓词性结构,是补语直接附在述语后面而形成的黏合式述补结构,不同于述语和补语之间插有结构助词"得"、"个"等的组合式述补结构。补语的作用一般在于说明述语所表示的动作行为使受事(动作行为的承受者)、施事(动作的发出者或活动的发生者,本书的"施事"指广义施事,包括"当事"在内)、动作行为以及与动作相关的名词性成分得到补语动词或形容词所表示的结果,或呈现某种状态,或达到某种程度。补语语义可以指向受事、施事、动作行为本身或与动作相关的名词性成分。

《朱子语类》中没有发现补语语义指向与动作相关的名词性成分的动结式,但唐五代以及元明清时期的文献中均有用例。

二 《朱子语类》述补结构的分类

(一)分类标准

结合《朱子语类》述补结构在句法平面、语义平面及语用平面的特

点,其分类标准大体涉及以下几个方面:

1. 语境预设,指是否有可能性语境的预设。

2. 述语与补语之间是否有插入性成分,如"得、得来、个、不"等。

3. 述语与补语之间的语义关系,以及补语与相关体词性成分之间的语义关系。

4. 补语的语法构成,即补语由什么语法成分充当。

(二)分类结果

按标准1、2,我们把《朱子语类》述补结构分为两大类:不含可能性预设的基本式和含可能性预设的可能式,再按标准3、4,根据带"得"与否,进一步给基本式分类,即:

1. 第一大类——基本式 ↗(1)不含可能性预设、不带"得"的述补结构
↘(2)不含可能性预设、带"得"的述补结构

2. 第二大类——可能式 →含可能性预设、带"得"的述补结构

具体说明如下:

1. 第一大类——基本式

(1)不含可能性预设、不带"得"的基本式

I. 动结式述补结构

动结式是由两个成分组成的谓词性结构,是补语直接附在述语后面而形成的黏合式述补结构。补语说明述语所表示的动作行为使受事、施事、动作行为以及与动作相关的名词性成分得到补语动词或形容词所表示的结果,或呈现某种状态,或达到某种程度。补语语义可以指向受事、施事、动作行为本身或与动作相关的名词性成分。根据动结式的形式特征,并结合补语所表示的语法意义、语义指向以及动结式的来源发展途径,《朱子语类》中的动结式可以分成以下三类:

i. 结成述补结构

补语表示动作实施给受事、施事(含当事)所带来的结果,补语语义指向受事、施事。基本结构形式:

A. 补语指向受事:VtVi(O)、VtA(O),例如:掀翻、割断了许多牵绊、填满、讲明道理。

B. 补语指向施事(含当事):VtA(O)、ViVi(O)、ViA,例如:说错、做错此事、饿死、坐定一个地头、恣惯。

凡述语动词所表示的动作行为是使受事得到补语动词或形容词所表示的某种结果,或呈现某种状态的结成述补结构,我们把它定名为"使结式",使结式的述语和补语之间有"使成"语义关系,补语语义指向受事。

ii. 结态述补结构

此类是动结式中较为虚化的一类,补语由介于虚实之间的成分充当,表抽象结果义,说明述语所造成的完成性状态情貌。补语语义指向动作本身。基本形式是:VtVi(O)、ViVi(O)、VtOVi。根据补语动词的语义特点,大体有以下两小类:

A. 因动作实施而使动作本身产生某种结果或达到某种目的,补语为带有"涉及"、"接触到"及"固定"、"停止"义的动词,如"着、到、至、及、见、住、掉、却"等,它们部分丧失原有动词义,表示一种较为虚化的结果义——动作达到目的、有了结果;在形式上黏附于述语,独立性差,不能与表人、物的主、宾语构成表述。例如:粘住、猜着、说到《汉书》、寻见原头处、睡着、盈及一半。这类补语成分有的继续保留在现代汉语中,成为表抽象结果义的动结式补语成分。

B. 因动作实施而带来动作行为本身的完成,补语由半虚化的"完成"义动词"成、就、取、得、了"等("得"自成体系,做专类讨论)充当。例如:学成、占取便宜、看正文了。这些补语成分有的继续以半虚化补语形式保留在现代汉语中,如"成",有的在近代汉语时期进一步语法化成表动作完成实现的动态助词,如"取/得/了",有的动态助词还保留到现代汉语中,如"了"。

iii. 结度述补结构

补语由形容词充当,带有评价性语义特征,说明述语动词的程度,包括动作行为的量、速度的快慢、发生时间的早晚、持续时间的长短及动作行为所造成的状态等所达到的维度。补语语义指向动作本身。结构形式:VtA(O)、ViA(O)。例如:说粗、看透一件、死早,等等。另有少量"AF"式(F:程度副词),这是真正表程度的形式,也归入此类中一并讨论,例如:高杀、精绝。

II. 动趋式述补结构

动趋式述补结构是由动词和形容词带上趋向动词及复合趋向词语作补语而构成的述补结构,简称动趋式。动趋式实属动结式的一类,由于充当补语的成分是趋向动词及复合趋向词语,[1]它们充当补语时表现出某些区别于其他补语成分的类别特征,所以单独提出来讨论。根据动趋式所表达的语法意义,本书把它分成三类:

i. 趋方述补结构

指表人或事物运动方向的动趋式,补语表示人或事物通过动作在空间的位移方向,补语语义指向动作所涉及的人或事物,即动作行为的施事或受事。方向意义是动趋式所表达的基础语法意义。大多数趋方述补式都表示人或事物通过动作在空间的具体位移方向,如"走入、搬

---

[1] 关于由"上、下、入、进、出、回、起、过"与"来、去"组合而构成的复合成分"上来、上去、下来、下去、入来、入去、出来、出去、进来、回来、回去、起来、起去、过来、过去"等的性质,学界一直有分歧,有的认为是复合趋向动词,有的认为是词组,有的认为是"离合词"。就这类成分在现代汉语中的使用情况,并结合《朱子语类》语料来看,它们除了可插入"得/不"扩展,变换成相应的可能式外,还能插入多种形式的宾语,所以,我们倾向于把它们处理作词组。考虑到其特殊性,在行文中,本书一律把这类成分表述为"复合趋向词语",由它们与其他动词组成的述补结构,是复合动趋式结构。

出、涌出来、将上来"等,部分趋方述补式在基本意义的基础上引申出意义较为虚化的用法,不表示人或事物具体的空间位移方向,而表示某种抽象位移,我们把它看成趋方述补式的引申用法,如:

①大凡为学有两样:一者是自下面做上去,一者是自上面做下来。(7·2762)

还有部分结构表示某种领属关系或占有关系的转移,如"付出、借出、买来、偷来、讨索来"等,这种用法介于方向义和结果义之间,领属关系或占有关系的改变实际上就是对象由一方向另一方的转移,所以,本书把这类用法视为趋方述补式的活用。

趋方述补结构由动词带上趋向动词或复合趋向词语作补语而构成,充当述语动词的成分包括普通动作行为动词和趋向动词,充当补语的成分为趋向动词或复合趋向词语。在《朱子语类》趋方述补式中作补语的成分有"上、下、入、出、回、起、过、来、去"9个趋向动词以及"上来、上去、下来、下去、入来、入去、出来、出去、进来、回来、回去、起来、起去、过来、过去"15个复合趋向词语;若述语动词是趋向动词,则补语为趋向动词"来/去/入"。若带宾语,宾语一般插在述补结构中间,有时也可放在整个述补结构的后面。具体结构形式如下:

A. 简单趋方述补结构

述语由普通动作行为动词或趋向动词充当,补语由趋向动词充当。根据是否带有宾语以及宾语位置的不同,又分为以下结构形式:

a. VC(O)

甲、述语由普通动作行为动词充当,补语由趋向动词充当,例如:将上、搬出、滚来、流入、走上径山、滴出鼻涕、带来道理、迁入精舍。

乙、述语由趋向动词"上、下、出、入、回、起、过"充当,补语由趋向动词"来、去、入"充当,构成的述补结构有:上来、下来、上去、下去、出来、出去、入来、入去、回来、回去、回入、起来、起去、过来、过去。

这类动趋式后面带宾语的情况极少见,仅见少量用例,例如:回入书室中、出去路上、过来分队。

b. VOC

甲、述语为普通动作行为动词,补语为趋向动词"来/去",例如:担水来、携绵被去。

乙、述语由趋向动词充当,补语为趋向动词"来/去",例如:上那顶上去、入那市中去、下山来、出门来、入这里来。

B. 复合趋方述补结构

述语动词由普通动作行为动词充当,补语由复合趋向词语充当。根据是否带有宾语以及宾语插入位置的不同,可分成以下结构形式:

a. VC_1C_2,例如:走上来、飞下来、流出来、奔驰出去、跌落下去、移上去、引入去、荐过来。

b. VOC_1C_2,例如:拈一件起来、吸水下去。

c. VC_1OC_2,例如:走入老庄窠窟里去、牵入这心来、走过均亭去、送下讼来。

C. "V将来/去"结构

近代汉语时期表趋向的特殊形式,例如:取将来、挪趱将来、行将去、诱引将去。

ii. 趋成述补结构

由方向义引申发展而来,表示动作行为的实现和获得结果。例如:添上、建下、画出、筑起、生下来、生出去、说出来、装荷起来。补语语义指向受事或动作行为本身。

趋成述补结构由动词带上趋向动词或复合趋向词语构成。在《朱子语类》趋成动趋式中作补语的有6个趋向动词:上、下、出、开、起、过,8个复合趋向词语:上去、下来、出去、出来、开去、过来、过去、起来。

A. 简单趋成述补结构

述语由普通动作行为动词充当,补语由趋向动词充当。根据是否带有宾语以及宾语位置的不同,又分为以下结构形式:

a. VC(O),例如:附会上、写出、挑开、考过、记下言语、添上御前军。

b. VOC,例如:收拾这心下、说一段过。

B. 复合趋成述补结构

述语由普通动作行为动词充当,补语由复合趋向词语充当。根据是否带有宾语以及宾语位置的不同,可分为以下结构形式:

a. VC_1C_2,例如:累上去、生下来、刷下去、说出来、做出去、剖析开去。

b. VOC_1C_2,例如:分许多名字出来、写此文字出去。

c. VC_1OC_2,例如:养出好意思来、做出许多事来。

iii. 趋态述补结构

表动态义的动趋式。动态义由结果义进一步虚化发展而来,是更为虚化的语法意义。《朱子语类》中趋态述补结构所表示的动态意义有两类:一是表示新动作或新状态的开始,如"述语动词+上/起/起来/起去/开去"等形式都能表示该语法意义;二是表示已有动作行为或状态的持续,主要是"述语动词+去/下去"形式。补语语义指向动作行为本身。

《朱子语类》中,充当趋态述补结构补语的成分有趋向动词"起、去"和复合趋向词语"下去、起来、起去、开去"。具体结构形式有:

a. VC,例如:做起、说起、循环去、积累去。

b. VCO,例如:擂起鼓。

c. VC_1C_2,例如:挨下去、歌起来、奏起来。

前两类是述语动词与单音节趋向动词组合成的简单趋态述补结构,第三类是述语动词带上复合趋向词语构成的复合趋态述补结构。

(2) 不含可能性预设、带"得"的基本式

I. "得"作补语,基本结构形式是"V 得(O)"。① 根据"得"所表达的语法意义,分为两类:

i. "V 得(O)"结果述补结构

"V 得(O)"结果述补结构表示通过某种动作获得某种结果,述语由取义动词(包括动作发生后能产生获得结果的动词)充当,动词"得"丧失了"获得"义,转而表示"获得"性"涉及"义,跟在取义动词后面作结果补语,有"到"义。如:

②后来在《集韵》中寻出,乃云:"反印也",却在"印"部寻得。(8•3336)

③李问陈几叟借得文定《传》本,用薄纸真谨写一部。(7•2602)

ii. "V 得(O)"动态述补结构

"V 得(O)"动态述补结构表示动作行为的完成实现,述语动词由取义动词扩展为非取义动词(用"非取义"来概括动态述补结构述语动词的语义特征只是一个大致笼统的提法,实际情况较为复杂,后文会做详细讨论),"得"进一步虚化,有"成、完、到、住"等意义,成为半虚化的完成动词,充当完成补语。如:

④唐官看他《六典》,将前代许多官一齐尽置得偏官,如何不冗?(7•2963)

⑤若如此看得三五项了,自然便熟;向后看时,更不似初间难,亦可类推也。(7•2850)

⑥今有一般人,看文字却只摸得些渣滓,到有深意好处,却全不识!(7•2615)

---

① 此处以"V 得(O)"形式作为代表,实际上还包括"V 得(O)"式的否定形式及相关变体形式。下文"V 得 C"也是以"V 得 C"式作代表,实际上还包括它的肯定、否定式的其他基本形式及其相关变体形式。

⑦学者只守得某言语,已自不易,少间又自转移了。(7·2576)

II. "得"为结构助词,基本结构形式是"V 得 C"。根据"V 得"后所带补语的性质,分两类:

i. 结果述补结构

结果述补结构是对动作行为或状态变化的结果进行陈述说明,补语由动词、谓词性指代词以及动词性词组充当。例如:

⑧和靖在程门直是十分钝底,被他只就一个"敬"字上做工夫,终被他做得成。(7·2782)

⑨有时前面恁地说,后面又不是恁地;这里说得如此,那里又却不如此。(7·2630)

⑩如鸡抱卵,看来抱得有甚暖气,只被他常常恁地抱得成。(1·132)

⑪尝云:"向时得《徽宗实录》,连夜看,看得眼睛都疼。"(7·2624)

⑫你攻得它前面一项破,它又有后面一项,攻它不破。(7·2500)

⑬曰:"也是他见得个道理如此。"(7·2608)

ii. 程度述补结构

程度述补结构是对述语动作造成的结果状态所达到的程度或事物的性质、情状(形容词作述语)所达到的程度进行评价或说明。程度的含义是广义的,包括动作行为的量、速度的快慢、持续时间的长短以及结果、状态、性质所达到的程度等等。述语一般为动词和动词性词组,也有少数形容词;补语一般由形容词及其重叠式以及形容词性词组充当。例如:

⑭汉卿所问虽若近似,也则看得浅。(7·2743)

⑮若病得狼狈时,也只得去。(7·2660)

⑯不是少,只是看得草草。(1·258)

⑰惟是孟子说义理,说得来精细明白,活泼泼地。(8·3272)

⑱这是自古解作众,他却要恁地说时,是说王氏较香得些子。(8·3102)

⑲譬如他人做得饭熟,盛在碗里,自是好吃,不解毒人,是定。(7·2819)

⑳今须是整肃主一,存养得这个道理分明,常在这里。(7·2783)

㉑古人问筶者,要说得这事分明,历历落落。(8·3286)

动词及动词性词组充当补语,其主要功能和语法意义就是表示动作结果,即对述语动词所表示的动作行为所造成的结果、状态或变化加以陈述说明。形容词是表性质、状态的词,性质形容词、状态形容词及形容词重叠式都具有一定程度性,在表程度时还体现出不同的级次性。① 表程度是形容词的一个相当重要的功能和语义特征。当形容词性成分作补语时,其主要功能和语法意义就是对性质状态所达到的程度进行描写说明。因此,动词性成分作补语与形容词性成分作补语所表示的语法意义有本质区别,我们分别把它们归为结果述补结构和程度述补结构两类。这样分类的好处是,能解决因单纯从意义区分结果、状态、程度等补语所带来的补语界限不易划清的问题。

2. 第二大类——可能式

(1)"V 得(O)"能性述补结构

表示"能够"、"可以"的述补结构,通常指主观能力做得到做不到,或表示客观条件及情理上的许可,是动态述补结构的语境变体,一般用于未然(表推测、假设,或表疑问)语境中。例如:

㉒郭德元告行,先生曰:"人若于日间闲言语省得一两句,闲人客省

---

① 参见李宇明《论形容词的级次》,《语法研究和探索(八)》,商务印书馆,1997。

见得一两人,也济事……"(7·2806)

㉓一个自方,一个自圆,如何总合得?(8·3317)

《朱子语类》时代已经发展出了脱离语境的形式,如:

㉔又如脾胃伤弱,不能饮食之人,却硬要将饭将肉塞入他口,不问他吃得与吃不得。(8·2970)

(2)"V 得 C"能性述补结构

"V 得 C"能性述补结构是结果述补结构和程度述补结构在特定语境(表假设、推测、疑问等未然语境)中的语境变体。表示的语法意义有二:一是主观可能性,即主观能力做得到做不到;二是客观可能性,包括客观条件是否允许,事物实现的客观可能性等。充当述语的基本上是动词和动词性词组;作补语的成分有二:一是动词和谓词性指代词,少数为动词性词组(结果述补结构的语境变体)(见下前 3 例);二是形容词和形容词性词组(程度述补结构的语境变体)(见下后 3 例)。例如:

㉕若做得成,敌人亦不敢窥伺。(7·2709)

㉖用之曰:"人如何测得如此? 恐无此理。"(6·2214)

㉗今且须就心上做得主定,方验得圣贤之言有归着,自然有契。(1·202)

㉘此段若无程先生说,终无人理会得透。(8·2970)

㉙若不理会得是非分明,便不成人。(8·3110)

㉚如此,方见得这个道理浑沦周遍,不偏枯,方见得所谓"天命之谓性"底全体。(8·2938)

此外,"得"字述补结构中还存在着因语境不明晰而带来的兼跨能性和结果、动态、程度的结果/能性、动态/能性和程度/能性的述补结构。详细情况将在后文讨论。

总结以上,《朱子语类》述补结构的分类结果如下:

第一章 《朱子语类》述补结构的界定分类

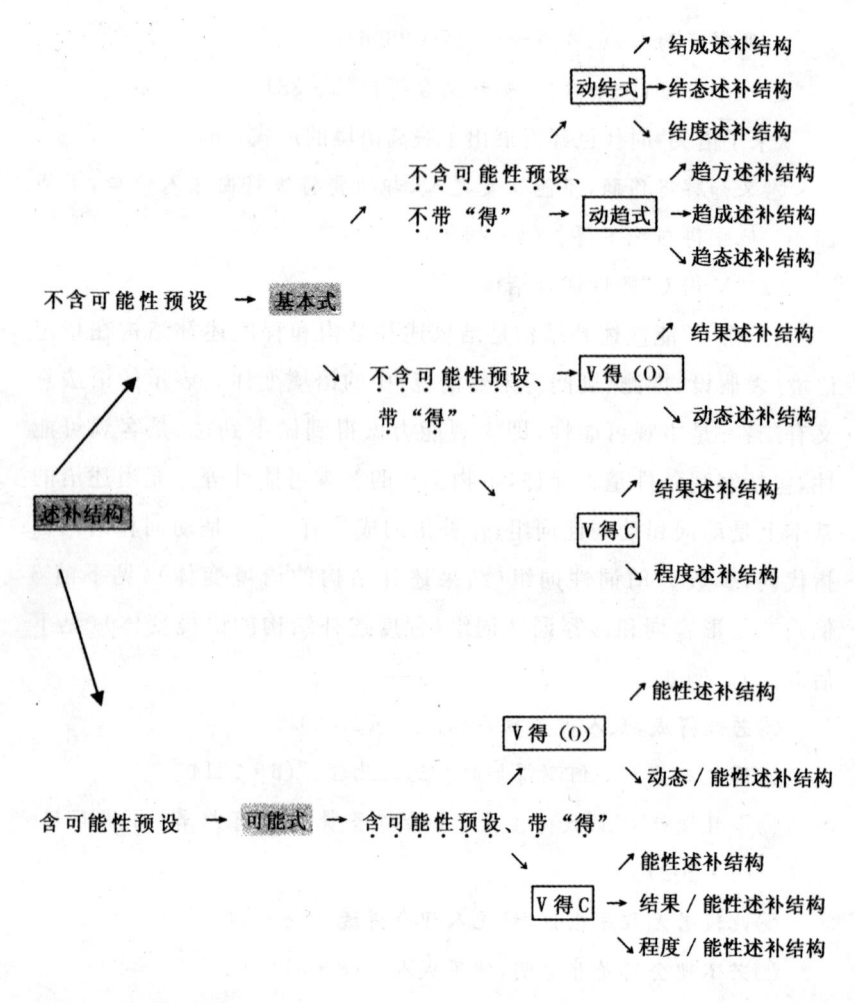

```
                                                              ↗ 结成述补结构
                                                    动结式 → 结态述补结构
                                              ↗            ↘ 结度述补结构
                                      不含可能性预设、       ↗ 趋方述补结构
                              ↗       不带"得"     动趋式 → 趋成述补结构
                                                              ↘ 趋态述补结构
       不含可能性预设 → 基本式
                                                              ↗ 结果述补结构
                              ↘   不含可能性预设、→ V得(O)
                                  带"得"                     ↘ 动态述补结构
                                          ↘
                                                              ↗ 结果述补结构
                                                    V得C
述补结构                                                      ↘ 程度述补结构

                                                              ↗ 能性述补结构
                                                    V得(O)
                                          ↗                   ↘ 动态/能性述补结构
       含可能性预设 → 可能式 → 含可能性预设、带"得"
                                          ↘                   ↗ 能性述补结构
                                                    V得C → 结果/能性述补结构
                                                              ↘ 程度/能性述补结构
```

本章参考文献

北京语言学院语言教学研究所编 1992《现代汉语补语研究资料》,北京语言学院出版社。

北京大学中国语言文学系汉语教研室 1993《现代汉语》,商务印书馆。

丁声树、吕叔湘等 1961《现代汉语语法讲话》,商务印书馆。

范晓 1985《略论 V－R》,《语法研究和探索(三)》,北京大学出版社。

蒋绍愚 1999《汉语动结式产生的时代》,《国学研究》第6卷,北京大学出版社。
胡裕树等 1962/1981《现代汉语》(1981增订本),上海教育出版社。
黄伯荣、廖序东 1985《现代汉语》(下)(修订本),甘肃人民出版社。
李临定 1980《动补格句式》,《中国语文》第2期。
李宇明 1997《论形容词的级次》,《语法研究和探索(八)》,商务印书馆。
吕叔湘 1980《现代汉语八百词》,商务印书馆。
梅祖麟 1991《从汉代的"动杀"、"动死"来看述补结构的发展》,《语言学论丛》第16辑,商务印书馆。
太田辰夫 1958/1987《中国语历史文法》,蒋绍愚、徐昌华译,北京大学出版社。
王力 1943/1985《中国现代语法》,《王力文集》第2卷,山东教育出版社。
——1944/1984《中国语法理论》,《王力文集》第1卷,山东教育出版社。
——1958/1980《汉语史稿》(中),中华书局。
吴福祥 1999《试论现代汉语述补结构的来源》,《汉语现状与历史的研究》,中国社会科学出版社。
志村良治 1984/1995《中国中世语法史研究》,江蓝生、白维国译,中华书局。
朱德熙 1982《语法讲义》,商务印书馆。
——1985《语法答问》,商务印书馆。

第二章 《朱子语类》中的动结式述补结构

第一节 《朱子语类》动结式述补结构的形式和语义特征

一 结成述补结构的形式和语义特征

(一)形式特征

《朱子语类》有结成述补结构1185例,根据补语语义指向,可分为补语指向受事(1017例)和补语指向施事(含当事)(168例)两大类。讨论如下:

1. 补语指向受事的结成述补结构(使结式)

共1017例(包括否定式84例),结构形式有四:①VtVi,517例;VtViO,316例;VtA,101例;VtAO,77例。另有"V将去"6例。依次举例如下:

①须是与他嚼破,便见滋味。(1·145)

②都割断了许多牵绊。(1·120)

③本欲推高,反低了。(7·2587)

④大凡人只合讲明道理而谨守之,以无愧于天之所与者。(1·147)

---

① 各类动结式的否定式都归入相应肯定式中统计(动趋式处理同此),具体归类是:"NegVtVi 和 VtNegVi;NegVtViO;NegVtA 和 VtNegA;NegVtAO"分别归入"VtVi、VtViO、VtA、VtAO"中统计。

第一节 《朱子语类》动结式述补结构的形式和语义特征

(1)述语多为及物性单音动词,偶有双音动词或动词词组,常见的如"杀、斫、撞、推、摇、挠、塞、排、删、修、改、捉、割、触、按、损、做、诛、看、扫、打、用、剿、嚼、摧、毒、刺、拆、吹、解、剔、唤、剪、勒、搅、放、保、除、铺陈、夹持、绝灭"等。补语直接黏附在述语后面,作补语的不及物动词和形容词约有 40 个,均为单音节,如"败、倒、动、定、断、翻、伏、尽、成(成为)、落、灭、怒、破(破损)、绝、杀(死亡)、折、散、伤、死(死亡)、醒、正、坏、白、荒、浑、全、明、高、大、广、乱、满"等。述语与补语的具体搭配情况可详见后附"《朱子语类》动结式述补结构用法一览表"。

(2)宾语一般由单、双音节名词或多音节名词性偏正词组、并列词组充当,位置在述补结构的后面。宾语位置与该式的形成途径有关,使结式主要是由"$Vt_1 Vt_2(O)$"连谓结构语法化而来,所以若带宾语,宾语的位置在述补结构的后面。

动结式带宾语有条件限制。一般说来,动结式是由两个谓词性成分组成的语法结构,它整体的语法性质可能与组成结构的语法成分的性质相同,也可能不同。由于使结式的前项基本上是及物动词,又是由相关连谓结构发展而来的,所以,它带宾语的功能与前项动词的性质关系密切相关,整个结构是及物性的,一般都可以带宾语。至于带宾语的限制,从《朱子语类》语料来看,带宾语的都是"单音+单音"结构,"双音+单音"带宾语少见,"单音+双音"结构没有带宾语的用例,这是音节限制使然。而使结式一般都是"单音+单音"结构,所以,音节因素对它基本没有影响。此外,补语的语义指向、述语补语的共现频率及黏合程度等也有影响。详细情况将在后文讨论。

(3)使结式后面可带其他形式的补语,还能与"得"字补语连用,构成"VC 得 O"、"VC 得 C"结构,能带助词"得来"、"了"、"着"等,还能与"V+将+补语"格式套合,组成"VC+将+补语"结构。如:

⑤须着火急痛切意思,严了期限,趱了工夫,办几个月日气力去攻破一过……(8·2924)

⑥如此,只是推广得自家意思,如何见得古人意思!(1·180)

⑦须是平时只管去讲明,讲明得熟时后,却解渐渐不做差了。(7·2788)

⑧推广得来,盖天盖地,莫不由此,此所以为人心之妙欤。(7·2514)

⑨今人读书,多是从头一向看到尾,都搅浑了。(7·2901)

⑩建康形势雄壮,然攻破着淮,则只隔一水。(8·3055)

⑪致知工夫,亦只是且据所已知者,玩索推广将去。(1·283)

例⑥⑦类结构不多见,是动结式在一定历时发展时期与"得"字句的套合产物,现代汉语中消失,原因有二:一是使结式所表达的语义与"得"后补语相冲突,二是音节原因,"得"字结构一般要求述语为单音节,即使是双音节,也以并列式为常,如"打扫得很干净/收拾得很好"。使结式带助词的情况,也与现代汉语有别,"VC得来"、"VC着"、"VC将C"等形式到后代均消失,只有使结式带动态助词或事态助词"了"的形式保存到了现代汉语中。

(4)可以与被动式、处置式套合。与被动式套合的有34例,包括"为"字句、"为……所"式和"被"字句,与处置式结合的有16例。套合句式出现频率不高,占使结式用例的5%。例如:

⑫但当时宗室为武后杀尽,存者皆愚暗,岂可恃?(7·2638)

⑬然黄却是个白直底人,只是昏愚无见识,又爱官职,故为邢所诱坏。(8·3107)

⑭若是一个麟出后,被人打杀了,也撼采。(6·2297)

⑮子若有救之之心,便是被爱牵动了心,便是昏了主人翁处。(8·3019)

⑯庄子却将许多道理掀翻说,不拘绳墨。(8·2989)

⑰他便将诸书划定次第。(1·174)

⑱他只见圣人有个《六经》,便欲别做一本《六经》,将圣人腔子填满里面。(8·3257)

使结式是述补结构进入被动式、处置式的早期形式之一,唐五代套合用例还不多见,《朱子语类》时代逐渐多见。

(5)否定式(共84例)有两类:一是"NegVtVi/A(O)",包括"NegVtVi(36例)、NegVtViO(15例)、NegVtA(10例)、NegVtAO(4例)";二是"Vt-NegVi(19例)"。否定词有"不、无、未、没、不曾、未曾、未尝"等,位置一般在使结式之前,也可插在述、补之间。二类结构在现代是能性述补式的否定形式,但《朱子语类》时期除用作能性述补式的否定式外,也用作使结式的否定式,这是近代汉语"VNegC"式的特点,例如:

⑲公心放已久,精神收拾未定,无非走作之时。(7·2902)

⑳因细视诸兵所耘处,草皆去不尽,悉复呼来再耘。(8·2947)

(6)值得一提的是"成(成为)"作补语的情况。"成"作补语,用法有二:一是表完成,属结态述补式;二是表"成为、变成",属结成述补式。前种用法以及两类"成"字述补结构之间的发展递变关系,后文将详细分析。这里先谈第二种用法,形式有二:VtViO、ViViO,例如:

㉑如破梨相似,破开成四片。(1·113)

㉒太极所说,乃生物之初,阴阳之精,自凝结成两个,后来方渐渐生去。(6·2380)

当"成(成为)"出现在"VtViO"结构中时,述语所表示的动作行为是使受事得到补语所表示的某种结果,述语补语间有"使成"语义关系,是使结式,补语语义指向受事,但与普通使结式不同的是,宾语不是述语动词支配的受事对象,而是"成"所联系的结果义关系宾语,即"成"不能离开关系宾语单独使用,必须带上关系宾语才能构成合法句子,如例㉑,

受事是"梨",宾语"四片"是"成"的关系宾语,述语"破开"与"成"有"使成"语义联系,补语语义指向受事"梨"。当"成(成为)"出现在"ViViO"结构中时,"成"后宾语是关系宾语,不是动作行为的受事,但述语补语之间没有"使成"语义关系,补语语义指向当事,如例㉒,"阴阳之精"是当事,"两个"是关系宾语,述语动词"凝结"和补语动词"成"之间没有"使成"语义联系,补语语义指向当事。

(7)《朱子语类》中还有6例"V将去"结构,述语都是能造成对象被去除的动词,如"斫、削、荡、扫、劈截"等,补语"去"是"去除"义,①述语补语之间有"使成"语义联系,是使结式,"将"是结果补语的标志。如:

㉓如《天下篇》后面乃是说孔子,似用快刀利斧斫将去,更无些碍,且无一句不着落。(8·2989)

2. 补语指向施事(含当事)的结成述补结构

共168例(包括否定形式13例),有:VtA,48例;VtAO,3例;ViVi,84例;ViViO,26例;ViA,7例。例如:

㉔后来看熟,见许多说话须着如此做,不如此做自不得。(1·253)

㉕既做错此事,他时更遇此事,或与此事相类,便须惩戒,不可再做错了。(1·243)

㉖唐明皇奔迸流离,其子孙皆饿死,中更几番祸乱,杀戮无遗,哀哉!(7·2722)

㉗只据而今当地头立定脚做去,补填前日欠阙,栽种后来合做底。(1·125)

㉘他们平日自恣惯了,只见修饬廉隅不与己合者,即深诋之,有何高见!(8·3112)

---

① "去"在《广韵》中有两音两义:丘倨切,溪母御韵,去声,离开;羌举切,溪母语韵,上声,去除。前"去"是趋向动词,后"去"不是趋向动词,由它构成的"V去(O)"结构是述、补语之间有"使成"语义联系的使结式。

第一节 《朱子语类》动结式述补结构的形式和语义特征

(1)述语为及物、不及物动词,以单音节为主,也有双音节和多音节动词及词组,常见的如"说、解、做、举、记、用、见、坐、变、凝、立(站立)、转、惊、长(生长)、谈议、点检、凝结、泛滥、溃开、苟简放恣"等。双音节和多音节词组作述语的用例如:

㉙到后来谈议厌了,达磨便入来只静坐,于中有稍受用处,人又都向此。(8·3008)

㉚而安道之徒,平日苟简放恣惯了,才见礼法之士,必深恶。(8·3112)

补语均为单音节不及物动词和形容词,常见的有"败、动、定、倒、死、尽、裂、成(成为)、坏、差、错、惯、熟、近、厌、大"等。详细搭配情况见附录"《朱子语类》动结式述补结构用法一览表"。

(2)宾语一般由单、双音节名词或多音节名词性偏正词组、并列词组充当,位置在述补结构的后面,这与该类结构由连谓结构发展而来的途径直接相关。宾语的语义类别与述语动词往往有关,当述语是及物动词时,宾语一般是受事宾语,如例㉕,述语是不及物动词时,宾语往往是施事宾语,如例㉗,这种不及物动词一般本身就能带施事宾语。比较:

㉛如两脚立定是敬,才行是义。(1·216)

当"成(成为)"在不及物动词后面作补语时,其后宾语是结果义关系宾语,见前㉒例。

(3)述补结构后面可带事态或动态助词"了",如上例㉘—㉚。

(4)因补语的语义指向,指向施事(当事)的结成动结式一般不与"被"字句、处置式套合,在我们所调查的几册《朱子语类》语料中没有发现用例。

(5)这几类格式述语与补语之间没有"使成"语义关系,在补语语义指向、结构形式以及来源上都与初期使结式有不同。

有争议的是"ViVi/A(O)"式。有学者把此类排除在述补结构之外,[1]我们认为它们是述补结构,原因是:其一,语言事实显示,历时发展中确实存在这类述补结构,它们是在述补结构发展过程中,由使结式类推出来的新形式,又进一步发展保留到了现代汉语中,若将它们排除在外,那么现代汉语中大量同类动结式的来源就无法解释。其二,就《朱子语类》语料看,这些结构多有相应的带"得/不"的扩展式述补结构,如:立定—立得定、坐定—坐得定、散尽—散得尽,等等。动结式的述语和补语之间能插入"得/不"进行扩展,插入"得/不"后,原述补结构性质不变,变化的是述补结构的具体类别——由结果义述补结构变成了能性义述补结构,对此吕叔湘(1980)、朱德熙(1982)都有说明,结构前后项成分之间能否插入"得/不"是检验动结式是否成立的一条重要标准。[2] 其三,从语义特征看,这类结构的前后项成分之间都有动作和结果类因果语义关系,如"饿死","饿"是"死"的具体方式和原因,"死"是"饿"造成的结果。据我们考察,"ViVi/A(O)"结成动结式唐代已经出现,宋以后逐渐使用开来,产生之初是不带宾语的。要判定"ViVi/A"结构是不是动结式,产生于何时,从形式上很难找到验证标记,可行的办法是看其否定形式的产生时间。就目前所见,"ViVi"否定式的较早用例见于唐代:

㉜予惟饿不死,得非道之福。(皮日休《吴中苦雨因书一百韵寄鲁望》)

这表明,至少在唐代"饿死"已经是述补结构了。

"VtA(O)"式是受使结式感染,由同型连谓式类推而来,较早用

---

[1] 王力《汉语史稿》(中),中华书局,1980;梅祖麟《从汉代的"动杀"、"动死"来看述补结构的发展》,《语言学论丛》第16辑,商务印书馆,1991。

[2] 吕叔湘《现代汉语八百词》,第10、142页,商务印书馆,1980;朱德熙《语法讲义》,第126、132页,商务印书馆,1982。

"不"扩展的形式在唐人所编六朝史书中见到:

㉝曾祖母王氏,盛冬思堇而不言,食不饱者一旬矣。(晋书)

由此断定,"食饱"至少在唐代也已经发展成动结式了。南宋《朱子语类》中,这类结构插入"得/不"的"扩展式"已经相当常见。带宾语的形式出现较晚,《朱子语类》时代才见到。

(6)否定式(共13例)两类:第一,NegVtA(4例)、NegViVi(4例);第二,VtNegA(5例)。否定词有"不、未"等。二类结构在《朱子语类》中多作能性述补结构的否定式,用作结成动结式的否定式是近代汉语的特点,如:

㉞公年已四十,书读未通,才坐便说别人事。(8·2946)

(二)语义特征

1. 补语指向受事的结成述补结构(使结式)

(1)结构中各成分的语义性质及特征

述语表示施事所发出的动作行为,补语说明因施事动作的实施而使受事得到某种结果或处于某种状态,述语补语之间有"使成"语义关系,补语语义指向受事。述语动词是动作义极强的外向性动词,即:施事发出的动作行为不由自己承担,而是作用于受事,给受事带来某种结果或状态,这些动词都是可持续动词,其语义特征为"[＋动作(＋持续)]+[＋外向]",如"斫、撞、推、摇、挠、塞、排、修、改、捉、割、按、做、看、扫、打、用、剿、嚼、摧、毒、刺、拆、吹、解、剔、唤、剪、勒、搅、放、掀、删、杀、触、诛、夹持"等。补语语义对充当补语的成分有选择,以动词为主,少量是形容词,带有表示结果或状态变化的语义特征,这种结果或状态变化不再对其他人或事物施及影响,补语动词都是不及物的,带有"内向"性"自足"特征。使结式中的受事是动作行为的承受者,一般以宾语形式出现在述补结构之后,也可以主语形式出现。

(2)基本语义结构

底层语义动核结构由两个表述构成,以"便一下打破沙瓶便了(7·2876)"为例,隐层语义动核为:a.打沙瓶,即:[N_施]VtN_受,b.沙瓶破,即:N_受 Vi,b 为 a 所"使成"。底层语义动核映射到表层即形成相应的句法结构。

2. 补语指向施事(含当事)的结成述补结构

(1)成分的语义性质及特征

述语表示施事(当事)的动作行为,多为具有"[+状态(+持续)]+[+内向]"语义特征的不及物动词,如"饥、饿、病、坐、结、凝、立(站立)"等,这种状态性动作行为的持续导致当事获得某种结果或处于某种状态。带有"[+状态(+持续)]+[+外向]"语义特征的及物动词带形容词补语的格式,补语动词或形容词补充说明施事动作给其自身所造成的结果或状态。补语语义指向施事(当事)。

(2)基本语义结构

底层构成两个语义动核,补语语义指向施事的以"颍滨一生去理会修养之术,以今观之,全晓不得,都说错了(8·3266)"为例,底层语义动核为:a.颍滨说,N_施 Vt,b.颍滨错,N_施 A,ab 之间没有"使成"关系。补语语义指向当事的以"唐明皇奔进流离,其子孙皆饿死……(7·2722)"为例,底层语义动核为:a.子孙饿,N_当 Vi,b.子孙死,N_当 Vi,ab 之间无"使成"关系。底层语义动核映射到表层即形成相应的句法结构。

二 结态述补结构的形式和语义特征

(一)形式特征

共 1250 例(包括否定式 149 例),形式有:VtVi,539 例;VtViO,492 例;ViVi,122 例;ViViO,10 例;VtOVi,87 例。依类举例如下:

㉟曾子父子之学自相反,一是从下做到,一是从上见得。(7·2826)

㊱后来养成徐缓，虽行二三里路，常委蛇缓步，如从容室中也。(7·2600)

㊲若被私欲引去，便一似睡着相似，只更与他唤醒。(7·2763)

㊳上弦是月盈及一半，如弓之上弦。(1·20)

㊴而今只是贪多，读第一篇了，便要读第二篇。(6·2087)

1. 述语由及物和不及物单、双音节动词和词组充当，及物动词和词组占多数，又以单音节多见。双音动词和词组作述语的频率明显高于别类述补式，这与结态动结式补语后项虚化，述语补语成分凝合性加强密切相关。双音节词组基本是并列式和补充式。常见述语成分如：学、责、养、引、说、论、做、烧、传、看、解、推、剥、见、知、分、论、照、讨、闻、检、攻、收、失、废、忘、除、唤、触、偷、抓、撞、问、刺、捉、抱、用、留、按、把、恋、喜、怒、降、盈、变、凝、睡、结、泻、落、附会、杜撰、理会、实行、防备、修改、积累、议论、根究、讽诵、闻见、推广，等。

2. 根据语义特征，补语动词分成两类：一是"着、到、及、见、住、掉、却"，表示"涉及"、"接触到"、"固定"等意义，可视为广义"涉及"义动词，它们作补语时，部分或全部丧失原有动词义，表示一种较为虚化的结果义——动作达到了目的，或有了结果。二是"完成"义动词"成、就、取、了"等，它们的实词义开始虚化，跟在述语动词后表动作行为的完成实现，但又与仅具语法意义的动态助词不同，是一种介于虚实之间的半虚化成分。结态述补结构的补语成分独立性差，在语义和形式上都黏附于述语动词。依类分述如下。

第一类：表"涉及"性结果的动词"着、到、至、及、见、住、掉、却"。

(1)着

"着"在《朱子语类》中已经语法化成表动作状态持续的动态助词，但仍有部分"着"在动词后面作补语，表示施事通过动作行为接触到某人或某物。"着"作补语最初是跟在"附着"义或会产生"附着"状态的动词以及某些心理动词的后面,唐以后这种限制基本取消[1],开始表示施事通过动作行为接触到某人或某物,即"涉及"性结果,"着"便虚化了很多,《朱子语类》中"着"的补语用法属此类。由于"着"的语法意义是表示施事对受事的"涉及",所以其前动词一般是及物动词(下例⑩㊶),个别为不及物动词(上例㊲),这时"着"表示某种状态的"涉及"。例如:

⑩且教他自用工夫,撞来撞去,自然撞着。(7·2783)

㊶如此读将去,将久自解踏着他关捩了,倏然悟时,圣贤格言自是句句好。(6·2115)

(2)到、至、及

"到、至、及"最初都是动词,有"到达、达到"义。"至、及"在先秦已用作介词,介绍动作行为到达的处所[2];六朝时"到"萌芽出介词用法,唐以后使用开来,成为引进处所时间的重要介词。"至、及"的文言性较强,后来消失,"到"一直保留到今天。"到、至"在《朱子语类》中的用法大体有二:一是用作介词,跟在"行走""移动"义动词后,带上处所词,引进动作行为的处所,或跟在其他行为动词后面,带上时点词,介绍动作行为发生的时间;二是用作动词充当结态补语,跟在行为动词后面,组成述补结构,有时带上宾语,表示动作涉及某一对象,动作达到了目的或有了结果。"及"的用法与"到/至"的第二种用法相同。举例如下:

㊷且放下此一段,缓缓寻思,自有超然见到处。(1·303)

㊸未要论到人欲,人欲亦难去。(7·2841)

㊹先着"至"字,旁着"人"字,为"致"。是人从旁推至。(1·296)

㊺因说至"伯夷圣之清,伊尹圣之任,柳下惠圣之和",都是个有病

---

[1] 曹广顺《近代汉语助词》,第26—33页,语文出版社,1995。

[2] 杨伯峻、何乐士《古汉语语法及其发展》,第433—434页,语文出版社,1992。

痛底圣人。(8·3230)

㊻某平生每梦见故旧亲戚,次日若不接其书信及见之,则必有人说及。(6·2224)

㊼如飞式人能虑及此,亦大故是有见识。(8·3056)

(3)见

《朱子语类》"V见(O)"结构中,"见"前动词一般是及物动词,少数是不及物动词,语义上可以分为两类:一是感知动词,如"看、窥、望、瞥、闻、梦、觉、察"等,二是非感知义动作动词,如"考、讨、检、寻、推、窃"等。前类格式中的"见"已经部分丧失实词义,由及物动词转为不及物动词,表示某种"涉及"性结果,"看见"犹言"看到",是补语指向动作的结态述补结构;二类格式中的"见"也表"涉及"性结果,但意义更虚,是一类类推和进一步虚化的结果。例如:

㊽至望日则月与日正相对,人在中间正看见,则其光方圆。(1·20)

㊾夜行昼伏,数日方到,寻见他家人。(8·3293)

与前代相比,《朱子语类》时代"V见"结构的变化主要表现在三个方面:

其一,"见"的语义进一步虚化,与它搭配的动词越来越丰富,不再局限于视觉义动词,其他感知义动词或动作动词都能进入,而且,若排除重复用例,则动作动词更丰富,数量远远超过感知动词,这表明"见"在虚化的道路上已经大大前进了一步。

其二,用"得/不"扩展的插入式相当常见,"V$_{感知/非感知}$见(O)"结构都有扩展式,这表明,"V见(O)"在《朱子语类》时代已经发展成为成熟的述补结构了。例如:

㊿如今不敢说"时习",须看得见那物事方能"时习"。(8·2922)

㉛待寻得见了,好与夺下,却赶将出门去!(8·2973)

㊵因甚把木板子来,却照不见? (6·2423)

其三,"V见(O)"结构在与别类句法形式的套合方面显示出多样性特征,可与"被"字句、与结度述补式套合,还能同时与"被"字句、"得"字述补式套合,如:

㊳非是别有一个道,被我忽然看见,攫挐得来,方是见道。(1·229)

㊴若身在堂下,如何看见子细! (7·2735)

㊵或是他天资高后,被他瞥见得这个物事,亦不可知。(7·2828)

(4)住

"住"用于动词后面表示动作行为的受事或施事停留或固定在某处,可视作广义"涉及"性结态补语。"住"出现在"V住(O)"格式中,如:

㊶带只是一条小皮穿几个孔,用那跨子缚住。(6·2326)

㊷只是空见得个本原如此,下面工夫都空疏,更无物事撑住衬簟……(8·3255)

(5)掉、却

它们都表示动作的结果使受事被去除或消失,可视作是涉及对象的被去除,也收入广义"涉及"义结态补语中。

《朱子语类》中"掉"作补语仅1例"除掉",用例为:

㊸它最怕人说这"理"字,都要除掉了,此正告子"生之谓性"之说也。(8·3020)

"却"的语法化过程有学者做过研究,"却"的本义是"退",经由连谓式中的并列动词到述补结构中的补语,再到表完成貌的动态助词。[1]

---

[1] 刘坚、江蓝生等《近代汉语虚词研究》,语文出版社,1992;曹广顺《近代汉语助词》,语文出版社,1995。

曹广顺(1995)提出从意义和功能两方面的变化来认定“却”由动词变为助词的标志：首先是“意义的变化”，唐以前“却”跟在“能造成‘去除’‘消失’的结果的动词”后，还“带有‘去除’‘消失’的意思”，到唐代，“却”前动词语义限制消失；其次，“伴随着意义的变化，功能也相应地调整。带‘却’的动词的语义限制消失了，各种动词都开始与‘却’结合”，“形容词也进入了这一格式”，由此可以认为“却”在唐代已语法化为表完成的动态助词。这个意见是正确的。

《朱子语类》共有“V 却(O)”56 例，包括“V 却”22 例，“V 却 O”34 例，其中作结态补语的 28 例，包括“V 却”9 例，“V 却 O”19 例，其余 28 例“却”用作动态助词。因“了”“得”的充分发展，作补语或动态助词的“却”都已呈极度萎缩之势。在“V 却(O)”结态述补式中，“却”以半虚化动词身份充当结态补语，与表示对象消失、去除的“掉”语义相近，其前动词都是能造成对象消失或去除的结果义动词，如“忘、失、除、废、耗、弃、诛”等。举例如下：

(59)今看来，反把许多元气都耗却。(7·2701)

(60)若一时便诛却四个，亦自定矣。(8·3232)

从“却”的发展看，它的完成貌动态助词用法是从广义“涉及”义补语发展而来的。

第二类：表动作行为完成实现的“完成”义动词，有“成、就、取、了”。

(1)成、就

“成”在《朱子》述补式中有两类用法：一是“成为”，二是“完成、成功”，出现格式为“V 成(O)”，“V”为及物或不及物动词。一类“V 成(O)”是结成述补式，前文已有分析。二类是结态述补式，又细分为三种形式：Vt 成、Vt 成 O、Vi 成，“Vt 成 O”式见上例㊱，其他二式如：

(61)学者最怕因循，莫说道一下便要做成。(7·2747)

㉒子细看,又不是石,恰似乳香滴成样,都通明。(8·3296)

把"V成_{完成}(O)"归入结态述补结构主要出于以下考虑:一是这类结构可以用"得/不"扩展;二是与结成述补结构相比,它有不同特点:"成(完成)"不是作为独立的语法成分与述语动词平行结合,而是作为黏附性成分黏附于前项动词,它所表示的语法意义必须依赖于前项动词才能成立,而结成述补结构的后项成分是完全独立的,所以它除了能用"得/不"扩展外,前面还可以加上修饰性成分,如"把'已'字写成了'巳'字→把'已'字写得都成'巳'字了,还说没写错。"而"成_{完成}"字式不能作这种变换,原因就在于"成"是黏附于述语动词的,不能单独使用。此外,"V成_{完成}(O)"结态述补结构中,"成"是用来说明动作行为的完成,语义指向动作行为本身,所以"成"后可以不出现宾语,即使出现宾语,宾语也是受整个述补结构的支配,而不是"成"的关系宾语。

附带讨论"V成_{成为}O"结成述补结构与"V成_{完成}(O)"结态述补结构的来源发展及其递变关系。

"成"在上古有两种语义:一是"成就、完成",二是"成为",前为本义,后为引申义。例如:

㉓不为而成,不求而得,夫是之谓天职。(荀子·天论)

㉔积土成山,风雨兴焉;积水成渊,蛟龙生焉。(荀子·劝学)

后代的"V成(O)"结构基本上是沿着这两类语义线索发展。

I. 由"成就、完成"线索发展

六朝时,"成就、完成"义"成"与动词结合后如果带宾语,宾语的位置在"V成"中间,如:

㉕夏侯湛作周诗成,示潘安仁。(世说新语·文学)

若不带宾语,则为:

㉖浴池中,复生金色莲华,莲茎皆是七宝合成。(贤愚经·卷6)

而且,六朝已有"V 成"之间插入"不"的扩展式:①

㊆蚕饥心自急,开奁妆不成。(玉台新咏)

这说明六朝时"V 成_{完成}"结构已经是述补结构了。当"成"由连谓式后项语法化为对述语动作的结果进行补充说明的补语时,由于补语是信息焦点,所以,在"信息安排原则"的作用下,结果补语要求靠近造成结果的述语动词,"VO 成"格式中的"成"前移,形成"V 成 O"述补结构。"成"的语义特征,也使得它在动词后容易进一步虚化,动词实义渐渐丧失的结果使得"成"变成表示较为虚泛的语法意义的成分——表动作行为的完成,成为述语动词后面的黏附成分,因实词义又未完全丧失,所以是一种半实半虚的成分。进一步虚化后,"V 成"结构带宾语就更为自由了。

II. 由"成为"线索发展

汉代文献中有以下用例:

㊈泯泯群黎,化成良吏。(汉书・卷100)

㊉鲁公牛哀寝疾七日,变而成虎。(论衡・卷2)

"V 而成 O"式并存,说明汉代的"V 成_{成为}O"不是述补式。不过,六朝时用于动词后面表"成就、完成"的"成"已经语法化为补语,在它的类化下,"V 成_{成为}O"结构也发展成了述补结构。如:

⑰旁边愚人见其毒蛇变成真宝……(百喻经・得金鼠狼喻)

"就"在《朱子》中只有 1 例"V 就 O"式,语法意义与"V 成_{完成}O"基本一致,用例为:

㊆庐州旧夹肥水而城,今只筑就一边。(7・2711)

(2)取、了

---

① 转引自蒋绍愚《汉语动结式产生的时代》,《国学研究》第 6 卷,北京大学出版社,1999。

I. 取

"取"在唐代已经语法化为表动作完成实现的动态助词[①],《朱子语类》时代,由于动态助词"了"的优势地位,动态助词"取"已不多见,作补语的情况更少见,仅12例,限于出现在"取义"动词或以获取为目的的动词后面,表示动作获得结果或完成实现,结构形式为"V取(O)"。例如:

㉒后说叹吾儒礼仪反为异端所窃取。(7·2499)

㉓"若欲学俗儒作文字,纵攫取大魁",因抚所坐椅曰:"已自输了一着!"(1·245)

上述结构中的述语动词与"取"似乎共有一个宾语,该结构不能完全排除连谓结构的可能,不过,考虑到《朱子语类》时期动态助词发展的系统性以及"取"的虚化程度,我们倾向于把它处理成述补结构,其中的"取"表示动作取得了结果或完成,为结态补语。有发展的是,《朱子语类》中新出现了少许"V取C"式,式中的"取"比"V取O"式中的动态助词"取"更为虚化。例如:

㉔今既要理会,也须理会取透;莫要半青半黄,下梢都不济事。(1·154)

II. 了

一般认为"了"在晚唐五代才开始语法化成动态助词。与前代相比,《朱子语类》时代的"了"虚化程度更高,无论是语法功能还是结构形式都要复杂得多,表现在:一是结构形式和用法多样化,《朱子语类》中,与作补语及动态、事态助词用法有关的"了"字结构有:"VO了"、"V了O"、"VC(O)了"、"V得(O)C了"、"V得/过了"、"V却/了O了"、"V/A了"等多种形式;二是"了"在句中的语法位置由唐五代时期的多居于

[①] 曹广顺《近代汉语助词》,第63—66页,语文出版社,1995。

第一节 《朱子语类》动结式述补结构的形式和语义特征

句中向多居于句末转移,这为它的进一步语法化提供了条件;三是"了"进一步语法化,成为定型化的动态助词和事态助词,前代已有的"V了O"结构进一步发展,成为动态助词"了"所出现的主要句法槽,新形式也大量出现,如"VC了"、"VCO了"、"V得(O)C了"、"V得/过了"、"V了O"等。

就《朱子语类》中"了"字结构来看,除"VO了"和部分"V了"结构与述补结构有纠葛外,余下诸式中的"了"都已经是动态助词或事态助词,所以,需考察的是"VO了"和"V了"结构。

从文献看,"了"在六朝时就可以用在动词后面构成"V了"结构,"了"前动词既可以是持续动词,也可以是非持续动词,如:

⑦净洗了,捣杏人和猪脂涂。(齐民要术·卷6)

⑦父已死了,我终不用此婆罗门以为父也。(贤愚经·卷11)

就目前调查,还没有发现一例"V了O"结构,上述"V了"结构中的"了"都还不是动态助词,但两例"V了"结构的性质是不一样的,前例是主谓结构,后例是述补结构。两例同形而异质,究其原因,要联系唐五代时期"V了"结构的使用情况来说明。

唐五代时期,"了"可以出现在"VO了"和"V了"结构中,若"了"前动词是持续动词,"了"前可以用时间副词修饰,构成"V$_{持续}$OF了"和"V$_{持续}$F了"结构,如《敦煌变文集》中有:"答语已了/祭之已了,哭已了/抄录已了"等等;如果"了"前是非持续动词,则时间副词只能出现在动词的前面,事实上,这种词序在六朝已经形成,如上例⑦。"V$_{持续}$O(F)了"和"V$_{持续}$(F)了"结构中的"了"还带有一定的"完结"实词义,"了"是结构中的主要谓词性成分,因此,结构中允许时间副词的插入,整个结构是主谓结构;而在"V$_{非持续}$了"结构中,"了"已经开始虚化,不过,由于唐五代时期的"V了"后面基本不能出现宾语,又不居于句末,所以"了"还是一种半实半虚的成分,用在动词后面表示动作行为的完成,还没有完全语法化成表示动态或事态完成的助词,所在结构是结态述补结构。

南宋《朱子语类》时代,"V 了"结构有了变化,主要表现在:一是无论"了"前动词是持续动词还是非持续动词,时间副词都不再出现在"了"前,这时,"V$_{持续}$ 了"结构在"V$_{非持续}$ 了"述补结构的感染下也语法化成表动态的结态述补结构;二是"V$_{非持续/持续}$ 了"结构常常出现在句末,"了"进一步语法化,说明动作行为的完成或成为现实,或对动作行为或状态变化的现实性加以肯定,前者是动态助词的功能特征,后者是事态助词的功能特征,"了"是动态助词兼事态助词;三是"V 了"后面往往带上宾语,形成"V 了 O"结构,"了"成为动态助词。

归纳起来,"V 了"结构的语法化过程如下:六朝已有"V$_{持续}$ 了"和"V$_{非持续}$ 了"结构,前者是主谓结构,后者是结态述补结构,唐五代承继这一语法分布,有发展的是极少数"了"开始出现在"V 了 O"结构中,语法化成动态助词;[①]南宋时期,"V$_{持续}$ 了"结构在"V$_{非持续}$ 了"式结态述补结构的类化下,由主谓结构语法化成结态述补结构,"V$_{非持续/持续}$ 了"结构进一步语法化,有的带上了宾语,"了"成为纯粹表动态的动态助词,有的出现在句末,成为动态助词兼事态助词。据木霁弘(1986)统计,《朱子语类》5200 多例"了"字式中,"V 了 O"结构约 3000 例,几乎占用例总数的五分之三,[②]可见这一时期"了"作为动态助词,其功能已经相当成熟和稳定了。

至于"VO 了"式,唐五代时期也能插入时间副词构成"VOF 了"结构,因此也是主谓结构;当时间副词不再直接修饰"了"后,"了"开始虚化,用于句末时,就是表事态完成的事态助词了,这一系列变化的完成时间大约也是在宋代。

[①] 蒋绍愚师指出,唐五代时期确定无疑的动态助词"了"的用例只有 5 例,详见《近代汉语研究概况》,第 151—158 页,北京大学出版社,1994。

[②] 木霁弘《〈朱子语类〉中的时态助词"了"》,《中国语文》1986 年第 4 期。

第一节 《朱子语类》动结式述补结构的形式和语义特征　65

基于以上思路,我们在具体处理《朱子语类》中的"V了""VO了"结构时,采取以下原则:

第一,不居于句末的"VO了"和"V了"结构都是述补结构。

第二,"V$_{持续}$了"和"V$_{非持续}$了"结构中"了"的虚化程度有异,后者高于前者,但只要"V$_{非持续/持续}$了"结构不居于句末,则均为结态述补式,"了"是动态补语;若居句末,"了"则为表动态和事态完成的助词。

第三,"状态词或形容词重叠式+了"结构中的"了"是动态助词;若居句末,则是动态助词兼事态助词。

第四,"VO了"中的"了"进一步虚化,用于句末时就是表事态完成的事态助词。

根据以上标准统计,《朱子语类》中共有"V了"式述补结构395例,"VO了"式71例(见前例㊴)。"V了"式举例如下:

⑦至于吃了有寒证,有热证,便是情。(1·91)

与"了"相似的还有完成动词"毕、讫、竟、已、罢"等,它们与"了"的发展有关,但与"了"字结构又有不同质的特点,这个问题将在后文详细分析。

以上是《朱子语类》结态述补结构中充当补语的十几个重要动词的使用情况。在后来的发展中,随着后项补语的进一步虚化,结态述补结构的后项成分出现了分化,一部分进一步语法化为表完成、持续貌的动态助词,如"取、了、却、着"等;另一部分则在现代汉语中继续作为虚化后项保留在动结式中,如"着(着)—气着、找着,见—闻见、碰见,住—握住、站住,到—看到、闻到"等等,有的则消失,保留在文言中,如"及、至"。

结态述补结构述语和补语的具体搭配情况可详见后附"《朱子语类》动结式述补结构用法一览表"。

3. 带宾语的情况。由于补语后项的虚化和黏附性特点,结态述补结构带宾语较普遍。作宾语的有单、复音节名词、数词、动词、形容词和并列、偏正、述宾、主谓词组及复杂词组等,形式比别类述补结构复杂,这与结态动结式后项成分虚化、前后项成分间凝固性强有关。

4. 结构后能带助词"了",能与"得"字补语、被动式结合,共 10 例,包括"为"字式、"为……所"式和"被"字句,与处置式套合的少见,仅 1 例。举例如下:

㉘某于《大学》中所以力言小学者,以古人于小学中已自把捉成了,故于大学之道,无所不可。(7·2777)

㉙且如天地日月,若无这气,何以撑住得成这象?(7·2535)

㉚只这事,前日既在那里都说来,只满朝无一人可恃,卒为下面许多阴阳官占住了。(7·2667)

㉛后说叹吾儒礼仪反为异端所窃取。(7·2499)

㉜或是他天资高后,被他瞥见得这个物事,亦不可知。(7·2828)

㉝今看来,反把许多元气都耗却。(7·2701)

5. 否定形式共 149 例,结构形式较复杂,有:NegVtVi, 32 例;NegVtViO, 54 例;NegViVi, 4 例;VtNegVi, 37 例;VtNegViO, 6 例;VtONegVi, 13 例;NegVtOVi, 3 例。否定词有"不、无、未、不曾"等。依次举例如下:

㉞今人说仁、如糖,皆道是甜;不曾吃着,不知甜是甚滋味。(1·117)

㉟未便理会到此。且看大纲识得后,此处用度算方知。(1·14)

㊱忠信者,真实而无虚伪也;无些欠阙,无些间断,朴实头做去,无停住也。(1·123)

㊲维摩诘经,旧闻李伯纪之子说,是南北时一贵人如萧子良之徒撰。渠云载在正史,然检不见。(8·3028)

㊳今人读书,看未到这里,心已在后面;才看到这里,便欲舍去。(1·173)

(89)诗,才说得密,便说他不着。(6·2072)

(90)凡袝于此者,不从昭、穆了,只以男女左右大小分排。(6·2314)

(二)语义特征

1. 成分的语义性质及特征

述语表示施事动作,补语说明施事动作给述语动作所造成的结果。补语由半虚化成分充当,语义上呈类型化分布,“着、到、及、见、住”等作补语时,表示动作达到了目的,或有了结果,是一种“涉及”性结果;“完成”义动词“成、就、取、了”等作补语时,表示动作行为的完成实现。与此相应,述语动词的语义也呈现出类型化分布:(1)表“涉及”性结果的结态述补式。以“着”“见”为例,“着”前动词一般是“涉及”义动词,或是动作发生后能造成“涉及”结果的动词,如“触、踏、撞、犯、抓、咬、吃、伤、遇、刺、拨、拈、问、读、说、思”等,多为及物动词,个别为不及物动词,如“睡”(“睡着”仍跟“涉及”义有关,表示某种状态的涉及),所以“着”前动词的语义特征可以概括为[+涉及];“见”前动词的语义特征也可用[+涉及]来概括,表示人通过视觉、听觉等知觉系统感知到外物对象(对外物对象而言,这就是一种涉及),或通过具体动作行为获得某种涉及性结果,这些动词包括“看、望、窥、瞥、闻、寻、照、推、讨、窃”等等。(2)表示动作完成实现的结态述补式。较之“涉及”义,“完成”是一种更为虚化的意义,动作行为的完成可以通过不同的手段,反映在结态述补式中,述语动词的语义呈现出丰富性特征。如:“了”是由“完结”义引申发展出更为虚化的“完成”义的,“了”作为表“完成”的补语,一般不能跟在瞬间动词后面,否则就是动态助词了(不居于句末的除外),其前动词基本上都是持续动词,“[+持续]”是“V了”结态述补结构述语动词的语义特征,如“做、写、分、言、说、吃、看、拆、煮、思量、收拾、商量、安排、打叠”等。又如“取”,是从“获得”义虚化表示完成义的,所以它作结态补语时,述语动词一般与“获取”或是能造成“获取”结果的意义有关,如

"窃、占、收、攻、摄、攫"等。宾语一般受整个述补结构支配,有时隐含,或以受事主语或施事(当事)主语(述语为不及物动词时)形式出现。补语语义指向述语动作。

2. 基本语义结构

由于结态述补结构补语成分在语法上的不独立性以及语义上的指动性特征,其语义底层不存在两次表述,以"伯恭不信,后来又说到《汉书》(8·2938)"为例,底层语义动核为:$N_{施}$ VtVi$N_{受}$。底层语义动核映射到表层即形成相应的句法结构。

三 结度述补结构的形式和语义特征

(一) 形式特征

共 257 例(包括否定式 65 例),结构形式为:VtA,211 例;VtAO,22 例;ViA,12 例;另有 12 例"AF"式,附在此讨论。依类举例讨论如下:

㉑且要见得大纲,且看个大胚模是恁地,方就里面旋旋做细。(1·285)

㉒每一次看透一件,便觉意思长进。(7·2616)

㉓与叔甚高,可惜死早!(7·2693)

1. 述语多为及物性单音节动词,不及物动词少见,双音动词和词组所占比例接近 20%,以并列式为主,偶有偏正式和述补式,如"做、说、看、见、读、夸、贪、编、放、勒、解、录、问、语、坐、睡、转(转动)、理会、积累、剖析、计料、谈议、晓解、静坐、看见、放开"等等。

2. 作补语的形容词已经相当丰富,约有 60 余个,以单音节形容词为主,双音节比例超过了 10%,如"详、是(对)、偏、慢、多、远、熟、纯、好、宽、大、小、高、下(低)、迟、早、紧、缓、精、细、粗、轻、重、分明、分晓、精博、精确、精密、精明、开阔、明快、深厚、透彻、稳当、仔细、周遮、通透、宽平"等等。

3. 带宾语情况。结度述补结构补语语义指向动作,对动作本身的量度如动作数量、速度快慢、时间早晚、结果状态等加以评价,不涉及受事,这种补语的指动性及功能上对述语动作的评价性特征限制了它带宾语的功能,所以结度述补结构一般不带宾语,带宾语的用例约占6‰,是由及物动词充任述语,补语语义虽然指向动作,但说明的是动作与受事之间的情况,如上例㉒,类似用例保留到现代汉语中,如"抓紧时间/打准目标/摸透情况/认清形势"等。[①] 结度述补结构带宾语可能是受到它类述补结构带宾语格式的类化。现代汉语中,结度述补结构一般不带宾语,但部分方言如粤语香港书面语中还保留有带宾语的情况,也不多见,[②]例如:

㉔每月花多三十元可说是一种负担。(《东方日报》2000 年 10 月 18 日/A21)

此外,述语和补语成分的音节数量对宾语也有限制,只要补语形容词是双音节,一定不能带宾语,带宾语的用例中,述语动词也都是单音节的。

4. 与相关语法成分及句式的套合情况。结构后面可带助词,如"了"等,偶与别类述补结构如趋方述补结构、结态述补式等套合,也可与被动式、处置式结合,例如:

㉕上蔡谓周恭叔放开太早,此语亦有病也。(7·2489)

㉖若身在堂下,如何看见子细!(7·2735)

㉗公只是将那头放重,这头放轻了,便得。(7·2854)

㉘虽曰州郡富厚,被人炒多了,也供当不去。(7·2696)

5.《朱子语类》中还有相当数量的"VO(F)A"结构,后项是形容

[①] 见李小荣《对述结式带宾语功能的考察》,《汉语学习》1994 年第 5 期。
[②] 转引自石定栩、苏金智、朱志瑜《香港书面语的句法特点》,《中国语文》2001 年第 6 期。

词,形容词前常有强调程度的副词"甚、正、太、最、较"及谓词性指代词"如此"等修饰语,前项动词带上宾语表述一个事件,后项形容词性成分对该事件做陈述说明,前后项之间既有宾语又隔着程度副词,因此是主谓结构,例如:

⑨若读此书透,须自变得气质否?(7·2889)

⑩若果有之,则左氏记载当时人物甚详,何故有一人如许劳攘,而略不及之?(6·2352)

⑩然自有《易》以来,只有康节说一个物事如此齐整。(7·2546)

对比例⑩和例⑩,会发现二者所表达的语法意义极为近似。其实,类似结构先秦已有,唐以后的仿古文中也有,不过,动词和形容词之间的宾语一般是"之":

⑩鄂侯争之急,辨之疾,故脯鄂侯。(战国策·卷20)

⑩二公之贤,其讲之精矣。(韩愈《〈张中丞传〉后叙》)

但先秦的这类结构中间可以插入表示停顿的语气词"也",如:①

⑩其言之不怍,则为之也难。(论语·宪问)

⑩其藏之也周,其用之也遍,则冬无愆阳,夏无伏阴,春无凄风,秋无苦雨,雷出不震,无菑霜雹,疠疾不降,民不夭札。(左传·昭公四年)

显然,上述"为之也难"、"争之急"结构都是主谓结构。

"VO(F)A"结构在《朱子语类》中较多,是一种文白杂糅的句法形式,作为一种语法意义相近的特色性结构,在一定时期内与"VAO"结构度述补式并存。由于这类结构中插有名词及副词性成分,造成动、形之间间隔的音节数量过长,不符合汉语音节规律和表达习惯,是一种生命

---

① 以下例句转引自蒋绍愚《魏晋南北朝的"述宾补"式述补结构》,《国学研究》第12卷,北京大学出版社,2003。

力不强的句法形式,所以在竞争中很快被别种相类形式兼并淘汰掉了。现代汉语中,"VO(F)A"式可以作如下句法变换,以"看道理浅了(7·2821)"为例,变换式有:A.看道理看得太浅(了),B.把道理看浅了。A式中的"太"、B式中"了"在现代是必备成分,大概与音节数量有关。不过,《朱子语类》时代,A式重动结构极罕见,目前只找到2例,B式例也不多,仅4例,如:

⑯后来见荆公用兵用得狠狠,更不复言兵。(8·3100)

⑰毕竟先讨见天理,立定在那里,则心意便都在上面行,易得将下面许多工夫放缓了。(7·2825)

《朱子语类》时代还可用"V得O(F)A"(见下例⑱)和"VAO"式(见上例⑨)来表述与"VO(F)A"式大致相同的语义,"V得O(F)A"式是此期程度义"得"字补语的主流形式,例如:

⑱这处是旧日下得语太重。(7·2603)

《朱子语类》时代,以上四种格式(见例⑨⑯⑰⑱)是与"VO(F)A"结构一起分担同一语法意义的不同句法形式,后代,几种格式趋于兼并合流,具体过程十分复杂,与其他语法因素如处置式的发展、重动结构的出现等都有不可分割的关系。

6. 否定式共65例,结构形式有:NegVtA,26例;NegViA,1例;NegVtAO,6例;VtNegA,30例;ViNegA,2例。否定词有"不、未、不曾"等。不复举例。

7. 另有12例"AF"式述补结构,如:

⑲濂溪在当时,人见其政事精绝,则以为官业过人。(6·2357)

⑳如他几个高禅,纵说高杀,也依旧掉舍这个不下,将去恩人。(8·3036)

在这类结构中,充当述语的是单音节形容词,如"精、峻、辽、闷、焦、高"等,作补语的是程度副词"杀、绝",是典型的程度补语。

"杀、绝"本是动词,随着词义的扩大,变成形容词,再演化为程度副词,表示极端。"绝"在我们所调查的其他文献中没有见到,仅见于《朱子语类》。"杀"用作表程度的"甚辞"则早见于六朝,但最初是用在动词后面,如:①

⑪白杨多悲风,萧萧愁杀人。(古诗十九首)

⑫童男娶寡妇,壮女笑杀人。(乐府诗集·紫骝马歌辞)

就目前看,由形容词作述语的"AF"式程度述补结构始见于宋代。现代汉语中,这类用例被保留下来,不过,"杀"为表程度的"死"所替代,"绝"则在某些方言如汕头方言中还有保留,如:②

⑬撮茶芳绝。(这茶真香)

⑭热到死绝。(热得要命)

(二)语义特征

1. 成分的语义性质及特征

述语动词表示施事动作行为,补语形容词说明述语动作所达到的程度,对其量度加以评价,有明显的评价性特征。评价是多方面的,包括对动作的量(多、少)、速度(快、慢)、时间(早、迟)等的评价,更多的是对动作结果、状态的评价(精、粗、高、下、紧、缓、偏、熟、深厚、透彻、分明、精确、精密、仔细、周遮),这种评价实际上是对动作行为造成的结果状态所达到的程度的评价说明,所谓"程度",是广义概念。形容词之所以有这种功能,与其本身的程度性特征有关。③ 评价往往从正反两方

---

① 以下例转引自梅祖麟《从汉代的"动杀"、"动死"来看述补结构的发展》,《语言学论丛》第16辑,商务印书馆,1991。

② 以下例转引自施其生《汕头方言的动词谓语句》,载《动词谓语句》第149页,李如龙、张双庆主编,暨南大学出版社,1997。

③ 有学者对汉语形容词的程度级次进行过研究,结论是汉语形容词都具有一定的程度性,并且在程度的维度上表现出不同等级,详见李宇明《论形容词的级次》,《语法研究和探索(八)》,商务印书馆,1997。

面进行,所以补语形容词呈现出语义相对的特征,如:"大—小、高—下(低)、迟—早、紧—缓、精/细—粗、轻—重"等。结度述补结构主要表示对述语动作的评价,因此补语只能由形容词充当,状态形容词是对状态进行描述的,不能指示出判别、评估等意义,因而补语又限于性质形容词。述语动词的语义范围很广,几乎所有的动作行为动词都能进入,但与评价补语搭配时,又显示出语义限制,如"快、慢",用于对动作速度进行评价,与之搭配的动词往往是与动作速度有关的动作动词,如"走、看、做、读"等,状态持续性静态动词如"坐、隔、浸、积、积累"等不能进入。结度述补结构是从不同方面对动作行为进行说明,述语与补语之间没有"使成"关系,补语语义指向述语动作。

2. 基本语义结构

在语义底层构成一个语义动核,以"与叔甚高,可惜死早(7·2693)"为例,即:$N_{施}$ ViA。底层语义动核映射到表层即形成相应的句法结构。

第二节 相关格式的讨论

一 "V_1(+NP)+使/令/教/交(+NP)+V_2/A" 结构及相关格式

"V_1(+NP)+使/令/教/交(+NP)+V_2/A"结构是汉语史中的一个特色型句法结构,它兴起于汉代,繁盛于魏晋六朝,南宋时达至鼎盛,元明以后逐渐衰减。由于其兴起发展之际正值述补结构的酝酿发生期,所表达的语义与述补结构又貌似相近,所以,近年来,学者们在研究述补结构的形成发展时,开始注意到这一结构,不少研究者都认为该结构与述补结构的来源发展直接有关,或认为其句式意义与述补结构大致相同,二者是同类型的句法结构。有代表性的意见包括:1.刘承慧(2000)、赵长才(2000)等认为这类结构与动结式的产生有直接联系。刘承慧(2000)明确指出"V_1(+NP)+使/令/教/交(+NP)+V_2/A"结构经由重新解释、语法重组等,由连动词组→使成词组→动补词组,构成了述补结构的重要来源。赵长才(2000)也提出了大体类似的看法。[①] 2.刘坚、江蓝生、袁宾(1997),古屋昭弘(2000)等认为宋代的"V_1教V_2"结构就是述补结构,"教"是结构助词。如刘坚、江蓝生、袁宾等(1997)认为该结构中的"教"能"连接句中谓语和补语,有结构助词的作用"。古屋昭弘(2000)认为"'教(交)'已经像'得'一样虚化",该结构"完全有资格叫做述补结构 V+教+C"。持同样看法的还有陈丽(2001),她认为"V 令/教 C"结构就"相当于 VC 或 V 得 C"。其实,早在 50 年代,张相在《诗词曲语辞汇释》一书中即已指出了"教"与"得"的类同性:"教……得也。"书中所举例证有:"高观国《兰陵王》词:'只愁入夜东风恶,怕催教花放,趓将花落。'言催得花放也。"[②]总之,以上各家都认为这类结构与述补结构有关:或与动结式述补结构的形成来源有关,或等同于动结式述补结构 VC 或"得"字述补式"V 得(O)C",结构中的"令/教"等已经由使役动词虚化成了结构助词,相当于联系述语和补语的结构助词"得"。

然而,历史文献显示,"V_1(+NP)+使/令/教/交(+NP)+V_2/A"结构始终都没有摆脱表使役意义的连谓结构的性质,不能简单地把它

---

① 刘承慧《述补结构成因的阐释》,海峡两岸汉语史研讨会论文(北京,2000 年 6 月)。赵长才《汉语述补结构的历时研究》,第 38—41 页,中国社会科学院语言所 2000 年博士论文。

② 刘坚、江蓝生主编,袁宾等编著《近代汉语断代语言词典系列·宋语言词典》,第 143 页,上海教育出版社,1997。古屋昭弘《使成词组 V_1+令+V_2 和 V_1+教+V_2》,纪念王力先生诞辰一百周年语言学学术国际研讨交流论文(北京,2000 年 8 月)。陈丽《〈朱子语类〉中的结果补语式和趋向补语式》,《语言学论丛》第 23 辑,第 156—157 页,商务印书馆,2001。张相《诗词曲语辞汇释》,第 116—117 页,中华书局,1953。

与述补结构的相关格式等同起来。

《朱子语类》中有很多的"V_1(+NP)+令/教(+NP)+V_2/A"结构,学界在讨论该问题时大都涉及到《朱子语类》中的用例。而且,语料显示,南宋时期是这类结构由盛及衰的重要转折时期,该结构继六朝以后并未迅速衰微[①],南宋时期还很活跃,此后才走向衰落。因此,探讨南宋时期该类结构的面貌,对于了解它在六朝以后的发展情况以及由盛及衰的原因,都很重要。此外,宋代是述补结构发展定型的重要时期,《朱子语类》中的"V_1(+NP)+使/令/教/交(+NP)+V_2/A"结构因述补结构的加入而变得复杂,出现了一些前代没有的新形式,这些形式为我们探讨两类结构的关系提供了重要依据。

所以,我们拟在全面考察南宋《朱子语类》(全八册)中"V_1(+NP)+使/令/教/交(+NP)+V_2/A"结构使用情况的基础上,结合汉魏六朝以来以及南宋以后文献中的相关用法,对该结构做一全面描写分析,以弄清它的性质,探讨它与述补结构的关系。

(一)《朱子语类》中的"V_1(+NP)+令/教(+NP)+V_2/A"结构

《朱子语类》中有"V_1(+NP)+使/令/教/交(+NP)+V_2/A"相关结构共 219 例,出现在格式中的使役动词有"教""令","教"字句 188 例,"令"字句 31 例。具体结构形式为:1. V 令/教 A,119 例;2. V 令/教 NP A,26 例;3. V NP 令/教 A,17 例;4. VNP_1 教 NP_2 A,1 例;5. V 得教 A,2 例;6. V 得 NP 令/教 A,3 例;7. V_1 教 V_2,教 A,1 例;8. V_1 教 NPA,教 NPV_2,1 例;9. V_1 令/教 V_2,30 例;10. V_1 令/教 NPV_2,13 例;11. V_1 教 V_2 得,1 例;12. V_1 教 NPV_2 得,1 例;13. V_1NP 教 V_2,4 例。依类举例如下:

[①] 有学者认为该结构在隋初即已没落,见刘承慧《试论使成式的来源及其成因》,《国学研究》第 6 卷,第 352 页,北京大学出版社,1999。

⑮公看文字,亦且就分明注解依傍看教熟。(7·2760)1式

⑯且如编礼书不能就,亦是此心不壮,须是培养令丰硕。(7·2740)1式

⑰如人要起屋,须是先筑教基址坚牢,上面方可架屋。(1·130)2式

⑱某《论语集注》已改,公读令《大学》十分熟了,却取去看。(2·428)2式

⑲圣人只说既生之后,未死之前,须是与他精细理会道理教是。(8·3024)3式

⑳且理会义礼智令分明,其空阔一处便是仁。(1·110)3式

㉑须是未接物时也常剔抉此心教他分明,少间接事便不至于流。(8·2936)4式

㉒恰似天地有阙齾处,得圣贤出来补得教周全。(4·1317)5式

㉓把圣贤说话将来学,便是要补填得元初底教好。(7·2760)6式

㉔要须养得此心令虚明专静,使道理从里面流出,便好。(7·2901)6式

㉕这个中本无他,只是平日应事接物之间,每事理会教尽,教恰好,无一毫过不及之意。(8·2981)7式

㉖汉人之策,令两旁不立城邑,不置民居,存留些地步与他,不与他争,放教他宽,教他水散漫,或流从这边,或流从那边,不似而今作堤去圩他。(1·31)8式

㉗须要缓心,直要理会教尽。(8·2926)9式

㉘那一兵虽不甚快,看他甚子细,逐根去令尽。(8·2946)9式

㉙如一条死蛇,弄教他活。(8·2930)10式

㉚学者常唤令此心不死,则日有进。(7·2847)10式

㉛心不是横门硬迸教大得。(7·2540)11式

⑬²如东坡子由见得个道理,更不成道理,又却便开心见胆,说教人理会得。(8·2960)12式

⑬³某平时所为,把捉这心教定。(7·2899)13式

《朱子语类》中的"V_1(+NP)+令/教(+NP)+V_2/A"结构有以下几个方面的特点值得关注:

1. 出现频率

在"V_1(+NP)+使/令/教/交(+NP)+V_2/A"结构中出现的使役动词有"教""令",以"教"字句为主,"令"字句次之。"使"字句在《朱子语类》中的出现频率已经降低,而且"使"的致使性很强,都出现在"使+NP+VP"型连谓式(即一般所说的递系式或兼语式)中,未见上述用例,如:

⑬⁴如《小学》前面许多,恰似勉强使人为之,又须是恁地勉强。(4·1358)

⑬⁵非说当时便一治,只是存得个治法,使这道理光明灿烂,有能举而行之,为治不难。(4·1318)

13种结构中,"V_1 令/教 V_2"、"V 令/教 A"、"V_1 令/教 NPV_2"、"V 令/教 NPA"、"V_1NP 令/教 V_2"及"VNP 令/教 A"等形式的出现频率较高,尤以"V 令/教 A"最多,所占比例过半(54%),是《朱子语类》"V_1(+NP)+令/教(+NP)+V_2/A"结构的主要形式。

2. 结构特点

(1)结构形式

I. 13种格式中,"V_1"多数是由单、双音节的动作动词充当,少数也有由多音节词组如述补词组或其他复杂词组等充当,由复杂词组充当"V_1"的用例如例⑬¹,述补词组作"V_1"的如:

⑬⁶若未到此,须当庄敬持养,旋旋磨擦去教尽。(3·1151)

II. "V_2"多为单、双音节状态动词或形容词,如例⑫⁷—⑫⁹、⑬³和

⑮—⑰、⑲—㉓等,也有多音节谓词性词组如并列(例㉔)、状中(例⑱)、"得"字述补式(例㉚㉜)、述宾以及一些复杂词组。由述宾及复杂词组充当"V_2"的用例如:

㉗须是子细与看,梳理教有条理。(4·1378)

㉘才移教合义理,便是全好。(3·858)

㉙看文字,且把着要紧处平直看教通彻,十分纯熟。(3·773)

⑭以至于应接宾朋,看文字,都有是有非,须着分别教无些子不分晓,始得。(3·769)

还有个别用例的"V_2"是由状态词充当,如:

㉑做好事亦做教显显地,都无些含洪之意,亦是数短而然。(8·3251)

III. 结构中的"令/教"都带有"使令"实词义,是表示使役意义的动词,"教"除了跟在"V_1"后面构成"$V_1(+NP)+令/教(+NP)+V_2/A$"格式外,还能再单独被重复,与"$V_1(+NP)+令/教(+NP)+V_2/A$"结构构成平行格式,如上第7、8两类结构形式——"V_1 教 V_2,教 A"和"V_1 教 NPA,教 NPV_2$",它们的存在正好说明"教"类成分的动词性质。

IV. 《朱子语类》中除有由述补词组充当"V_1"的"$V_1(+NP)+令/教(+NP)+V_2/A$"格式外(如上例㉖),还出现了与"得"字述补结构套合的情况,如上例㉒—㉔等。这些形式显然是受到述补结构发展的影响而产生的,是六朝所没有的形式。

(2)语法意义

上述13种结构形式所表达的语法意义有两个共同特点:

I. "令/教"都包含有"致使"实词义,是表示使役意义的使役动词。

II. 这些结构一般用于未然语境,表示未然状态中的动作行为或状态,前后谓词性成分所表示的动作行为或状态之间是一种原因、方式、手段和目的的语义联系,整个结构是表使役意义的连谓结构。

3. 与"VC"、"V 得(O)C"述补结构的差异

(1)结构形式有别

"V_1(+NP)+令/教(+NP)+V_2/A"结构是表使役意义的连谓结构,而述补结构是一种偏正式补充性结构,补语依附于述语动词而存在,对述语动词表示的动作行为所造成的结果进行补充说明。

从结构形式看,"令/教"结构形式的繁复是"VC"动结式和"得"字述补结构所不能比拟的。

就"VC"动结式而言,表面上看它与某些"V_1+令/教+V_2/A"结构(V_2 和 A 由单、双音节的状态动词或形容词充当)的差异只在于是否插入有"令/教",事实上,二者出现的语境不同,所表达的语法意义也不同,而且,大量由谓词性词组充当"V_2"和"A"的"令/教"结构的存在也说明二者在结构形式上是有差别的。

就"得"字述补结构来说,很多"令/教"结构形式根本无法简单地用"得"字句去对应。之所以不能对应,原因就在于它们不是同类结构。若认为上述"令/教"结构中的"令/教"功能与"得"相同的话,二者理应能相互替换。事实上,如果不考虑二者在内部语义、功能以及语用上的差异,仅粗略地从形式上做一对比,就会发现,上面 13 种格式中至少有 9 种(见前 3—8、11—13 式)格式中的"令/教"不能用"得"字去替换,可见二者的不同一性。

(2)语法意义有别

13 种格式中的"令/教"都没有丢掉"致使"的实词义,语法功能上始终带有使役动词的特点。

使役式与述补式在语义特征上有某种表层的貌似之处,即前后谓词性成分间有某种因果分述关系,但两种因果关系本质上是不同的。使役式前后谓词性成分之间不是述补结构所具备的动作和结果的语义关系——述语表动作,补语说明动作造成的结果或状态,而是原因和目

的、方式手段和目的的关系,即:述补式前后谓词性成分间所存在的因果分述关系是一种实现关系,使役式是非实现关系,反映在语用上,其差别就在于语境的已然和未然,结果——已然,目的——未然,未然语境是使役式出现的特征性语境,这与表示结果、状态或程度意义的"VC"及"V得(O)C"述补结构有很大差别。

人们在认定"令/教"类结构与"V得(O)C"结构的同一性时往往以"V令/教 A"和"V令/教 NPA"结构中"令/教"与"得"的等价替换为由,事实上,若仔细类比,二者也是不一样的。如前⑮—⑱等例,表面上似乎都可以用"得"来替换,实际上二者有本质不同。用"得"是一种已然实现状态,用"令/教"是未然非实现状态,而上述诸例都处于未然非实现状态,前一动作是后面动作得以实现的前提,后一动作是前面动作实现的目的,具体讲,例⑮"看"的原因是因为"不熟",目的是为了通过"看"而"变得熟悉",抑或是通过"看"的方式或手段来达到"熟悉"的目的;例⑯"培养"的原因是因为"此心不壮","培养"的目的是为了"令(此心)丰硕",或是通过"培养"的方式、手段来达到"令(此心)丰硕"的目的,余例类推。而且,我们在例⑯的上下文中,还发现有表达同一意思的使役义更强的"隔开式"用例,试比较:

⑭须培壅根本,令丰壮。(7·2740)

类似的用例《朱子语类》中还有不少,又如:

⑭读新底了,反转看旧底,教十分熟后,自别有意思。(2·439)

⑭不奈何,且须看集注教熟了,可更看集义。(2·439)

两例出现的语境基本一致,意义也大同小异,主要不同之处在于例⑭是"隔开式"用例,例⑭是"合用式"。不过,例⑭也可采取"隔开式"形式,例⑭也能以"合用式"形式出现,相关用例在《朱子语类》中都能找到例证,可见"隔开式"与"合用式"所表达的语法意义基本上是一样的,但"隔开式"用例中,"教"的使令意义更为明显,这说明无论出现在哪种形式中,"教"都是使役动词,不能用"得"来替换,二者是不同质的语法成分。

虽然"令/教"和"得"都能出现在"V□A"和"V□NPA"等结构中,但貌似相同的表层结构出现的语境却并不一样。未然语境所带来的二者在意义和句法功能上的不同,由此可见一斑。

(3)从来源发展也难以认定它们的同一性

从使役式的发展看,"使""令"的出现很早,"V_1(+NP)+使/令(+NP)+V_2/A"式用例最早见于西汉出土文献,如古屋昭弘(2000)所举例:"熬令焦黑"、"熬盐令黄"(西汉马王堆出土医书《五十二病方》),东汉文献中也不乏用例,六朝更多。"教"的出现较晚,唐宋以后才用于使役式。就《朱子语类》中的"教"字句来看,其基本结构形式与汉魏六朝时期的"V_1(+NP)+使/令(+NP)+V_2/A"式"使/令"句并无二致。从"使/令"到"教",不过是"V_1(+NP)+使/令/教/交(+NP)+V_2/A"结构中发生的词汇替换而已,结构本身并无本质不同。若认为"令/教"结构是述补结构的话,也就意味着承认述补结构早在西汉就已经产生,这与述补结构系统的出现时代以及认定其产生的诸多系统性因素如使动用法的衰落、及物动词批量不及物动词化的时代等等都会发生冲突。[①]

(4)此外,与上述"令/教"字结构并存的还有相当数量的"隔开式"用例,造成语法形式分隔的语法手段包括插入副词性成分或其他语法成分如小句等等,句法和语用上表现为用逗号隔开。用逗点断开,就语用而言是表示语气上的停顿,就句法来说是两个分离的句法形式,反映

[①] 关于述补结构的产生时代,我们基本上同意梅祖麟、蒋绍愚等先生的意见,认为述补结构是在六朝才正式产生的。参见梅祖麟《从汉代的"动杀"、"动死"来看述补结构的发展》,《语言学论丛》第 16 辑,商务印书馆,1991;蒋绍愚《汉语动结式产生的时代》,《国学研究》第 6 卷,北京大学出版社,1999。

在语义上,则表明语义的相对独立。以《朱子语类》中的"令/教"字句来说,用逗点分隔后,前后谓词通常表示先做一事,然后再做一事,两个事件之间往往有原因和目的、方式手段和目的的关系。略举数例如下:

⑭⑤此事甚易,只如此提醒,莫令昏昧,一二日便可见效,且易而省力。(1·209)

⑭⑥人于其间,只是为剖析人欲以复天理,教明白洞达,如此而已。(8·2942)

⑭⑦只是提撕此心,教他光明,则于事无不见,久之自然刚健有力。(1·209)

⑭⑧读书闲暇,且静坐,教他心平气定,见得道理渐次分晓。(1·178)

⑭⑨譬如煎药:先猛火煎,教百沸大衮,直至涌垒出来,然后却可以慢火养之。(1·138)

⑮⑩有些说话,且留在胸次烹治锻炼,教这道理成熟。(7·2809)

⑮①须将《中庸》其余处一一理会,令教子细。(7·2859)

前二例是用否定词和其他语法成分造成的隔开式,特别是用否定词分隔后,前后谓词性成分语义相对,根本不可能构成动作与结果关系,若以兼语式论定其性质,则是典型的兼语省略的兼语式。后五例的构造形式分别是"VNP$_1$,教 NP$_2$A(NP$_1$=NP$_2$)"、"V$_1$,教 NPV$_2$"、"V$_1$,教 V$_2$"、"V,教 NPA"和"V,令教 A"。若将意义大致相关的"隔开式"和"合用式"做一比较,就会发现二者并无本质区别,如前例⑯与例⑭②,复列如下:

⑯且如编礼书不能就,亦是此心不壮,须是培养令丰硕。(7·2740)

⑭②须培壅根本,令丰壮。(7·2740)

前文已述,此二例都是既可以合并为一句,也可以断开的,这种情况在

《朱子语类》中不少。有的用例不断开，往往是因为宾语省略或是音节原因使然，如"V 令/教 A"式，若前后项成分为单音节，一般用合用式，若是双音节，就可以用分离式，例如上文例⑭与例⑮：

⑭公看文字，亦且就分明注解依傍看教熟。(7·2760)

⑮须将《中庸》其余处一一理会，令教子细。(7·2859)

若插有宾语，则多用分离式，比较例⑭⑮。用逗点分隔后的用例，其语义、句法形式和语用上都成了相对独立的单位，"令/教"的致使义更明显，句式表使役的语义和句法特征尤为明显。

以上这些"隔开式"是动结式和"得"字述补结构所没有的。

4. 结构性质

上述 13 种结构形式用例的大量存在，反映了整个"令/教"结构的缩略发展特征，可以看成是反映缩略过程的产物。事实上，所有"令/教"结构中，"$V_1 NP_1$(，)教 $NP_2 V_2$/A"格式是基础形式，由它删除结构的左、右肢(NP)即可形成"V 令/教 A"、"V 令/教 NPA"及"VNP 令/教 A"等结构形式。缩略以后，有的结构因表层结构形式与"得"字述补式的相关格式貌似而容易造成混淆。

从以上分析可知，"令/教"结构的各种形式在句法、语义和语用上没有本质区别，"令/教"还是使役动词，整个结构也还是表使役意义的连谓结构(一般叫递系式或兼语式)，只不过通过缩略，一些结构变成了使役式的缩略形式罢了。

(二) 汉魏六朝至唐及宋以后的"V_1(＋NP)＋使/令/教/交(＋NP)＋V_2/A"结构

1. 西汉。目前所见最早的"V_1(＋NP)＋使/令/教/交(＋NP)＋V_2/A"结构用例出自西汉马王堆出土的医书《五十二病方》中，如"熬令焦黑"、"熬盐令黄"等。

2. 东汉至六朝。"V_1(＋NP)＋使/令/教/交(＋NP)＋V_2/A"结

构用例急遽膨胀,刘承慧(1999、2000)、赵长才(2000)等都曾举出过大量用例,主要结构形式有:①

(1) V_1＋NP＋使/令＋V_2,如:

⑮脍,会也,细切肉令散,分其赤白,异切之已,乃会和之也。(释名·释饮食)

⑯汝今以足,不须作是,放鸽使去。(后秦·鸠摩罗什译《大庄严论经》卷12P.322中,《大正藏》No.201)

(2) V_1＋使/令＋NP＋V_2,如:

⑭复取水六斗,细罗曲末一斗,合饭一时内瓮中,和,搅令饭散。(齐民要术·白醪曲)

(3) V_1＋使/令＋V_2,如:

⑮诸人不听,便烧使死。(元魏·吉迦夜共昙曜译《杂宝藏经》卷8 P.487上,《大正藏》No.203)

⑯乃平量曲一斗,臼中捣令碎。(齐民要术·货殖)

(4) V_1＋NP＋使/令＋A,如:

⑰饰,拭也,物秽者拭其上使明。(释名·释言语)

⑱晒枣法:先治地令净,布椽于箔下,置枣于箔上。(齐民要术·种枣)

(5) V_1＋使/令＋A,如:

⑲即取荽花,拂拭使净。(三国吴·支谦译《撰集百缘经》卷7 P.235下,《大正藏》No.200)

⑯入钵中,研令热。(齐民要术·养牛马驴骡)

"V_2"前还能出现修饰限定性成分,"V_2"也可由述宾或其他复杂动词性

---

① 见刘承慧《试论使成式的来源及其成因》,《国学研究》第6卷,第353—355页,北京大学出版社,1999;赵长才《汉语述补结构的历时研究》,第38—41页,中国社会科学院语言研究所2000年博士学位论文,以下各例转引自赵文。

成分充当,如:

⑯寻使工师,作七铁丸,烧令极赤。(元魏·慧觉等译《贤愚经》卷3 P.372下,《大正藏》No.202)

⑯炊作一馏饭,摊令绝冷。(齐民要术·白醪曲)

⑯时有二千阿罗汉各尽神力,驱谴此龙令出国界。(元魏·吉迦夜共昙曜译《杂宝藏经》卷7 P.483上,《大正藏》No.203)

⑯复以铁棒,打令奔走,东西驰骋,无有休息。(元魏·慧觉等译《贤愚经》卷13 P.439中,《大正藏》No.202)

⑯炒鸡子法:打破,着铜铛中,搅令黄白相杂。(齐民要术·养鸡)

此外,这一时期也有"隔开式"用例,如:

⑯佛持威神吹海水,悉令枯竭。(后汉·支娄迦谶译《佛说内藏百宝经》P.751下,《大正藏》No.807)

3. 唐代。用例情况基本保持不变,如:[①]

唐《四时纂要》:熬令干

唐《南海寄归内法传》:手搅令和

唐诗 白居易:削使科条简 摊令赋役均

唐《游仙窟》(江蓝生 1996):倾使尽

4. 北宋。北宋文献,我们只略检《碧岩录》数例为证:

⑯到这里,镬汤炉炭吹教灭,剑树刀山喝便摧,不为难事。(卷1)

⑯直须向这里恁么会去,更莫守株待兔,髑髅前一打破,无一点事在胸中,放教洒洒落落地,又何必要凭?(卷2)

⑯须是见倒这般田地,方有少分相应,直下打迭教削迹吞声,犹是衲僧门下沙弥童行见解在。(卷10)

---

① 以下例采自古屋昭弘《使成词组 V_1＋令＋V_2 和 V_1＋教＋V_2》,纪念王力先生诞辰一百周年语言学学术国际研讨会交流论文(北京,2000年8月)。

从用例情况看,汉魏六朝至唐及北宋时期的"V_1(+NP)+使/令/教/交(+NP)+V_2/A"结构的主要形式有"V_1 使/令/教 V_2/A"、"V_1 使/令/教 NPV_2/A"和"V_1NP 使/令/教 V_2/A"等,一般出现在未然语境中,表示未然语境中的动作行为或状态,格式中"使/令/教"的实词义都十分明显,是使役动词,整个结构是表使役意义的连谓式。

5. 元明以后。结构形式没有太大变化,主要形式有"V_1+教/交+V_2/A"、"V_1+教/交+NP+V_2/A"等,如:①

明刊说唱词话:听交真、折交平、打交皮破

明《古今小说》(宋四公):润教湿、挤教干、嚼教碎

《警世通言》(乐小舍):搅挤教干

《杨家府演义》:杀教片甲不回

有变化的是"交"字进入了结构,但这不过是使役动词之间的词汇替换罢了。

概而言之,汉魏六朝至唐宋元明时期"V_1(+NP)+使/令/教/交(+NP)+V_2/A"结构的发展有以下几个值得注意的特点:

第一,从结构兴衰看,该结构兴起于汉,活跃于六朝,宋代达到鼎盛,此后渐趋衰微。

第二,就结构形式而言,从汉魏六朝至唐宋元明时期,该结构的主要结构形式变化不大,常见的几种形式如"V_1+使役动词+V_2/A"、"V_1+使役动词+NP+V_2/A"及"V_1+NP+使役动词+V_2/A"等在各代均基本保留,但格式中的使役动词经历了由"使/令"→"令/教"→"教/交"的替换变化。

第三,以南宋为转折点,"V_1(+NP)+使/令/教/交(+NP)+V_2/

---

① 以下例采自古屋昭弘《使成词组 V_1+令+V_2 和 V_1+教+V_2》,纪念王力先生诞辰一百周年语言学学术国际研讨会交流论文(北京,2000年8月)。

A"结构在结构形式及出现频率等方面出现了变化。

从结构形式上看,与前代相比,该结构在《朱子语类》时代的变化主要表现在两个方面:一是具体结构形式更为繁复,出现了一些新形式。新形式的产生与述补结构在宋代的日趋丰富成熟有关,如"V 得教 A"、"V 得 NP 令/教 A"、"V_1 教 V_2 得"、"V_1 教 NPV_2 得"等形式以及与动结式的套合形式等的出现都与述补结构的发展关系密切。不过,就主要结构形式来看,《朱子语类》时代的变化并不大,前代就有的几类基本结构形式如"V_1＋$V_{使役}$＋V_2/A"、"V_1＋$V_{使役}$＋NP＋V_2/A"和"V_1＋NP＋$V_{使役}$＋V_2/A"等仍然占据主导地位。二是格式中的使役动词有变化,从唐以前以"使/令"为主变成了以"教"为主,从"使/令"到"教",其间所历经的是一个结构形式不变,进入结构的具体词汇有改变的词汇替换过程。

南宋以后的形式变化主要表现为使役动词的替换,"令"字基本不出现在结构中,"教"字仍然保存,又出现了"交"。此外,据古屋昭弘(2000)研究,元明时期的具体结构形式以"V_1 教/交 V_2/A"为常见形式,若带宾语,又多以"V_1 令/教 NPV_2/ A"形式出现。[①]

就出现频率来说,汉魏六朝是该结构的兴起繁盛期,出现频率很高,这与使动用法在六朝的急遽衰减密切相关。南宋《朱子语类》时期是它发展的鼎盛时期,从出现频率看,它依然是出现频率较高的活跃句式,南宋以后开始衰减,衰减的原因应与述补结构的发展及其与各类句式的融合有关。

(三)"V_1(＋NP)＋使/令/教/交(＋NP)＋V_2/A"结构与述补结构

有学者认为"V_1(＋NP)＋使/令/教/交(＋NP)＋V_2/A"结构与动

[①] 见古屋昭弘《使成词组 V_1＋令＋V_2 和 V_1＋教＋V_2》,纪念王力先生诞辰一百周年语言学学术国际研讨会交流论文(北京,2000 年 8 月)。

结式述补结构的来源有关,或认定该结构就是动结式述补结构,或认为它与"得"字述补结构的相关形式等同,我们不同意这些看法。下面就此问题做一简单讨论。

1. 对"V_1(+NP)+使/令/教/交(+NP)+V_2/A"结构与述补结构的来源发展关系问题进行过讨论的主要有刘承慧、赵长才等先生。刘承慧(2000)认为"动补的形成历经连动、使成、动补三个阶段。连动到使成的过渡从汉代起延续至南北朝;尔后迈入动补阶段,至唐宋时期动补结构正式成立"。她把带有使令标记的使令词组(即"V_1(+NP)+使/令/教/交(+NP)+V_2/A"结构)看作是使成词组,认为它是使成式的基本形式之一,与述补结构的来源有关,使成词组经由重新解释和语法重组,最终成为动补复合的述补结构。① 赵长才(2000)把"V_1(+NP)+使/令/教/交(+NP)+V_2/A"结构称作"分析型使成式",也认为这类结构对动结式的形成有直接影响。

关于述补结构是否经历了从连动词组→使成词组→动补词组这样三个发展阶段的问题还需进一步讨论,其中涉及了两个非常重要的问题,那就是:使成式到底是什么样的结构?它与述补结构是什么关系?对这两个问题,学术界的看法是有分歧的。

(1)使成式到底是什么样的结构?

前文已述,最早提出"使成式"这一概念的是王力先生(1943、1944、1958),根据王先生的界定,"使成式"是"外动词带着形容词"或"外动词带着内动词"式结构,所表达的主要语法意义在于述语动词所表示的动作行为的发生造成了某种结果的达成,使受事者得到了某种结果。王先生的"使成式"就是动结式述补结构,学术界一般也是这么看的。

---

① 详见刘承慧《述补结构成因的阐释》,海峡两岸汉语史研讨会论文(北京,2000年6月)。

不过,刘承慧(1999)提出了二者的不同一性,她认为,"述补结构的特征在于两个成分的依附关系,使成结构的特征是两个成分的因果语义分工"。① 照此说法,述补结构的特征重在表示两个成分间在句法上的偏正或补充关系,而使成结构的特征则重在表示两个成分间的因果语义联系,这似乎把句法结构的形式和意义割裂开了。事实上,若就"两个成分的因果语义分工"而言,汉语中的不少句法结构如部分连谓结构、述补结构等都能承担这一语义特征,而从刘文所举用例来看,她的"使成结构"相反并不具备典型的"因果语义"特征,例如其所举用例:②

⑩发,拨也,拨使开也。(释名·释言语)

⑪治羊挟蹄方:取羖羊脂,和盐煎使熟,烧铁令微赤,着脂烙之。(齐民要术·养羊)

⑫脍,会也,细切肉令散,分其赤白,异切之已,乃会和之也。(释名·释饮食)

上述各例中的"V_1"与"V_2/A"之间明显地是一种方式手段和目的语义联系,"拨"的目的是为了"使之开","和盐煎"的目的是为了"使之熟",余例类同。这些结构都是使役义连谓结构。

事实上,若像刘文所言,认定述补结构与使成结构不同质的话,它们的不同不仅表现在意义上,也表现在结构形式上。如果说使成式两个成分之间存在着因果语义联系的话,这种因果语义联系是手段、方式与目的的联系,而述补结构所表达的是动作与结果的因果语义联系,二者的差别仅一步之遥,前者是未然状态下的因果联系,后者是已然状态下的因果联系,用某一手段、方式去实现某一目的,若动作完成、目的实

---

① 刘承慧《试论使成式的来源及其成因》,《国学研究》第 6 卷,第 349—350、353 页,北京大学出版社,1999。

② 转引自刘承慧文,同上注。

现了，那么结果就达成了，结构意义也就由未然状态下的"方式、手段→目"变成了已然状态下的"动作行为→结果"。从形式上看，刘文的使成式"V_1（+NP）+使/令/教/交（+NP）+V_2/A"是连谓结构（"V_1 使/令 V_2/A"是删略了左右肢"NP"的连谓结构，也即一般所说的兼语式），而动结式是补充结构。

所以，王力的"使成式"与刘承慧的"使成式"不是一个概念。我们认为，刘文注意到"V_1（+NP）+使/令/教/交（+NP）+V_2/A"结构和述补结构的不同，把二者区分定名为不同的结构，这本来是对的，但若用"使成式"来指称"V_1（+NP）+使/令/教/交（+NP）+V_2/A"连谓结构，则会碰到一些麻烦。因为王力的"使成式"概念提出在前，实在是太深入人心了；而"V_1（+NP）+使/令/教/交（+NP）+V_2/A"结构在结构形式上是一种连谓式结构，在语法意义上又主要表示前后成分之间的"方式、手段和目的"关系，反映的是典型使役式的意义特征，这时，如果再用"使成式"去定义这一结构，不仅不妥，还难免混淆视听。基于以上考虑，我们认为刘文的"使成结构"宜认定为表使役意义的连谓结构。

不过，述补结构是一个多种语法形式的集合，它的发展情况十分复杂，就王力最初的"使成式"界定看，它也只是述补结构在发展初期所产生的一类形式，述补结构在发展后期还出现了一些繁复形式。这个问题后文会进一步讨论。

（2）"V_1（+NP）+使/令/教/交（+NP）+V_2/A"结构与动结式述补结构的关系。

刘承慧（2000）把带有使令标记的使令词组"V_1（+NP）+使/令/教/交（+NP）+V_2/A"结构看作使成词组，认为它是使成式的基本形式之一，与述补结构的来源有关，并指出使令词组的重要特征在于它完全"排除时间解释的余地"，只"指定因果内涵"，并有"扩展使成范围的作用"，使得"原本受限于词性而无从出任因果词组之结果成分的特定实词,可以通过'使'、'令'标记取得表述结果的功能",由此进一步提出述补结构发展的三个阶段:从连动词组→使成词组→动补词组。①

赵长才(2000)也提出了相似看法,他把"V₁(+NP)+使/令/教/交(+NP)+V₂/A"结构称作"分析型使成式",认为这类结构对动结式的形成有直接影响,这种影响来自由性质形容词充当"V₂"的"V 使/令 A"结构。他认为出现在"V 使/令 A"结构中的形容词在上、中古汉语中绝大多数没有使动用法,是"地地道道的自动词。因此,这些性质形容词如果出现在'V₁+V₂+O'(O 特指受事宾语)格式中'V₂'的位置上,'V₂'因其自动词性质,跟宾语不发生述宾结构关系,'V₁+V₂'就只能是述补结构",这类结构"会对甲类状态动词(按:赵氏的'甲类状态动词'指具备'SV(主语+谓语)'和'SVO(主语+述语+宾语)'两种句法分布的动词,如'破、伤、败、折、绝、灭'等②)起到感染作用,从而使由甲类状态动词充当'V₂'的'V₁+V₂+(O)'格式由连动式重新分析为述补式",其间,类推的基础在于"人们心理联想的思维过程"。③ 我们用赵文的例子给其解释做一注脚,即:

晒使干(使令词组) —语法重组/重新分析→ 晒干(述补式) —心理类推(感染)→ 打破(从连动式→述补式)

以上对动结式述补结构形成的解释会面临一些困难。蒋绍愚师(1999)曾指出,动结式述补结构能成立的条件在于连动式后项成分"V₂/A"的自动词化,不能带宾语,也不再用作使动,与后面的宾语不构

---

① 见刘承慧《述补结构成因的阐释》,海峡两岸汉语史研讨会论文(北京,2000 年 6 月)。
② 见赵长才《汉语述补结构的历时研究》,第 11 页,中国社会科学院语言研究所 2000 年博士学位论文。
③ 见赵长才《汉语述补结构的历时研究》,第 39—41 页,中国社会科学院语言研究所 2000 年博士学位论文。

成述宾关系。① 可是,汉魏六朝以来出现在"V 使/令 A"结构中的"A"却并非都如赵文所言,是"地地道道的自动词",其中有不少都还能用作使动,能带宾语,如"明、满、尽、净"等等,而且,"V₁使/令 V₂"结构中的"V₂"也都是能带宾语的及物动词,那么,这种基于"人们心理联想的思维过程"的类推和感染又是怎么发生的呢? 按照刘承慧(2000)的解释,带使令标记的使成词组在南北朝以后率先衰落,其余两种使成词组"V＋N＋结果"和"V＋结果(＋N)"在南北朝以后经由重新解释和语法重组成为动补词组,但她也没有详细解释"V₂/A"为及物动词的"V＋结果(＋N)"结构是如何进行语法重组、重新解释成述补结构的。

那么,动结式述补结构的产生发展与"V₁(＋NP)＋使/令/教/交(＋NP)＋V₂/A"式使役结构到底有没有关系呢?

研究者一般都认为动结式的来源与相关连谓式的语法化有关,不过,具体到如何判定动结式的问题上,各家看法和标准有异,因而对动结式的产生时代,各家看法也相差甚远。现在,不少学者已经达成共识,认为仅凭语义来判定动结式是不行的,所以,一些学者如太田辰夫(1958)、志村良治(1984)、梅祖麟(1991)、蒋绍愚(1999)等开始寻找形式标准来判定动结式。② 正如蒋绍愚师(1999)所指出的,判定述补结构不能仅凭语义,还得结合句法结构的形式特点;述补结构得以确立的关键要看"V₂/A"是否自动词化,不用作使动,不再带宾语,与后面的宾语不构成述宾关系;从连动结构到述补结构,这一语法化过程与六朝以来使动用法衰落的大背景紧密相关。以此标准来检验,刘承慧(2000)

---

① 详见蒋绍愚《汉语动结式产生的时代》,《国学研究》第 6 卷,北京大学出版社,1999。
② 太田辰夫《中国语历史文法》,蒋绍愚、徐昌华译,北京大学出版社,1987;志村良治《中国中世语法史研究》,江蓝生、白维国译,中华书局,1995;梅祖麟《从汉代的"动杀"、"动死"来看述补结构的发展》,《语言学论丛》第 16 辑,商务印书馆,1991;蒋绍愚《汉语动结式产生的时代》,《国学研究》第 6 卷,北京大学出版社,1999。

的三类"使成词组"——"V_1(NP)使/令(NP)V_2/A"、"V+N+结果"、"V+结果(+N)"都是连谓结构。不过,不排除某些"V_1+V_2+(O)"结构在六朝已经语法化为动结式。

　　动结式的产生过程是一个相当复杂的问题,从连谓式到动结式发展的详细过程还有待于进一步研究,很多问题也还在讨论之中,后文将做进一步讨论,这里只谈一下带使令标记的"V_1(NP)使/令(NP)V_2/A"式与动结式述补结构的关系问题。

　　既然动结式是在六朝以来使动用法衰落、及物动词批量不及物动词化的大背景下产生的,因此,在讨论"V_1(NP)使/令(NP)V_2/A"式与述补结构的关系时也不能脱离这个大的语言背景。

　　前文已述,"V_1(NP)使/令(NP)V_2/A"结构在形式和语法意义两方面都与述补结构存在着相当大的差异,形式和语法意义上的特点决定了它是一种表示使役意义的连谓结构,而历时语料也显示,它是在连谓式向动结式语法化过程中出现的一种伴随句法形式,是在六朝时期及物动词不及物化、使动用法衰微的大背景下产生的,是使动用法的衰落导致了这种以显性方式表述使役意义的使令结构的出现,而不是它导致了使动用法的衰落。[①] 从六朝以后的语料来看,这类结构并未如刘承慧(1999)所言,在隋初就迅速衰落了,而是一直伴随在述补结构的左右,共现于整个近代汉语时期,直至在现代汉语的一些方言中还有保留,如河南获嘉方言中还有"晒叫干些儿"的说法。[②] 从《朱子语类》的情况看,这一结构在南宋时期还十分活跃,是一个出现频率相当高的格

---

　　① 赵长才认为"V_1(NP)使/令(NP)V_2/A"结构"是导致使动用法衰落的一个重要因素",见《汉语述补结构的历时研究》,第39页,中国社会科学院语言研究所2000年博士学位论文。

　　② 此例转引自古屋昭弘《使成词组 V_1+令+V_2 和 V_1+教+V_2》,纪念王力先生诞辰一百周年语言学学术国际研讨会交流论文(北京,2000年8月)。原例出自贺巍《获嘉方言的一种变韵》,《中国语言学报》第1期,商务印书馆,1983。

式,并在述补结构的参与下有了新发展,进入到鼎盛时期,如出现了与动结式或"得"字述补结构的套合形式等。此外,该结构甚至还受到述补结构的类化,出现了个别与述补结构类似的用法,例如:

⑩才说得骤,便不能入他,须是闲言冷语,掉放那里,说教来不觉。(3·1083)

此例中的"说教来不觉"相当于"说得来不觉",其中的"教"已经被"得"类化了。不过,这样的用例在《朱子语类》中只检得一例,应属历时变化中的例外类推,用例极罕见,不能说明问题。

"V_1(NP)使/令/教/交(NP)V_2/A"结构的衰落是在南宋以后,我们在元明及以后的文献中只见到一些零星用例,现代汉语方言中也少有保留。该结构在南宋以后迅速衰落的原因应该与述补结构在宋代的进一步发展定型,以及述补结构与它类句法形式如处置式等的相互渗透套合有关。详细细节还有待于进一步考察。至于"V_1(NP)使/令/教/交(NP)V_2/A"结构与"得"字述补结构的不同一性,前文已做过辨析。

2. 由以上分析可见,"V_1(NP)使/令/教/交(NP)V_2/A"结构是一定历史时期内与述补结构并行发展的一种句法形式,并非述补结构形成过程中的必经语法化阶段。某些学者所认为的这类结构就是述补结构,它等同于动结式"VC"或"得"字述补式"V 得 C",部分结构中的"令/教"已经由使役动词虚化成了结构助词,相当于联系谓语和补语的结构助词"得"等说法,都不能在历史文献中找到依据,也与文献所反映的"V_1(NP)使/令/教/交(NP)V_2/A"结构的性质不符。

(四) 结论

1. "V_1(+NP)+使/令/教/交(+NP)+V_2/A"结构是一种表示使役意义的连谓结构,兴起于汉代,活跃于魏晋六朝,南宋达至鼎盛,元明以后逐渐衰减,此后保留在部分现代方言中。

2. 汉魏六朝至唐宋元明时期,该结构的主要结构形式变化不大,常见的几种形式如"$V_1+V_{使役}+V_2/A$"、"$V_1+V_{使役}+NP+V_2/A$"和"$V_1+NP+V_{使役}+V_2/A$"等在各代均基本保留,但格式中的使役动词经历了由"使/令"→"令/教"→"教/交"的替换变化。

3. 南宋时期是该结构由盛及衰的转折时期,结构形式及出现频率等都出现了较大变化。承继六朝以来的趋势,南宋时期该结构仍然是出现频率很高的活跃句式,结构形式也非常繁复,出现了一些前代没有的新形式,使役动词也发生了由"使/令"→"令/教"的词汇替换。南宋以后,逐渐衰落。

4. "$V_1(+NP)+使/令/教/交(+NP)+V_2/A$"结构伴随着六朝以来使动用法日趋衰落、及物动词批量不及物动词化的趋势而产生,在六朝使动用法衰微的大势下,它以显性的使令动词与前后谓词性成分相搭配的方式指示出与使动用法大致相同的意义内涵(如"缩而小之→缩而使之小/缩使之小/缩使小"),从而成为替补使动用法的一种重要结构,尔后,又伴随着述补结构的产生和发展,活跃于唐宋时期,成为汉语史中的一种特色句法结构。

5. "$V_1(+NP)+使/令/教/交(+NP)+V_2/A$"结构与述补结构是不同质的句法结构,二者在形式和意义上都存在着很大的差异。动结式的来源发展与这一句式没有直接关系,它与"得"字述补式之间不存在等价替换关系,格式中的"令/教"等都还是使役动词,而不是虚化了的结构助词。

二 "为、做、作"用于动词后所构成的相关格式

"为、做、作"跟动词结合而形成的语法格式与动结式结构形式相似,在《朱子语类》中有相当数量的用例,它们的使用情况有共性特征,也有个性差异,逐一讨论如下。

（一）为

"为"字动词性结构共377例,结构形式有:V 为 O,191 例;VO₁ 为 O₂,139 例;将 O₁V 为 O₂,3 例;V 而/以为 O,44 例。依次举例如下:

⑭星有堕地其光烛天而散者,有变为石者。(1·22)

⑮若改为"犹子",岂不骇俗!(6·2201)

⑯若理,则只泊在气上,初不是凝结为一物而为性也。(1·38)

⑰今要得国富兵强,须是分诸路为六段,六曹尚书领之。(7·2730)

⑱度,却是将天横分为许多度数。(1·12)

⑲便将《柏舟》一诗,硬差排为卫顷公,便云"贤人不遇,小人在侧",更无分疏处。(6·2091)

⑳下者却变而为高,柔者变而为刚,此事思之至深,有可验者。(6·2367)

㉑至学究,则彻幕以防传义,其法极严,有渴至饮砚水而黔其口者!当时传以为笑。(8·3079)

在"V 为 O"结构中充当前项成分的动词有"变、分、结、合、画、视、号、化、引、发、改、说、混、目、称作、经营、解释、归咎、飘扬、凝结、类聚"等80来个,以单音节及物动词为主(例⑮⑰等),不及物动词也有一定数量(例⑭等),双音节形式也不少(例⑯⑲)。这些"V 为"组合,有的是先秦两汉遗留下来的,如"变为、分为、结为、合为、谓为、画为、视为、号为、化为、改为"等,有的是六朝以后新代入的,如"目为、说为、混为"等,基本上是语法框架不变,进入的词汇有改变。

相当数量的动词同时在"VO₁ 为 O₂"和"V 为 O"两种结构中充当前项动词,如"号、封、引、变、说、谓、读、用、吐、立、视、分、尊、呼"等23个动词,算上重复用例共计94例,占该类格式的68%,形式上全部为单音节,包括及物和不及物动词,双音节用例不见,这可能与连谓式后项成分"为"的单音节形式有关。"将 O_1 V 为 O_2"不过是把"VO_1 为 O_2"结构中的宾语 O_1 用介词提前了。"V 而/以为 O"式是典型的连谓式结构,其前项动词与"V 为 O"式也有不少重复,不复例举。

问题是:《朱子语类》中的"V 为 O"结构到底是不是述补结构?

不少学者都把"V 为 O"结构视作述补结构,我们认为它还是由动词性成分连用而形成的连谓式结构。原因如下:

1. 从《朱子语类》语料来看,与"V 为 O"式并存的有"VO_1 为 O_2"和"V 而/以为 O"式,后面两种形式均为连谓式,出现频率相当高,几乎与"V 为 O"式平分天下。

2. "V 为 O"、"VO_1 为 O_2"和"V 而/以为 O"三种格式前项动词的复现率相当高,接近70%,同一动词可以出现在三种格式中,这说明"V 为"之间是否插有宾语或连接词对"V 为 O"结构的定性并不起区别作用,即使没有插入成分的"V 为 O"结构也是连谓式。

3. 《朱子语类》中还有"VO_1 为 O_2,(V)O_1 为 O_2"、"V,为 O,为 O"结构,如:

⑱扬子云谓南北为经,东西为纬,故南北为纵,东西为横。(8·3264)

⑱到得"其感遇聚结,为雨露,为霜雪,万品之流形,山川之融结"以下,却正是说游气之纷扰者也。(7·2507)

这种结构中的"为"动词性强,实词义也强,将例⑱与前例⑰进行比较,即可证明"V 为 O"式的连谓结构的性质。

4. 跟在动词后面的"为"表示"成为、作为"的语义,非动作动词的语义特征使它对后面的宾语不构成支配关系,只起到联系作用,因此,"为"后宾语是关系宾语。"V 为"结构的后面始终都要带上关系宾语,宾语的存在阻碍了"为"的进一步虚化。

5. 由于"V 为 O"结构是连谓式,又受到"为"自身的语义限制,因此动词和"为"之间不能插入"得/不"作相应的扩展,该结构的连谓结构性质显而易见。

(二)作

"作"字动词性格式共197例,包括:V作O,154例;VO$_1$作O$_2$,23例;将/把O$_1$V作O$_2$,8例;将/把作O,12例。依类举例如下:

⑭学者初看文字,只见得个浑沦物事。久久看作三两片,以至于十数片,方是长进。(1·162)

⑮汉末名节之极,便变作清虚底道理。(7·2914)

⑯郑渔仲谓《诗小序》只是后人将史传去拣,并看谥,却附会作《小序》美刺。(6·2079)

⑰如此,则庙中神主都用改换作嫡子嫡孙名奉祀。(6·2229)

⑱谓如"公即位",依旧是十一月,只是孔子改正作"春正月"。(6·2159)

⑲季子赐族,此亦只是时君恩意,如秦呼吕不韦作"尚父"耳。(6·2163)

⑳因令将五音、十二律写作图子,云:"且须晓得这个,其他却又商量。"(6·2343)

㉑今人将作个大底事说,不切己了,全无益。(1·140)

㉒周子恐人把作一物看,故云无极。(6·2366)

1. "V作O"结构的出现时间比"为"字式晚,汉代偶有用例,大批出现是在六朝以后。这时"VO$_1$为O$_2$"分用式已渐趋衰减,"V为O"式占了上风,所以,"作"进入时,以"V作O"式为主要形式。"作"、"做"与"为"是一种词汇替代关系,在进行替换的同时,与它们组合的前项动词也会发生一些变化,这种变化也是由词汇替换造成的,比如,先秦没有"看作/做O",它用"视为O"来表示,从"视为O"到"看作/做O",不仅后项成分发生了替换,前项动词也有了变化,引起替换变化的原因与词

2. 就用例分布而言,"V 作 O"是主要形式,充当前项动词的有单、双音节及物、不及物动词和词组,以单音节及物动词为主,见例⑱,不及物动词不多,见例⑱,双音节动词(例⑱)和词组少见,仅 6 例,词组构成多为并列式和述补式,如例⑰⑱。充当前项成分的动词就数量和种类来说都比"为"字式大大减少,如"认、录、看、总、当、改、写、解、说、编、画、指、传、引、化、变、滚、附会、比并、改换、改正"等。另有 2 例"V 作"与"成""为"结合的情况:

⑲ 盖不知礼经中若不称作为父母,别无个称呼,只得如此说也。(6·2248)

⑭ 自有是上面结作成底,也有是蜥蜴做底,某少见十九伯说亲见如此。(1·24)

例⑭因与"成"结合,所以结构后面可以不带宾语,显示出"V 作"的词化倾向。

3. 分隔式"VO₁ 作 O₂"用例衰减(例⑱),仅 23 例,与"为"一样,同一动词可以同时用于分隔式和合用式中,但数量已减少,仅"改、分、解、编"4 个动词,共 9 例,占 39%。

4. 出现了复现率很高的搭配形式,它们是:"录作(60 例)、分作(19 例)、将/把作(12 例)",共 91 例,出现频率超过 5 次的搭配也不少。"录作"使用频率较高与《朱子语类》的文体内容有关,"将/把"应该是由"将/把 O₁ V 作 O₂"缩略词化而来,也作"将/把做",用例远远超过了"将/把作",是主要形式,二者语义完全相同,都是"当做、看作"的意思,不同之处只在书写形式,"将/把做"是从"将/把 O₁ V 作/做 O₂"式缩略而来。

5. "V 作 O"结构的定性。本书把"V 作"结构看成词化了的成分,理由如下:

"作"大量进入"V作O"结构是在六朝以后,这时"为"字式已经以"V为O"式为主,"作"的进入方式是词汇替换,最初进入的句法槽还是连谓结构,进入后,因前后成分结合的紧密化,促使"V作O"结构发生质变,表现在:

(1)与早期"为"字结构相比,"V作O"式在"作"字结构中占据绝对优势,比例接近90%,这与"为"字结构分用式与合用式的分布格局正好颠倒了过来,可见,"V作O"的性质已经起了变化。

(2)出现了复现率很高的"V作O"式,所占比例几近过半。

(3)除部分"VO_1作O_2"外,"作"与前项动词之间不能插入其他成分,也不能用"得、不"扩展。

(4)就现有材料我们很难判断进入"V作O"格式的前项动词与"V为O"式相比到底发生了什么本质变化,因为不少动词往往可以同时出现在两类格式中,如"分、读、改、解、说"等。不过,二者还是有些不同。从语义上讲,"V作O"式中"作"能解作"成"义的用例数量在增多,这种变化应该与前项动词有关。大致情况是,"V为O"结构中的前项动词多数动作性很弱,往往带有"自足"语义特征,不及物动词尤为明显,对宾语及后项动词"为"造成的主动性结果影响较小,如"号、分、封、化、谓、尊、散、用、飘扬、凝结、归咎、并立"等,这种动词与"为"结合形成的结构自然多是一种连谓式;而"V作O"中,前项动词动作性增强,具备"非自足"语义特征的前项动词渐多,它们能给宾语和后项动词"作"带来主动性结果影响,如"截、排、垦、刻、改换、分截、改正"等,这类动词的逐步多见应该与合用式"V作O"结构的定型化相关,它们的进入可能会带来"V作O"结构的质变:由连谓式→述补式(其间同时还交织着词化过程),但终因"V作O"的渐趋词化以及"作"字语义特征的限制而夭折。当然,不排除这类动词也能进入"V为O"结构,因为"V为O"与"V作O"的发展过程是一个交互影响的过程,但二者在比例上应该有不同。

（5）虽然"V 作 O"结构可能因进入动词的语义变化而带来"作"语义的些许变化,但就形式特征和分布情况而言,还无法将它定性成述补结构,考虑到它在《朱子语类》中的使用情况及以上各因素,本书倾向于把它处理成词化性成分。不过,也不排除部分"V 作 O"式仍保留有动词连用结构性质的可能,特别是几个前项动词为双音动词的用例,因为音节的原因给词化造成障碍。对于这些用例,因比例不大,不妨视作词化过程中的残留现象。

（6）"V 作 O"式在词化之前是什么结构？我们认为,"V 作 O"式最初是连谓式,后来因动作性较强的"非自足"语义特征动词的进入,可能会带来结构变化——向述补结构过渡,但这一过程又伴随有词化过程,限于语料及其他复杂因素,如语言系统的历时变化等,一时还难以对"V 作 O"结构的详细递变过程做出明确解释,也难以给词化前的"V 作 O"定性。考虑到"V 为 O"结构的情况,同时结合"V 作 O"式的形式特征(中间不能插入"得/不"来作典型的述补结构的语法变换)以及"作"自身的语义和功能特征,本书把它看作连谓式。

（三）做

"做"字动词性结构共 160 例,包括:V 做 O,99 例;VO_1 做 O_2,9 例;将/把 O_1 V 做 O_2,9 例;将/把做 O,43 例。依类举例如下:

⑲ 怎地滚做一处祭,不得。(6·2316)

⑯ 敬可唤做德,不可唤做道。(1·101)

⑰ 仁固有知觉;唤知觉做仁,却不得。(1·118)

⑱ "理义"之"义",便是"仁义"之"义",如何把虚空打做两截！(8·3030)

⑲ 读诗,且只将做今人做底诗看。(6·2083)

⑳ 其诗多说闲静乐底意思,太煞把做事了。(7·2553)

"做"字结构的情况与"为"字式有很大不同,与"作"相比也有发展。

1. 就字形结构言,"做"是一个后起字,最初与"作"不分,进入结构的时间比"作"晚,大概在唐以后。《朱子语类》中出现在"V 做 O"式中的动词明显减少,只有"唤、分、改、裁、说、割、合、解、读、用、滚、差、换、认、归、看、裒集"17个,基本是单音及物动词,双音动词仅1例。

2. 隔开式"VO_1 做 O_2"用例减少,仅9例,如上例⑲。充当前项动词的有"唤、说、分、认、解"5个,分别都有相应的"V 做 O"式。另有2例"V 得做 O"式,如:

⑳克去己私,如何便唤得做仁。(6·2419)

⑳这文字虽然是裒集得做一处,其实于本文经旨多有难通者。(8·2950)

3. 进入"V 做 O"式的前项动词数量少,与"为"字结构相比似乎看不出语义特征上的大变化,但与处置式结合的"将/把 O_1 V 做 O_2"式用例明显增多,占到6%("为"字句仅0.7%),这类结构的前项动词基本上是动作性很强、能造成结果状态的动作动词,如"削、镕、打、捏、文饰"等。

4.《朱子语类》中的"V 做 O"所显示出来的重要特点就是它的成词倾向,表现为:

(1)隔开式数量剧减。

(2)"V 做"中间基本不插入成分如"得、不"等来扩展,个别插入"不、得"的形式为"不 V 做 O"、"V 做 O 得"、"V 得做 O","V 得做 O"用例见上例⑳⑳,前二式如:

⑳后之学者依旧不把做事,更说甚闲话。(7·2857)

⑳读书亦然,书固在外,读之而通其义者却自是里面事,如何都唤做外面入来得?(8·2941)

《朱子语类》时代带宾语的能性"得"字述补结构的常见形式是"V 得

OC",由于"V""做"结合紧密,故用了上述格式。至于"V 得做 O"式,用例极少,概由"V 得成 O"式类推而来。

(3)出现了成词倾向明显的个案,有"唤做"、"将做"和"把做"。"唤做"53 例,占 56%,它在文中主要作"当作、叫做"讲,从语义上说,可以看成一个词;就形式言,隔开式用例仅 3 例,1 例是"唤得做 O"(例⑳),另 2 例是"唤 O_1 做 O_2",见例⑲。"将做""把做"共 43 例,意为"当做、看作",是由"将/把 O_1 V 做 O_2"格式缩略词化而来,《朱子语类》中还有进入"将 O_1 V 把做 O_2"格式的用例,若与"(不)得"等构成述补结构,其形式为"把做 O 不得",例如:

⑳道理不可将初见便把做定。(6•2369)

⑳赤子饥便啼,寒便哭,把做未发不得。(7•2505)

这些都表明,无论是语义还是形式,"做"字结构都显示出明显的成词特征。

5. 尽管词化特征明显,但仍有少数隔开式用例,还有"V 做 O_1 (V)做 O_2"式,如:

⑳如一句经在这里,说做褒也得,也有许多说话;做贬也得,也有许多说话,都自说得似。(8•2993)

例中的"做"还是动词,有实义。不过这种用例终究罕见,包括其他隔开式用例,都不妨视作是词化过程中过渡形式的残留。

对于其他动词与"做"构成的结构,虽然不排除可以定性为连谓结构或述补结构的可能性("V 做 O"结构词化前的性质应与"V 作 O"相同),但考虑到这些结构基本都不能用"得、不"扩展,再结合"V 做 O"式的整体使用情况,我们倾向于把"V 做"处理成词化了的双音节词。

(四)小结

1.《朱子语类》中"V 为/作/做 O"结构的总特点:"为"字结构残留文言成分的程度最高,其次是"作",再次是"做",呈递减态势;反之,词化性呈递增趋势。

2. 结合《朱子语类》中各词的使用情况,我们认为"为"字结构是连谓结构,"作""做"字结构已经词化,词化的途径应该是由相应的动词连谓结构语法化而来。

3. "V 为/作/做 O"结构与"V 成(O)"结构。

二者是不同质的语法结构。"V 成(O)"述补结构由两条道路发展而来:一是由"成就、完成"线索发展而来,二是由"成为"线索发展而来。由前一线索发展来的"成"字述补结构最初是不带宾语的,宾语的来源有二:其一,"V 成"结构语法化为述补结构后,对"VO 成"式产生类推,使其宾语后移;其二,"成"语法化成述语的黏附补语后,"V 成"结构带上宾语。从这条线索发展来的"成"字述补结构从一开始就与"V 为/作/做 O"结构是不同质的结构。与"V 为/作/做 O"结构有纠葛的是由第二条线索发展来的"V 成(O)"结构。

最初,在"变成、成为"的义项上,"为"和"成"有相同之处,上古文献中的使用情况基本相同,出现的句法槽也基本一样,如:

⑳ 故积土而为山,积水而为海……(荀子·儒效)

⑳ 积土成山,风雨兴焉;积水成渊,蛟龙生焉……(荀子·劝学)

汉代文献中有"V 而成 O"和"V 成 O",仍然是连谓结构。六朝以后情况发生了变化,"成"由"成就、完成"线索发展出结果补语的用法,并进一步虚化成表动作行为完成实现的结态补语,这为二类"成"字述补结构的语法化提供了示范效应,在一类"成"字述补结构的类推下,二类"成"字结构也由连谓式语法化成述补结构。

在二类"成"字结构的语法化过程中有两个根本条件是"V 为/作/做 O"类结构所不具备的:一是语义条件,"成"的"变成、成为"义是由"成就、完成"义引申来的,本义对"成"的发展影响很大,它为"成"的虚化提供了语义基础;二是句法条件,与语义相关,"成"字述补结构的语法化最初是在一类"V 成"连谓式中发生的,再由此连及二类"V 成 O"连谓式,使之发生语法化,成为述补结构。对"V 为/作/做 O"类结构来说,这两种"催化剂"都不存在,同类语法化自然也就难以发生了。此外,在"V 成(O)"式中充当前项成分的动词一般都是动作性强的动作动词,动作性强,结果性自然也强。这与"为"字结构也不同。后来"作/做"字替代"为"进入格式后,曾经显示出向"V 成(O)"式靠拢的端倪(如出现了个别类化格式,如"V 得做 O"式),但最终未能成功语法化成述补结构,一则是由于"成"字结构占了绝对优势地位,二则是它们在向"V 成(O)"靠拢的过程中很快显现出前后项成分搭配趋于固定的类型化特征,出现了复现率较高的格式,因此,最终没有站稳脚跟就向词化的道路上发展了。

三　完成动词及相关结构

从历时文献看,直到唐代,动词带完成动词所构成的结构主要有两大类:"VV$_完$"和"VOV$_完$",对其性质的认定,学术界一直有不同看法,有的认为是主谓结构,有的认为是述补结构。认为是主谓结构的意见是有道理的,原因是,自古以来由完成动词构成的"V(F)V$_完$"、"VO(F)V$_完$"结构,其前项动词和完成动词之间不仅可以插入宾语,还可以插入时间副词和否定副词类副词性成分,如:

⑩ 四人为寿已毕,趋去。(史记·留侯世家)

⑪ 十一年,高祖在邯郸诛豨等未毕,豨将侯敞将万余人游行,王黄军曲逆,张春渡河击聊城。(史记·高祖本纪)

⑫ 战既罢,共王欲复战,令人召司马子反,司马子反辞以心疾。(韩非子·十过)

⑬ 帝甚不平,食未毕,便去。(世说新语·汰侈)

据我们调查,直到南宋《朱子语类》时代此类用例仍不少见。

不过，蒋绍愚师（2001、2004）对完成动词结构进行了研究，结果发现从东汉到六朝完成动词结构发生了新变化，即：先秦到西汉，"已"都放在持续动词后面，表示"完结"，即发生在一个时段中的动作过程的完结；而在东汉六朝的佛典译文中，"已"可以放在非持续动词后面，表示"完成"，即表示发生在一个时点的动作的完成。表示持续动词完结的"已"可以在前面加副词，在语法上是作谓语，但表示非持续动词完成的"已"在前面不能加副词，所以，"觉已""死已""到竹林已""舍是身已"等"V_{非持续}V_{完}""V_{非持续}OV_{完}"结构是动相补语结构。受这种"已"的影响，魏晋南北朝有一些"讫/竟/毕"也可以用在非持续动词后面，表示"完成"，充当动相补语。也就是说，对完成动词结构的性质认定不能一概而论，六朝以前的完成动词结构是主谓结构，但六朝时期用于非持续动词后的"V_{非持续}V_{完}""V_{非持续}OV_{完}"结构已经是述补结构。[①] 我们同意这一看法。

所以，对于六朝至南宋时期由完成动词构成的"VV_{完}""VOV_{完}"结构，本书的处理办法是：用于非持续动词后的"V_{非持续}V_{完}""V_{非持续}OV_{完}"结构是结态述补结构，用于持续动词后面，则是主谓结构。

《朱子语类》中的完成动词主要是"了"，此外还有"毕、讫、竟、已、罢"。从使用情况看，"了"在《朱子语类》时代已经完全替代了其他完成动词，并完成了向动态助词和事态助词的语法化，其他完成动词在《朱子语类》中不过是前代的残留形式。"了"的情况前文已有论述，此不复述。其余完成动词在《朱子语类》中的结构形式主要有两大类："V(F)V_{完}"和"VO(F)V_{完}"，具体情况如下：

[①] 见蒋绍愚《〈世说新语〉、〈齐民要术〉、〈洛阳伽蓝记〉、〈贤愚经〉、〈百喻经〉中的"已"、"竟"、"讫"、"毕"》，《语言研究》2001年第1期；《魏晋南北朝的"述宾补"式述补结构》，《国学研究》第12卷，北京大学出版社，2003。

完成动词＼结构形式	VV完	VFV完	VOV完	VOFV完	总计
毕	29	4	9	1	43
讫	7	0	5	0	12
竟	0	0	1	0	1
已	1	0	1	0	2
罢	8	0	6	0	14
总计	45	4	22	1	72

不过,调查显示,《朱子语类》中的完成动词结构更多地表现出承继先秦两汉时期完成动词结构的特点,上述由"毕、讫、竟、已、罢"作后项构成的完成动词结构中,前项动词都是持续动词,没有发现非持续动词用例,而且,前项动词和完成动词之间不仅可以插入宾语,还可以插入副词甚至连接词,可见前后项成分间关系的松散。例如:

⑭到得祷祠既毕,诚敬既散,则又忽然而散。(1·50)

⑮看《小雅》虽未毕,且并看《大雅》。(6·2124)

就结构的语法意义而言,式中完成动词的语义指向前面整个"VO"结构,表示某一事件的完成,或将前项动词所表示的动作作为一个事件来说明,其功能都是对整个事件完成情况的说明,这是主谓结构的功能特征,所以,我们认为《朱子语类》中的上述完成动词结构都还是主谓结构。

至于《朱子语类》完成动词结构更多地表现出存古特点的原因,可能一方面与该书的文体特点有关,另一方面则与结态补语"了"、动态和事态助词"了"在南宋时期的成熟发展密切相关。"了"的发展呈现出与其他完成动词不一样的特点。最初,"V了"结构中也可以插入宾语、时间副词、否定副词等成分,这种情况一直到唐五代还相当普遍,如:

⑯子胥哭已了,更复前行。(敦煌变文集·伍子胥变文)

⑰是时夫人诞生太子已了,无人扶接。(敦煌变文集·太子成道

经）

南宋时期情况有了变化:一是"V 了"中间除插入宾语和否定副词外,时间副词不再插入(插入否定副词的格式是相应肯定形式的否定式,它的插入与时间副词不同),这一变化具有重大意义,它为"V(O)了"主谓结构向述补结构的重新分析提供了基础,也是重新分析完成的一个重要标志。南宋《朱子语类》时期,"V$_{持续}$了"结构在前代已有的"V$_{非持续}$了"结态述补结构的类化下,由主谓结构语法化成结态述补结构。二是"V$_{非持续/持续}$了"结构常常出现在句尾,"了"进一步语法化,成为表动态或事态完成的动态助词兼事态助词。三是"V 了"后面往往带上宾语,形成"V 了 O"结构,成为此期占绝对优势的句法形式,其中的"了"已经语法化成纯粹表完成的动态助词了。

就完成动词而言,宋代以后,汉语动态补语和动态助词大体选择了"了",这使得其他完成动词失去了发展的语用空间,所以更多地呈现出存古性特征。

本章小结

一 形式特征

《朱子语类》各类动结式述补结构的使用情况统计如下:

结构形式 补语类型	结成述补结构 补语指受	结成述补结构 补语指施	结态述补结构	结度述补结构	总计
VtVi	517		539		1056
VtViO	316		492		808
VtA	101	48		211	360

VtAO	77	3		22	102
ViVi		84	122		206
ViViO		26	10		36
VtOVi			87		87
ViA		7		12	19
AF				12	12
V将去	6				6
总计	1017	168	1250	257	2692
	1185				

1. 南宋时期动结式已基本定型,由于各类来源途径和产生时间的差异,动结式内部呈现出发展的不平衡性,结成、结态述补结构是此期动结式的主要基本形式,结成动结式已经相当成熟,结态动结式基本定型,结度动结式出现稍晚,出现频率仍不算高,还处于丰富完善阶段。

(1)《朱子语类》中的结成述补结构基本上是承继前代而来,但比前代有不少发展。补语指向受事的结成述补结构述语、补语的搭配比前代更为丰富,发展方式一方面是继承前代已有形式,另一方面是在旧有句法槽中填入新内容,即:填词框架不变,具体内容有别。补语指向施事的结成述补结构虽见于唐,但极少见,《朱子语类》时代用例逐多,结构形式趋于繁复,形容词补语增多,出现了一些前代没有的述补搭配。

(2)《朱子语类》中结态述补结构的出现频率超过了结成述补结构,补语成分的虚化程度比前代高,呈现出过渡时期的特征,相当数量的语法助词在完成语法化之前的过渡形式都保留在这一时期,现代汉语中由黏着性虚化成分充当补语的形式在此期已初具规模,有的还呈现出较之现代汉语更为丰富的特点,这些都是本期结态述补式形式和功能特征繁复,出现频率较高的重要原因。

(3)结度述补结构是《朱子语类》动结式中的一个亮点,它的发展带有爆发式特点,萌芽于六朝,唐代还很少见,南宋时期急遽增多,补语形容词也开始丰富,爆发式的出现方式与这类补语在已有句法槽中的自由代入的扩展方式密切相关。据我们统计,《朱子语类》中充当补语的形容词有 76 个(唐五代不足 10 个),若不计算重复出现的用例,形容词补语已经在数量上超过了动词补语(51 个),这些形容词补语绝大多数是出现在结度述补式中,对动作行为进行评价,这说明,《朱子语类》时代形容词补语已经有了长足发展,越来越接近于现代汉语动结式的形制。

2. 就具体形式言,"VtVi(O)"式是结成、结态述补式的主流形式。"VA(O)"式最早见于使结式,但作补语的形容词不算丰富。《朱子语类》时代,形容词补语在补语指向施事的结成述补式和指动的结度述补式中出现繁荣,特别是结度动结式在南宋时期急遽发展,使用频率增加,补语形容词趋于丰富。由不及物动词充当述语的结成(ViVi(O)、ViA)、结态(ViVi(O))述补结构是唐五代才发展出来的,《朱子语类》时代,进入格式的补语成分趋于丰富,用例数量也有所增加。此外《朱子语类》中还出现了"AF"式,是动结式发展过程中类推出来的少见形式。

3. 就动结式内部音节构造来说,现代汉语动结式一般以"单音+单音"和"单音+双音"形式出现,前者居多,这种规模形制在《朱子语类》时代已完全形成并定型化,还出现了"双音+单音"形式,"双音+双音"形式也时能见到,还有少量多音节成分充当述语的用例。

4. 结成、结态、结度动结式相互套合的形式已经出现,与"得"字述补式或其他形式补语如动量补语等套合的用例也能见到,有的套合形式在后代进一步发展,有的则在发展中因多种原因而消失。

5. 由于各类语法助词在《朱子语类》时代已基本完成了各自的语法化过程,所以《朱子语类》动结式带助词的情况十分普遍。与处置式、被动句相结合的用例也时能见到,虽然出现频率还不高,但套合形式已经初具规模,现代汉语所有的结合形式在本期都已具备。

  关于述补结构与被动式、处置式的结合情况,我们对唐五代《敦煌变文集》《祖堂集》和南宋《朱子语类》(全八册)进行过初步统计,结果发现:就述补结构自身发展情况看,它与被动式、处置式的套合比例不高,以使结式为例,如前统计,《朱子语类》使结式与被动式、处置式套合的比例只占使结式用例的 5%,但若就被动式、处置式来看,比例则高出很多,以处置式为例,唐五代《敦煌变文集》《祖堂集》中处置式与述补结构和动态助词结合的比例已占到处置式用例的 21%,《朱子语类》为 34%,可以看出,从唐五代到南宋,处置式逐步显示出必须用述补结构交代处置结果,主动与述补结构套合的发展趋势。被动式的情况大致相同。不过,唐五代述补结构与处置式结合还处于初期阶段,进入的补语类型限于述补结构的早期形式,包括由介词引出的处所补语和对象补语、动趋式中的趋方补语、动结式中补语指向受事的使结式结成述补结构和补语指向当事的结成述补结构以及结态补语,与动态助词结合不多。南宋《朱子语类》时期有很大发展,一是述补结构进入处置式的比例比之唐五代有较大提升;二是进入的补语类型的丰富性和完备性大大超过唐五代,几乎所有补语类型都能与处置式结合,包括:处所、范围补语,动量补语,动趋式(趋方、趋成、趋态),V 将去,V 来 V 去,动结式(结成〈补语语义指向受事和施事〉、结态、结度),"V 得(O)"(动态),"V 得 C"(结果、程度、能性),而且,是各类补语中的多种形式进入处置式,如动趋式中,既有简单补语,也有复合补语,既有"VCO"式,也有"VOC"式,"得"字补语既有"V 得 O",也有"VO 得",等等,处置式与助词结合也相当普遍,往往在与述补结构套合的同时带上助词;三是出现了多类补语同时与处置式套合的用例,诸如动趋式与处所补语,动结式与处所补语,动结式与介宾对象补语,动结式与动趋式等等;四是出现了"被"字句、处置式、述补结构(有时是多类补语)三者同时套合的情况。述补结构与被动式、处置式等语法形式的发展关系是个非常复杂的问题,涉及整个汉语言系统的历时发展,牵扯的问题很多,这里不能详细论述,拟另行文讨论。

6. 前代旧有的隔开式"VOC"述补结构(如"打头破")在《朱子语类》时代基本消失,完成了向"VCO"述补结构的归并;由半虚化成分"了""着"等充当"V_2"的"V_1OV_2"式也因多种因素的推动从主谓结构重新分析成述补结构;这一时期还新产生了文白杂糅的"VO(F)A"式(如"捉一物正紧"),这是《朱子语类》"$V_1O(F)V_2/A$"式发展的一大特点,这类结构在后代随着并用式述补结构的发展,以及它类句法形式如"得"字句、处置式、重动结构等的繁复发展而逐步被兼并淘汰。与各类动结式相关联的"$V_1O(F)V_2/A$"式完成语法化或是被兼并的时间有早有晚,结构形式上也呈现出不同特征:结成述补结构最早,结态述补结构次之,最晚的是结度述补结构。因此,《朱子语类》中结成述补结构的"VCO"形制已完全定型并成熟,结态述补结构还残留有少许"VOC"形式,结度述补结构则还保留着相当数量的具有相似语法意义的"VO(F)A"式用例。

二 语义特征

1. 补语语义指向因各类动结式的来源途径和补语构成的不同而有差异:结成述补结构补语指向受事、施事,结态和结度述补结构补语语义指向述语动作。

2. 各类动结式述语补语之间都存在着一定的语义搭配特征,与各类动结式所表达的语法意义紧密相关。具体到某一结构形式,不同述补搭配的产生时间会有差异,这与动结式述补搭配的语义特征以及具体搭配形式的出现频率都有关系。

3. 各类动结式的底层语义动核结构各有特点。

三 动结式的发展与动态助词系统的确立

动结式的发展为动态助词的形成发展提供了前提和基础,汉语动态助词的语法化过程基本上都是在动结式述补结构的相关语法格式中完成的,动态助词一般都经历了从结果补语→后项虚化的结态补语→动态助词的发展过程,其间,结态述补式的发展为汉语动态助词系统在宋代的确立和完善起到了极大的推动作用。

本章参考文献

曹广顺 1995《近代汉语助词》,语文出版社。
—— 2000《试论汉语动态助词的形成过程》,《汉语史研究集刊》第二辑,巴蜀书社。
陈丽 2001《〈朱子语类〉中的结果补语式和趋向补语式》,《语言学论丛》第 23 辑,商务印书馆。
古屋昭弘 2000《使成词组 V_1+令+V_2 和 V_1+教+V_2》,纪念王力先生诞辰一百周年语言学学术国际研讨会交流论文(北京,2000 年 8 月)。
蒋绍愚 1994《近代汉语研究概况》,北京大学出版社。
—— 1999《汉语动结式产生的时代》,《国学研究》第 6 卷,北京大学出版社。
—— 2001《〈世说新语〉、〈齐民要术〉、〈洛阳伽蓝记〉、〈贤愚经〉、〈百喻经〉中的"已"、"竟"、"讫"、"毕"》,《语言研究》第 1 期。
—— 2003《魏晋南北朝的"述宾补"式述补结构》,《国学研究》第 12 卷,北京大学出版社。
李小荣 1994《对述结式带宾语功能的考察》,《汉语学习》第 5 期。
李宇明 1997《论形容词的级次》,《语法研究和探索(八)》,商务印书馆。
刘承慧 1999《试论使成式的来源及其成因》,《国学研究》第 6 卷,北京大学出版社。
—— 2000《述补结构成因的阐释》,海峡两岸汉语史研讨会论文(北京,2000 年 6 月)。
刘坚、江蓝生等 1992《近代汉语虚词研究》,语文出版社。
刘坚、江蓝生主编,袁宾等编著 1997《近代汉语断代语言词典系列·宋语言词典》,

上海教育出版社。
吕叔湘顾问、李行健主编 1998《现代汉语规范字典》,语文出版社。
梅祖麟 1991《从汉代的"动杀"、"动死"来看述补结构的发展》,《语言学论丛》第 16 辑,商务印书馆。
—— 1994《唐代、宋代共同语的语法和现代方言的语法》,《中国境内语言暨语言学》第二辑。
木霁弘 1986《〈朱子语类〉中的时态助词"了"》,《中国语文》第 4 期。
施其生 1997《汕头方言的动词谓语句》,载《动词谓语句》,李如龙、张双庆主编,暨南大学出版社。
石定栩、苏金智、朱志瑜 2001《香港书面语的句法特点》,《中国语文》第 6 期。
太田辰夫 1958/1987《中国语历史文法》,蒋绍愚、徐昌华译,北京大学出版社。
王力 1943/1985《中国现代语法》,《王力文集》第 2 卷,山东教育出版社。
—— 1944/1984《中国语法理论》,《王力文集》第 1 卷,山东教育出版社。
—— 1958/1980《汉语史稿》(中),中华书局。
吴福祥 1996《敦煌变文语法研究》,岳麓书社。
—— 1998《重谈"动+了+宾"格式的来源和完成体助词"了"的产生》,《中国语文》第 6 期。
杨伯峻、何乐士 1992《古汉语语法及其发展》,语文出版社。
张相 1953《诗词曲语辞汇释》,中华书局。
赵元任 1979《汉语口语语法》,商务印书馆。
赵长才 2000《汉语述补结构的历时研究》,中国社会科学院语言研究所博士学位论文,未刊稿。
志村良治 1984/1995《中国中世语法史研究》,江蓝生、白维国译,中华书局。

附录:《朱子语类》动结式述补结构用法一览表

补结构类型＼补语成分	败4	病1	成（完成）49
VC	杀1、战3	冻1	结3、养2、学1、作1、落2、做5、生2、责1、混2、削1、妆1、撰1、滴1、结作1、锻炼1、把捉1
VCO			激1、引1、作1、做5、编1、助1、烧1、养3、挹1、画1、习1、附会1
VOC			
将/把 OVC			
将/把 O₁VCO₂			
为/被(NP)VC(含"为…所…"式)			
为/被 NPVCO			撰1
Neg 被 NPVC			
VNegC			做4
VNegCO			
NegVC			
NegVCO			
NegVOC			
VONegC			

第二章 《朱子语类》中的动结式述补结构

补语成分\结构类型	成(成为)56	倒(颠倒；倒下；住；到)32
VC		放9、困1、斫1、挞1、昏1、说4、捉1
VCO	结3、凑1、堆1、聚1、激2、合1、编2、录1、补1、加2、分4、添1、割1、凝2、打3、泻1、捻1、搦1、弄1、说3、刊1、变1、截1、溶1、溃开1、说开1、郁结1、破开1、凑合1、泛滥1、杜撰1、凝结1、理会1、分别1、打炼1、逼截2、衮缠1、翻覆1	推2、撞1、做1、放1、断1、粘1
VOC		
将/把OVC		辟1
将/把O₁VCO₂	打开1	
为/被(NP)VC(含"为…所…"式)		压1、困1
为/被NPVCO	说1	
Neg被NPVC		
VNegC		
VNegCO		
NegVC		放3
NegVCO	说开1、接续1	放1
NegVOC		
VONegC		

补结构\语成分\类型	到 210	动 113
VC	见4、读1、做3、着2、去1、思索1、理会1、思量1	移5、感17、鼓3、发10、摇2、改4、流7、振1、变6、转7、震3、引1、触1、飞1、删1、挑1、挠1
VCO	想1、说32、传1、看8、分2、做22、穷9、学2、坏3、解(了解)2、解(押解)1、知2、格2、见3、推6、服3、争1、赠1、算1、数1、寻5、退2、排1、挨1、穿1、剁1、论2、梦1、读4、变1、请1、揎1、过1、推广1、推勘1、理会4、实行1、合凑1、存养1、积累1、根究1、思量6、修改1、穷究1、保明2、措发1、长进1、防备1、警戒1、涵养1、招引1	发1、感6、衮1、牵3、拨1、引1、改1、惊2、摇3、变1、鼓2、触1、搅1、挥1
VOC		
将/把 OVC		
将/把 $O_1 VCO_2$		
为/被(NP)VC(含"为…所…"式)		唆1、摇1、耸1、说4、鼓1、引1
为/被 NPVCO		牵1
Neg 被 NPVC		
VNegC	见2、做1、思1、看1、理会1、照管3、思量1、照顾1、将息1	
VNegCO	看1、见1、知1	
NegVC	见1、晓1、说1、思量1	移1、迁1、吹1、变1、说1、放1
NegVCO	说14、疑1、做1、识1、见1、晓1、论1、理会3、深入1、扶持1	改1
NegVOC		
VONegC		

补语结构类型\成分	掉 2	定 122	断 35	发 15
VC	飏1、除1	守4、指2、把2、塞1、说3、立(站立)2、凝1、着1、解1、审1、桩1、排2、醒1、坐8、删1、做1、议1、修1、抚1、断10、改1、窒1、参1、捉1、见3、拟1、收敛1、夹持1	截12、勾1、放1、割5、说1、	触5、感4
VCO		立(站立)3、立(确立)10、把4、札1、札3、扛1、取1、绑1、坐1、碍1、守3、执1、绷1、删1、捉5、指2、拈1、桩1	截4、斫1、割2、把1、	踏1、感4、吹1
VOC				
将/把 OVC		改1、守1、禁遏1	阑1	
将/把 O₁VCO₂		划1		
为/被(NP)VC(含"为…所…"式)		局3、拘1	截2	
为/被 NPVCO				
Neg 被 NPVC		粘1		
VNegC		守1、议1、收拾1	传授1	
VNegCO				
NegVC		执1、立(站立)1、局1、指2、断2、守1、克守1	放1、顿1	
NegVCO		凝1、守1、杀2、立(确立)1	剿1	
NegVOC				
VONegC				

补语成分\结构类型	翻10	服1	伏10	合12	坏23	昏1
VC	吹1、掀2、掉2		降2、制1、按1	打1、捻1、牵4、滚1、捏1	损1、作1、弄2、改1、做1、擦1、变1、计1、污1、压1	害1
VCO	踏1、趱1	制1	降3、遏1、禁1	牵2、收1	说1、教1、沮1	
VOC						
将/把 OVC	掀1、踢1				打1、穿凿1	
将/把 O₁VCO₂						
为/被(NP)VC(含"为…所…"式)	做1				损1、说1、作2、写1、诱1	
为/被NPVCO						
Neg 被 NPVC						
VNegC						
VNegCO						
NegVC			降1	牵1		
NegVCO					教1	
NegVOC						
VONegC						

补语成分\结构类型	及 82	见 148
VC	论1、说4、言1、道1、评1、推2	发57、看9、着4、照6、梦1、讨1、瞥1、闻1
VCO	降1、语8、差1、论14、盈1、讲1、祭2、考1、言7、虑1、奏1、问2、逮1、话1、戮1、传1、修1、推1、道1、说15	窃1、觉6、发1、瞥2、看12、窥9、望8、梦3、考1、照2、察2、寻2、晖1、推1、讨1、穷1、究2、删削1
VOC		
将/把 OVC		
将/把 O_1 VCO_2		
为/被(NP)VC(含"为…所…"式)		看1
为/被 NPVCO		窥1、瞥1、逮1
Neg 被 NPVC		
VNegC	说1、照1、信1、闻见1、删削1	检1、照1
VNegCO	差1、行1	梦1
NegVC		看1、照1
NegVCO	说2、念1	窥1、讨2
NegVOC		
VONegC		

附录：《朱子语类》动结式述补结构用法一览表

补语结构类型＼构成分	尽131	就1	绝（断、止、尽）14	绝（最、极、特别）8	觉1
VC	出1、说21、发1、知2、看1、坏1、括1、消2、嘘1、吸1、穷5、衰2、去1、灭4、扫2、催1、打2、吃1、用2、支1、除1、消耗1、绝灭1、铺陈1、销磨2、剥落1		断1、诛1、隔3、废1	悬3、精2、峻1、辽1、闷1	
VCO	退1、括3、克3、费4、去3、穷7、求1、革1、复1、见2、格2、知1、说7、收2、擒1、识1、总1、做1、注1、读1、该1	筑1	间1、断2、说1、烧1、灭1		唤1
VOC					
将/把OVC					
将/把O₁VCO₂					
为/被(NP)VC(含"为…所…"式)	杀2、饮1				
为/被NPVCO					
Neg被NPVC					
VNegC	去1、说4、明2、学1、言1、消磨1、包括1、绝灭1、讲究1				
VNegCO					
NegVC	穷3、散1、解1、察取1、索取1		泯1、遏1		
NegVCO	该1、拈1				
NegVOC					
VONegC					

补语成分\补结构类型	了 526
VC	扫1、奏2、圈1、阖1、困1、陷2、花1、收3、烂1、配1、来2、用1、疑1、春1、夏1、秋1、娶1、道1、看25、拆1、服2、隔1、放3、吃5、学1、教1、读7、思1、除3、说28、过9、焚2、昏4、走2、蔽3、做7、写3、坐2、发1、格1、论1、涂1、杀4、离1、祭2、织1、拜1、殡1、衬1、葬1、处1、桃1、穷1、醉1、误1、下3、变2、定6、动7、坏4、分1、生1、散1、阴1、阳1、衰3、退2、寒1、暑1、消2、悔1、编1、混2、辞1、问1、印1、医1、签1、起1、去3、巢1、行1、占2、辞1、书1、绝3、试2、话1、淋1、罢2、煮1、并1、应2、开3、瞬1、滞1、惧1、住2、掉8、言1、罩1、贯1、包2、谋1、判1、化1、倒1、射1、睡1、和1、成1、知5、尽1、静3、折1、死12、盛1、决1、散2、析1、有1、公1、失5、断4、差2、颠2、见6、明1、忘5、到5、犯1、离1、亡1、废4、翻1、入1、转1、打并2、拣择1、打叠2、暴露1、戒惧1、省削1、侵使1、熏蒸1、检点1、应和1、融释1、安排1、消散1、思虑1、烦恼1、行遣1、担阁1、参禅1、遮障1、思虑2、思量1、蔽塞1、汩乱1、夹杂1、汩没1、屏除1、担当1、判断1、染结1、销融2、收拾1、整顿1、差异1、连和1、讲和1、蹴踏1、商量1、昏蔽1、遮蔽1、相叠1、理会5、裁减1、丧失1、捐弃1、注解1、安歇1、觉悟1、讲解1、担当1、倒塌1、成就1、辞直理顺1、缓散消索1、商量判断1
VCO	
VOC	印1、看5、说4、做5、着5、读6、放1、长1、修1、诛1、受2、桃1、厌1、排1、捻1、成1、当1、在3、就1、克1、言3、吃1、似1、省1、感1、弄1、置1、洗1、禀1、随1、待1、使1、刺1、列1、隔2、迁都1、奉安1、打并2、把做2、读至1、举荐1、经历1
将/把 OVC	藏1、看1、截1、放1、说1、封1、变1、耗1、盖1、扫除1
将/把 O₁VCO₂	
为/被(NP)VC(含"为…所…"式)	下1、坏1、塞2、占1、说2、死1、泥1、反1、丛1、取1、杀3、隔1、绊1、近1、盖蔽1、昏翳1、壅塞1
为/被 NPVCO	
Neg 被 NPVC	
VNegC	耘1、说2、改1
VNegCO	
NegVC	用1、做1、说1、苏1、见1、忘2、成1、走作1、理会1、省察1
NegVCO	
NegVOC	从1、说1、将做1
VONegC	做2、看2、说3、思1、理会2

补语结构\成分类型	裂1	落4	没4	灭5	恼2	怒2	破(破损)20	破(透)35
VC		剪1、剥1	掩1、埋2	焚1、诛1、剿1、朴(扑)1		激1	嚼1、开1、擘1、支1、撒1、撅2	论1、看2、说4、点1
VCO		刮1、刊1			激1	激1	打6、攻2、撞1、踏1、决1	识1、说2、见1
VOC								
将/把OVC				扫1				
将/把 $O_1 VCO_2$								
为/被(NP)VC(含"为…所…"式)								看1、辨1、说1
为/被NPVCO								
Neg 被NPVC								
VNegC								
VNegCO								
NegVC		掤1		埋1				说14
NegVCO					激1		咬1、嚼1	说5、明1
NegVOC								
VONegC								

补语成分 / 结构类型	取12	去(去除、除掉)136
VC	窃1、攻2、收1	推1、舍3、忘1、消2、删3、削5、节2、罢3、逐5、退1、撤2、换1、除2、失2、辞2、克4、扫3、死1、脱1、斥1、淡1、拔1、焚1、办1、杀1、开1、克除1、差除1、拔放1、消铄1、剔拔1、剥落消殒1
VCO	攫1、占1、攻2、窃1、摄1、袭1	革1、克13、除8、削4、剔1、舍2、磨3、撤3、治1、濯5、删4、绝1、易1、罢1、刊2、脱1、扫1、决1、涂1、灭1、屏1、隔1、剥1、修1、节4、攻2、逐2、摈1、打叠1、淘濆1、荡涤1
VOC		
将/把 OVC		屏1
将/把 O₁VCO₂		
为/被(NP)VC(含"为…所…"式)	窃1	削1
为/被 NPVCO		
Neg被NPVC		
VNegC		
VNegCO		
NegVC		失1、删1、除2
NegVCO		濯1
NegVOC		
VONegC		

附录:《朱子语类》动结式述补结构用法一览表

补结构类型 \ 述语成分	却 28	杀(死;掉)14	杀(表程度深)8	散 12	伤 1
VC	忘 4、废 1、除 1、掉 1、节 1	毒 1、减 3、刺 1、拂 1、溺 1、打 1、干枯 1	阇 1、焦 1、高 1	吹 1、进 1、游 1、挥 1、解 1、放 2、拆 1	杀 1
VCO	遗 2、输 1、失 2、减 1、除 6、阙 1、掉 1、弃 1、诛 1、换 2、消化 1	渴 1、射 1		射 1、吹 1	
VOC					
将/把 OVC	耗 1				
将/把 O₁VCO₂					
为/被(NP) VC(含"为…所…"式)		打 1、掩 1、熏 1	解 1	惊 1	
为/被 NPVCO					
Neg 被 NPVC					
VNegC				放 1	
VNegCO					
NegVC			伏 1、死 1、守 1		
NegVCO					
NegVOC					
VONegC					

第二章 《朱子语类》中的动结式述补结构

补语成分 结构类型	折 5	胜 1	死(死亡)22	死(不灵活)1
VC	摧 3	战 1	病 6、坑 1、杀 1、贬 1、惊 1、溺 1、震 3、闭 1、饿 1、饥 1、诛 1、坐化 1、懊闷 1	说 1
VCO	摧 1		煞 1	
VOC				
将/把 OVC	推 1			
将/把 O_1VCO_2				
为/被(NP)VC(含"为…所…"式)			伤 1	
为/被 NPVCO				
Neg 被 NPVC				
VNegC				
VNegCO				
NegVC				
NegVCO				
NegVOC				
VONegC				

附录：《朱子语类》动结式述补结构用法一览表

补语成分\结构类型	脱6	退15	醒25	省3	中2	著132
VC	摆4、剔1、推1	批1、放3、遣2、战1	提2、唤16	提2	射1	凑1、思2、读4、撞3、拈1、说5、拨2、炙1、唤2、抉3、抓1、招1、动4、用1、问2、犯1、扫1、挑1、触1、看1、睡2
VCO		烁1、放2、排1、战1、批2	唤3、提4	提1	射1	撞7、说9、论2、刺1、遇3、踏2、看2、伤2、吃2、见1、问2、触1、招1、捉1、凑1、挂1、害1、用1、动1、拈1、恋2、考究1、挨拶1
VOC						
将/把OVC						
将/把O₁VCO₂						
为/被(NP)VC(含"为…所…"式)		战1				问1
为/被NPVCO						捉1
Neg被NPVC						
VNegC						捉1、说1、做1、安顿1、凑合1、引证1、捉摸1
VNegCO						
NegVC						问2、说3、接1、念1、执1、泥4、安顿1
NegVCO						说8、问2、动1、寻1、抓4、咬1、挂1、道1、依傍筑磕1
NegVOC						
VONegC						说1、看1、凑泊1

补语成分\结构类型	着 26	正 6	至 41	住 26
VC	接1、撞2、恋1、唤1、捉1、牵1	改1、修2	推2、数1	包1、札1、盖1、缚1、按1、把1、约1、撑1、相持1
VCO	论1、凑2、恋1、说1、言4、触3、用1、遇1、看1、撞1	改1、救1、移1	收1、积1、附1、添1、推2、学1、叙1、论1、语1、说1、送1、驯2、擢1、传1、喜1、怒1、读5、减1、展1、数1、壅1、玩弄1、窥测1、袞缠1、讽诵1、编排1、议论1	格2、撑1、截1、留1、把1、札1、挦扯2
VOC				
将/把 OVC				
将/把 O_1VCO_2				
为/被(NP)VC(含"为…所…"式)				买1、粘1、隔1
为/被 NPVCO				捉1、占1、遮1
Neg 被 NPVC				
VNegC			知1、学1、践履1	
VNegCO				
NegVC	吃1			停1、担当1
NegVCO	说1、体认1		格1、说1	
NegVOC				
VONegC				

附录：《朱子语类》动结式述补结构用法一览表

补语成分\\结构类型	转28	做(到)8	白2	备1	差3	迟1	粗2	错23	纯1	大17
VC	翻6、牵1、唤1、拨3、拗1、拽3、挚1、折1		辨1		说2	行1	说1、看1	解2、说6、做2、看2、萌1、举1、论1、见1、记1、用1	议论1	长6、做3、张3
VCO	拽2、拨2、翻3	入2、打1、射2、说1、看1、思量1						做1、解1、下1		张1、做2
VOC										
将/把OVC	推1、翻1									张1
将/把O₁VCO₂										
为/被(NP)VC(含"为…所…"式)	说1									
为/被NPVCO										
Neg被NPVC										
VNegC	挚1				记1					
VNegCO										
NegVC				别1	做1			解1、做1		张1
NegVCO										
NegVOC										
VONegC										

补结构类型 \ 语素成分	多38	分明3	分晓2	高5	惯3	广14	好9	鹘突1
VC	见2、看2、读2、贪12、说3、踰1、夸1、服1、议论1、历涉1、删改1、涵味1、蓄积1、文饰1、积累1	剔脱1、约束1	觉1、拦截1	说1、推2、说1	恣1、点检1、苟简放恣1	推6、充1	见2、说2、做2、编1	说1
VCO						推4、充1		
VOC								
将/把OVC							看1	
将/把O₁VCO₂								
为/被(NP)VC(含"为…所…"式)	炒1							
为/被NPVCO								
Neg被NPVC								
VNegC		见1		见1			做1	
VNegCO								
NegVC	贪5					推1		
NegVCO						推1		
NegVOC								
VONegC								

附录：《朱子语类》动结式述补结构用法一览表

补语结构成分类型	滑1	缓7	荒1	浑1	急3	紧7	近3	净2	精3	精博1	精确2
VC		放5	抛1	搅1	转2、捕索1	说1、放1、勒1、着2	挨1	脱1	刻画2	考订1	考订1
VCO	说1						移2	刷括1			
VOC											
将/把 OVC		放1									
将/把 O$_1$VCO$_2$											
为/被(NP)VC(含"为…所…"式)											
为/被 NPVCO											
Neg 被 NPVC											
VNegC								记录1		见1	
VNegCO											
NegVC		放1				着2					
NegVCO											
NegVOC											
VONegC											

132 第二章 《朱子语类》中的动结式述补结构

补语成分 结构类型	精密1	精明1	峻1	久14	开阔1	宽14	宽平1	阔5	冷1
VC			捕捉1	浸1、积1、语1、坐2、看2、习1、经1、静坐1、积习1、用事1、隔阔1、积累1	放1	说1、放6	放1	说1、隔1、放2	放1
VCO						放5		辟1	
VOC									
将/把 OVC									
将/把 $O_1 VCO_2$									
为/被(NP)VC(含"为…所…"式)									
为/被 NPVCO									
Neg 被 NPVC									
VNegC	考订1	思虑1							
VNegCO									
NegVC							放2		
NegVCO									
NegVOC									
VONegC									

附录:《朱子语类》动结式述补结构用法一览表　133

补语结构类型＼成分	乱16	满8	慢5	密1	妙1	明110	明快2	偏2	轻4	全4
VC	挠5、扰1、打1	盛1、拽1、填1、逼塞1	转1、放3、攻1	监防1	说1	发33、讲7、推2、辨1	晓解1	说1、解1	放3	保3
VCO	惑1、挠2、搅1	散1、布1、招1				发39、讲14、推2、申1、辨2、阐1				保1
VOC										
将/把OVC									放1	
将/把O₁VCO₂		填1								
为/被(NP)VC(含"为…所…"式)	惑1									
为/被NPVCO										
Neg被NPVC	侵1									
VNegC							议论1			
VNegCO										
NegVC	淆1、扰1					发5				
NegVCO	间1					发2				
NegVOC										
VONegC										

第二章 《朱子语类》中的动结式述补结构

补语成分 结构类型	弱1	深厚3	是4	熟20	衰1	透17	透彻2	通1	通透1
VC	议论1	栽培3		看4、读1、习2、接1、睡1、念1、会1、浸1、存养1、理会1、积习1	议论1	理会1	解1、理会1		解1
VCO						看3、打1			
VOC									
将/把OVC									
将/把O₁VCO₂									
为/被(NP)VC(含"为…所…"式)									
为/被NPVCO									
Neg被NPVC									
VNegC			见1、做3	诵1、读1、养1、研究1、涵养1		见3、知1、看2、去1、说2、浸灌1、思量1、理会1		读1	
VNegCO									
NegVC									
NegVCO									
NegVOC									
VONegC									

附录:《朱子语类》动结式述补结构用法一览表

补语成分 结构类型	喝1	完全1	稳当1	细1	小4	下1	详4	新2	严1	厌1
VC	吹1		解1	做1	开1、做1、夸1		录2、说1、答问1	更1	防卫1	谈议1
VCO					说1			更1		
VOC										
将/把OVC										
将/把O₁VCO₂										
为/被(NP)VC(含"为…所…"式)							说1			
为/被NPVCO										
Neg 被NPVC										
VNegC		见1								
VNegCO										
NegVC										
NegVCO										
NegVOC										
VONegC										

结构类型＼补语成分	远9	异常1	早4	真2	真确1	重2	周遍1	周遮1	仔细3
VC	来1、差2、见1、隔1、相去1	贪污1	死2、放开2			加1	流行1		剖析1、看见1、计料1
VCO									
VOC									
将/把 OVC						放1			
将/把 O₁VCO₂									
为/被(NP)VC(含"为…所…"式)									
为/被 NPVCO									
Neg 被 NPVC									
VNegC	相去2、放去1			记1、记录1	见1				
VNegCO									
NegVC									安排1
NegVCO									
NegVOC									
VONegC									

第三章 《朱子语类》中的动趋式述补结构

第一节 《朱子语类》动趋式述补结构的形式和语义特征

一 趋方述补结构的形式和语义特征

(一)形式特征

本文根据充当述语、补语的成分以及宾语的位置,对趋方述补结构进行了分类,具体是:

1. 简单趋方述补结构

(1) VC(O),有两类:第一类:述语由普通动作行为动词充当,补语为趋向动词;第二类:述语补语都由趋向动词充当。

(2) VOC,有两类:第一类:述语由普通动作行为动词充当,补语由趋向动词充当;第二类:述语补语都由趋向动词充当。

2. 复合趋方述补结构,述语由普通动作行为动词充当,补语由复合趋向词语充当。形式有三:(1) VC_1C_2,(2) VOC_1C_2,(3) VC_1OC_2。

讨论如下。

1. 简单趋方述补结构

(1) VC(O)

第一类:述语由普通动作行为动词充当,补语由趋向动词"上、下、出、入、回、起、过、来、去"充当。《朱子语类》中共有此类简单趋方述补结构770例,其中"VC"597例,"VCO"173例。按补语成分"上、下、出、入、回、起、过、来、去"的顺序举例如下。

VC:

①人气本腾上,这下面尽,则只管腾上去。(1·40)

②腰经象大带,两头长垂下。(6·2199)

③临别送出,举指云:"赠公'务实'二字。"(7·2676)

④若搬入后有禁忌,如何动作?(7·2677)

⑤我才用出二分便收回,及收回二分时,那人已用出四分了,所以我便能少延。(1·43)

⑥才觉怎地,自家便掣起了,但莫先去防他。(7·2853)

⑦每日看文字,只是轻轻地拂过,寸进尺退,都不曾依傍筑磕着那物事来。(7·2803)

⑧秦桧召来作台官,受桧风旨治善类,自此人始。(8·3161)

⑨说他先已仕魏,不是后来方奔去。(8·3269)

VCO:

⑩便如自家金物都自在这里,及人来问自家讨甚金物,自家也须将上手审一审,然后与之。(1·279)

⑪尝见受学于金溪者,便一似咽下个甚物事,被他挠得来怎地。(7·2877)

⑫虽爱心只在被杀者一边,却又溢出这一边些子。(7·2712)

⑬未曾移入堂长房。(7·2798)

⑭魏公闻之,大怒,遂赶回刘光世。(8·3148)

⑮寻常于存养时,若抬起心,则急迫而难久。(7·2810)

⑯有才出门便错了路底,有行过三两条路了方差底……(1·141)

⑰如这水流来下面,做几个塘子,须先从那第一个塘子过。(7·2870)

第一节 《朱子语类》动趋式述补结构的形式和语义特征

⑱权之为人,正如偷去刘氏一物,知刘氏之兴,必来取此物,不若结托曹氏,以贼托贼。(6·2476)

I. 述语多为单音动词,常见的有"推、垂、陷、递、奏、将、把、行、落、放、流、吸、搬、移、迁、添、取、拈、举、跳、提、拂、透、捉、传、归、借、召、散、申、趱、逃、送、报、冲、退、发、寄、写、踏、蹉、撞、拔、请、降、唤、揭、走、挈、引、滚、窃、诱"等,双音动词和词组不多,仅25例,不足4%,基本为并列式,如"凑合、兜揽、调发、收敛、假借、流注、推送、举送、传送"等,有1例述补式"移近"。就词性看,既有及物动词,也有不及物动词,不及物动词还相当常见,这与趋方述补式述语动词的语义特征——表示人或事物自身运动紧密相关。

II. 补语由单音节趋向动词"上、下、出、入、回、起、过、来、去"充当,它们跟在动作行为动词后面表示人或事物自身的运动趋向或因动作行为而发生的移动。

有两个动词需做说明:一是"进"。"进"在《朱子》中一般表示"进献、呈上"、"向前移动"的意义,基本不表示趋向意义,相关意义由"入"来表示,如:

⑲遂诣合门,通进榜子。(7·2658)(进献、呈上)

⑳太上一日问胡和仲:"文定春秋外,更有甚文字?"胡曰:"只有几卷家集。"上曰:"可进来。"遂进之。(8·3155)(进献、呈上)

㉑譬如十里地头,自家行到五里,见人说十里地头事,便把为是,更不进去。(7·2817)(向前移动)

与"进"搭配的趋向动词有"来、去、入",组合时"进"基本不用作趋向动词,《朱子语类》全书中仅见两例由趋向动词"进""来"搭配而成的动趋式"进来",如:

㉒如屋相似,进来处虽不同,入到里面,只是共这屋。(5·2016)

另一个动词是"去"。"去"在《广韵》中有两音两义:丘倨切,溪母御韵,去声,"离开"义;羌举切,溪母语韵,上声,"去除"义。与动趋式有关的是前一意义,后一意义的"去"不是趋向动词,相关"V 去(O)"结构是动结式。

"去"语义的引申变迁经历了以下过程:

"去"在先秦主要表示"离开"、"去除"的意义,如:

㉓逝将去女,适彼乐土。(诗经·魏风·硕鼠)(离开)

㉔什一,去关市之征,今兹未能。(孟子·滕文公下)(去除)

上述两义经不同的引申发展,分别产生了"V 去(O)"式动趋式和动结式述补结构。

其一,与动趋式有关的发展线索。

一是汉代以后,"离开"义的"去"出现在其他动词的后面表示"离开、走"的意义,这是动趋式的一个重要来源。如:

㉕收去诗书百家之语,以愚百姓。(史记·李斯列传)

㉖时时著书,人又取去,即空居。(史记·司马相如列传)

二是由"离开"义引申,表示行为的趋向,有"前往、去往"义,如:

㉗今自抚踵至顶以去陵虚,心往而勿已,则四方上下,皆无穷也。

(南朝宋·宗炳《明佛论》)

此类"去_{去往}＋处所词"的用例六朝始见,同时,"去往"义的"去"还可以跟在其他动词后面表示动作趋向,如:

㉘先雁飞去他处,为猎师所杀,命终生天。(杂宝藏经·卷8)

大概在唐以后"去往"义才固定成为"去"的常用基本义,并由此进一步发展出表动态的用法,动态义的"V 去(O)"在宋以后才见到,如《朱子语类》中有:

㉙读书,只恁逐段子细看,积累去,则一生读多少书!（1·166）

与上述发展线索相关连,《朱子》中的"V 去(O)"动趋式也因"去"的语义不同而可以分成三类:一是表示"离开、走"的意义,如:取去、退去、逃去、离去等;二是表示"去往"义,如:奔去、走去、牵去、将去等;三是表示动态义,如:看去、做去、读去、挨去、体会去等。

其二,动结式"V 去(O)"由"去除"义发展而来。汉代已有"V 去(O)"结构,但此期的"V 去(O)"尚有连谓结构的嫌疑,"去"可能还用作使动,如:①

㉚洗去足垢,盥去手垢,浴去身垢。(论衡·讥日篇)

六朝时期出现了"VO 去",这种用例的出现表明"去"已经不及物化,由此可以判定相关的"V 去(O)"结构已经完成了从连谓式向述补式的语法化过程。如:

㉛剥皮去后,身肉赤裸,血出流离,难可观睹。(贤愚经·卷3)

III. 宾语主要由单、双音节或多音节名词及名词性偏正词组充当,见例⑩—⑱。一般是以受事宾语或处所宾语的形式出现在述补结构的后面。

IV. 这类趋方述补式后面经常带动态助词"了"表示动作行为的完成实现,"了"还可位于句末,在表动作行为完成的同时,兼对事态变化的完成进行肯定,是动态助词兼事态助词,例如:

㉜只是观山玩水,也煞引出了心,那得似教他常在里面好!(1·216)

㉝又如弱人与强人相率一般,强人在门外,弱人在门里,弱底不能胜,便被他强底拖去了。(7·2899)

除"VC 了(O)"式外,"了"还可以放在带宾语的动趋式后面,构成"VCO 了"式,如例⑯。

V. 与相关句式的套合情况。常与被动式套合,共35例,包括"被"

---

① 以下例转引自祝敏彻《先秦两汉时期的动词补语》,《语言学论丛》第2辑,第29页,新知识出版社,1958。

字句(27例)、"为"字句(7例)和"为……所……"式(1例),以"被"字句为常。例如:

㉞倘临事不醒,只争一晌时,便为他引去。(1·292)

㉟譬如巨室子弟,所有珍宝悉为人所盗去,却去收拾人家破瓮破釜!(8·3005)

㊱它见佛家之说直截简易,警动人耳目,所以都被引去。(8·3111)

㊲伊川谓文中子有些格言,被后人添入坏了。(8·3269)

㊳也煞被他引去了好人,可畏可畏!(1·81)

㊴且如我两眼光眈眈,又白日里在大路上行,如何会被别人引去草中!(1·292)

"为"字句和"为……所……"式上古已有,它们与动趋式的套合形式明显地受到"被"字句的类化。"被"字句也有不同形式,包括"被 VC"(例㊱)、"被 NPVC"(例㊲)、"被 NPVCO"式(例㊴)。与"被"字句套合后,趋方述补结构的后面还可以带上表动作完成的动态助词"了"(例㊳),或兼表动作及事态完成的动态助词兼事态助词"了"(例㊲)。

与处置式套合的情况少见,仅2例,这与该类趋方述补式的特点有关:其述语通常由表示人或事物自身运动的动作行为动词充当,所以多数不带宾语,即使带宾语也多为处所宾语,而处所宾语不能用介词"将/把"提前。结合形式有二:将 OVC、将 O_1VCO_2,例如:

㊵后来虽不念佛,来诵《大学》《论》《孟》,却依旧赶遍数,荒荒忙忙诵过,此亦只是将念《大悲呪》时意思移来念儒书尔。(7·2914)

㊶又如脾胃伤弱,不能饮食之人,却硬要将饭将肉塞入他口,不问他吃得与吃不得。(8·2970)

"将"的宾语是受事宾语。后例"将 O_1 将 O_2 VCO_3"式是"将 O_1 VCO_2"式的变例形式。

第一节 《朱子语类》动趋式述补结构的形式和语义特征

Ⅵ. 趋方述补结构一般能与表示位移起、终点或方向的处所状语或处所宾语同现。处所宾语的用例如上例㊴㊶，与处所状语同现的如：

㊷苏祗婆乃自西域传来，故知律吕乃天地自然之声气，非人之所能为。(6·2342)

㊸盖本从一源中流出，初无间隔，虽天地山川鬼神亦然也。(1·52)

㊹人多是向前趱去，不曾向后反复，只要去看明日未读底，不曾去紬绎前日已读底。(1·167)

㊺明德不是外面将来，安在身上，自是本来固有底物事。(7·2655)

充当处所状语的成分一般是表处所的介宾结构，如例㊷㊸㊹，或是表处所方位的名词性成分，如例㊺。

Ⅶ. 否定式共 47 例，主要结构形式为"NegVC"，也有少量"NegVCO"形式（见前例⑬）。否定词为"不、未、未曾"。

第二类：述语由趋向动词"上、下、出、入、回、起、过、开"充当，补语由趋向动词"来、去、入"充当，构成的述补结构有：上来、上去、下来、下去、出来、出去、入来、入去、回来、回去、回入、起来、起去、过来、过去、开去，共 224 例，"VC"219 例，"VCO"5 例。依次举例如下：

VC：

㊻你但望见有逆水上来底船，便是给事船。(8·3054)

㊼见个小土堆子，便上去，只是小。(8·2962)

㊽天上有仙人下来吃，见好后，只管来吃，吃得身重，遂上去不得，世间方又有人种。(6·2380)

㊾京师人会洗水，将沙石在笕中，上面倾水，从笕中下去。(6·2428)

㊿须是圣人出来，左提右挈，原始要终，无非欲人有以全此理，而不

失其本然之性。(1·231)

(51)明道十四五便学圣人,二十及第,出去做官,一向长进。(6·2359)

(52)众蜥蜴入来,如手臂大,不怕人,人以手抚之。(1·35)

(53)里面有一片大石,有一石门,入去沿溪到那石上。(8·3295)

(54)周旋,是直去却回来,其回转处欲其圆,如中规也。(7·2634)

(55)那人既无资送,如何便回去得?(8·2970)

(56)虽欲勉强睡,然此心已自是个起来底人,不肯就枕了。(7·2623)

(57)如今都看不见,只是不曾入心,所以在窗下看,才起去便都忘了。(8·2922)

(58)后来是达磨过来,初见梁武,武帝不晓其说,只从事于因果,遂去面壁九年。(8·3007)

(59)才思,便在这里,这失底已自过去了。(7·2876)

(60)致知、诚意以上工夫较省,逐旋开去,至于治国、平天下地步愈阔,却须要照顾得到。(1·299)

VCO:

(61)虏人是破了潭州后,过来分队至诸州,皆是缘港上来。(8·3053)

(62)无可如何,遂回入书室中作小册……(7·2580)

(63)不知下替便来争,上去部里论,部里便判罢权官。(7·2650)

(64)某常说,正是出去路上好做工夫。(8·2922)

(65)如何说道出去一日,便不曾做得工夫?(8·2922)

I. 充当补语、述语的都是趋向动词,补语是“来、去、入”,“入”在后代为“进”所取代,但现代汉语中“进”也不能用在其他趋向动词后面作补语,所以“$V_{趋}$＋入”是近代汉语特有的形式,此外,“开去”在现代汉语

第一节 《朱子语类》动趋式述补结构的形式和语义特征 145

中也不再使用。

　　II. 由于充当述语、补语的是不及物趋向动词,表示人或事物自身在空间中的位置移动,所以这类动趋式极少带宾语,仅见 5 例,宾语多是表处所的名词性成分,如例㉒㉓㉔,另有施事宾语(例㉑)和时量宾语(例㉕)各 1 例。

　　III. 能与表示位移起、终点或方向的处所状语或处所宾语同现,如上例㊾和例㉒㉓㉔。

　　IV. 动趋式后面往往带有表示动态或事态完成的"了",如例㊾,"了"是动态兼事态助词。

　　V. 未见与处置式连用的情况,这与此类动趋式述语补语成分的构成以及结构本身表人、物自身位移趋向的语法意义有关。与"被"字句套合的情况也不多见,仅有 3 例"被 NPVC"式,如:

　　㊅当时被他出来握天下之权,恣意恣地做后,更没柰他何,这个自是其势必如此。(6·2172)

三例都是"非被动关系的被动句"①,这类被动句与汉语的语用表达特点相关。而本类趋方述补式与"被"字句套合时以"非被动关系的被动句"形式出现,也与该类动趋式述语及补语成分的构成特点以及结构本身表人、物自身位移趋向的语法意义紧密相关。

　　VI. 否定形式共 7 例,结构形式为"NegVC",不复例举。

(2) VOC

　　第一类:述语由普通动作行为动词充当,补语为趋向动词"出、入、起、来、去",共 137 例,其中包括 3 例"NegVOC"否定形式。举例如下:

　　㊅便只是专在此,全不放出,气便细。若放些子出,便粗了也。(1·41)

---

① 参见蒋绍愚《近代汉语研究概况》,第 228 页,北京大学出版社,1994。

㊻因提案上药囊起……(1·181)

㊼官人带被来少。(1·24)

㊽看《黍苗诗》,当初召伯带领许多车从人马去,也自劳攘。(6·2136)

Ⅰ. 述语基本由及物性普通动作行为动词充当,单音节动词占绝大多数,双音节动词或词组不多,仅 8 例,约占 6%,内部构造形式有并列式和述补式两类,如"飞扬、带领、拈归"等。常见述语动词如"移、带、把、招、将、取、买、拣、捉、引、伸、搬、写、归、流、退"等。不及物动词一般不能作述语,若出现,有一定条件限制,即:当宾语为表示处所或方位的名词性成分时,述语可以由不及物动词担当,但这类形式在现代汉语中已经不能使用了,例如:

㊾而今硬捉在这里读书,心飞扬那里去,如何得会长进!(6·2462)

Ⅱ. 目前所见,充当补语的趋向动词有"出、入、起、来、去"。

Ⅲ. 宾语在述语和补语之间,通常由单、双音节名词及名词性偏正词组充当,多为受事宾语,也有处所宾语。

Ⅳ. 值得注意的是,这类趋方述补式与某些"$V_1 NP_1 V_趋 (V_2 NP_2)$"式连谓或复谓结构极其相似,存在着划界辨析的问题。如以下各例:

甲类:

㊿上又要商量,但时召南轩入,往来传言,与魏公商量。(7·2609)

㋄古人做事有不可晓者,如汉筑长安城,都是去别处调发人来,又只是数日便休。(6·2136)

㋅于是即取纸来……(8·3069)

乙类:

㋆朝廷遣官军来平贼。(8·3186)

㋇差官去监那个水,也是肥。(1·31)

第一节 《朱子语类》动趋式述补结构的形式和语义特征

⑦如人下种子,既下得种了,须是讨水去灌溉他,讨粪去培拥他,与他耘锄,方是下工夫养他处。(6·2087)

⑱恁时方取文字来看,则自然有意味,道理自然透彻,遇事时自然迎刃而解,皆无许多病痛。(7·2782)

⑲礼编,才到长沙,即欲招诸公来同理会。(6·2191)

⑳盖古人未有衣服时,且取鸟兽之皮来遮前面后面。(6·2328)

甲类例的结构形式是"VNPV$_趋$",乙类例是"V$_1$NP$_1$V$_趋$(V$_2$NP$_2$)",仔细辨析,例⑭与例⑫⑬不同,例⑱⑲⑳与例⑮⑯⑰也不同。例⑭⑱⑲⑳是述补结构,其余各例是连谓或复谓结构。具体来说,大致可从以下几个方面来区分上述结构:

其一,甲、乙两类结构可统一用"V$_1$NP$_1$V$_趋$(V$_2$NP$_2$)"来表示。若"NP$_1$"所代表的事物是有生命的,则结构一般都是连谓结构(学界一般称之为"递系式"或"兼语式"),这时,"NP$_1$"在语法关系上既受前面动词"V$_1$"的支配,同时又是后面动词所表示的动作行为的发出者,如例⑫⑬⑮⑯。虽然一般规律如此,但也有例外,如例⑲,结构式中的"NP"是有生命的人,但整个结构却是述补结构,这是因为"NP"虽然是有生事物,但它不能对后面动作行为起到完全的支配作用,从语义上看,它是后面动作行为的与事,即:(他)招诸公来同理会→(他)招诸公来,(他)与诸公同理会。

其二,若"NP$_1$"所代表的事物是无生命的,还要看"V$_1$"是否是带有"移动"义或是能造成"移动"结果的动词,若是,则为述补结构,反之则否。试比较例⑱与下面用例:

㉑君举说几句话,皆是临时去检注脚来说。(7·2663)

例⑱中的动词"取"是能造成"移动"结果的动词,而例㉑中的动词"检"既不带"移动"义,也不能造成"移动"结果,所以,虽然两例中宾语所代表的事物都是无生命的,但例⑱是动趋式述补结构,而例㉑是连谓结构。

与此相关,"VOC"式趋方述补结构一般都能作如下变换,如:

取文字来看→取来文字看,招诸公来同理会→招来诸公同理会

而例㉛则不能作上述变换:检注脚来说→*检来注脚说。

其三,动词本身的方向性对确定结构性质也有帮助。如例㊆,动词"讨"与趋向动词"去"搭配形成的"讨 NP 去"结构绝不可能是趋向述补结构,只会是连谓式,这跟动词"讨"的方向有关:"讨"是能造成对象移动结果的动词,对象移动的方向是从某一特定处所向"讨"这一动作行为的发出者移动,所以,若是"讨水来灌溉他"的"讨 NP 来"结构就是述补结构了。类似的用例可比较例㊀,动词"取"的方向性与"讨"一样,由它构成的"取 NP 来"结构是述补结构。

第二类:述语由趋向动词充当,补语为趋向动词"来、去"。共 28 例,包括否定式"NegVOC"3 例。作述语的趋向动词有"上、下、出、入、过、来、去"。依次举例如下:

㉒须是要直上那顶上去,始得,说得济甚事?(7·2908)

㉓既是如此,下山来则甚?(8·2985)

㉔趖翻却船,通身下水里去!(7·2756)

㉕如其事难决,便出野外无人处去商量。(8·3193)

㉖皆入这里来,这里面便满了。(6·2466)

㉗你却要只将百里地封他,教他入那大国罅中去。(6·2300)

㉘今物未格,知未至,虽是要过那边去,头势只在这边。(1·298)

㉙被这些子碍,便转来穿凿胡说,更不向前来广大处去。(6·2135)

㉚少间,剑化作自已,药又化作甚么物,自家却自去别处去。(8·3006)

I. 述语由表示运动趋向的单音节不及物趋向动词"上、下、出、入、

过、来、去"充当,补语为单音节趋向动词"来、去"。

Ⅱ. 由于充当述语和补语的成分都是不及物趋向动词,整个趋方述补式表示人或事物自身在空间中的位置移动,所以,带宾语的用例不多,宾语都是表处所方位的名词性成分。

Ⅲ. 未见与处置式连用的情况,这与此类动趋式述语及补语成分的构成以及结构本身表人、物自身位移趋向的语法意义有关系。也未见与"被"字句套合的情况。

2. 复合趋方述补结构

共 132 例(含 4 例否定式),根据是否带宾语及宾语位置的不同,又分三种形式:VC_1C_2,102 例;VOC_1C_2,7 例;VC_1OC_2,23 例。充当补语的复合趋向词语共 14 个:上来、下来、上去、下去、入来、入去、出来、出去、回来、起来、过来、过去、开去、开来。

(1)"VC_1C_2"式,上述 14 个复合趋向词语都能进入该格式,举例如下:

⑨1 觉公意思尚放许多不下,说几句又渐渐走上来,如车水相似,又滚将去。(7·2898)

⑨2 某尝谓,天下事不是从中做起,须得结子头是当,然后从上梳理下来,方见次序。(7·2691)

⑨3 纵使你做得了将上去,知得人君是看不看?(6·2458)

⑨4 思量这道理,如过危木桥子,相去只在毫发之间,才失脚,便跌落下去!(7·2621)

⑨5 明德在人,非是从外面请入来底。(1·261)

⑨6 盖性无形影,情却有实事,只得从情上说入去。(6·2428)

⑨7 凡所短处,更不拈出来说,所以不见疏脱。(8·2961)

⑨8 欲之好底,如"我欲仁"之类;不好底则一向奔驰出去,若波涛翻浪……(1·93)

⑨9 但才觉得此心随这物事去,便与他唤回来,便都没事。(7·

2910)

⑩十分思量不透,又且放下,待意思好时,又把起来看。(6·2616)

⑩若这边功夫少,那边必侵过来。(1·224)

⑩往往无甚意义,只恁打过去也。(6·2080)

⑩到意诚、心正处展开去,自然大。(7·2910)

⑩若是蓄积处多,忽然爆开来时,自然所得者大,《易》所谓"何天之衢亨",是也。(1·186)

(2)"VOC₁C₂"式,目前所见,作补语的复合趋向词语有"下来、下去、入来、起来",例如:

⑩转运便每岁行文字下来约束,只教桩留在本州,不得侵支颗粒。(7·2682)

⑩有人见海边作旋涡吸水下去者。(1·28)

⑩以一个人家,一火人扛个棺椁入来哭,岂不可笑!(6·2175)

⑩眼前事,才拈一件起来勘当着所在,便不成模样!(6·2267)

(3)"VC₁OC₂"式,目前所见,作补语的复合趋向词语有"下来、下去、入来、入去、出来、过来、过去",例如:

⑩送下讼来,即与上簿。(7·2647)

⑩如大路看不见,只行下偏蹊曲径去。(8·2992)

⑪如公所说,只是要去理会许多汩董了,方牵入这心来,却不曾有从这里流出在事物上底意思。(7·2687)

⑫而今只管说个总会处,如"与点"之类,只恐孤单没合杀,下梢流入释老去,如何会有"咏而归"底意思!(7·2821)

⑬若捉出诡名纳两副三副卷底人来,定将保明人痛治,人谁敢犯!(7·2695)

⑭金溪之学虽偏,然其初犹是自说其私路上事,不曾侵过官路来。(8·2961)

⑮若不问来由,一向直走过均亭去,迤逦前去,更无到建阳时节。(7·2889)

I. 复合趋方述补结构与相应的简单趋方述补结构所表示的意义基本相同,试比较:

⑯又如赵盾事,初灵公要杀盾,盾所以走出,赵穿便弑公……(6·2158)

⑰不知如何,一婢走出来告云,日逐有官员来议事。(8·3185)

不同之处在于宾语的插入位置,简单趋方述补结构有"VCO"式,《朱子语类》时代带宾语的复合趋方述补结构为"VOC_1C_2"和"VC_1OC_2"式,没有"VC_1C_2O"式。

现代汉语中,简单趋方述补式在句法或音节上还受到一定的限制,如某些简单趋方述补式若不带宾语,句子是无效的,如:"*他走进/*他跑出",《朱子语类》时代,这种限制不起作用,如上例⑯。

II. 作述语的动词为及物或不及物普通动作行为动词,表示人或事物自身运动趋向的动词都是不及物动词,表示使物体发生空间移动的动词一般都是及物性的。以单音节为主,双音节不多见(13 例,占 10%),内部构造形式均为并列式。有 1 例趋向动词作述语的情况:

⑱且如说话,气都出上去。(1·43)

III. 作补语的是复合趋向词语,共 14 个:上来、下来、上去、下去、入来、入去、出来、出去、回来、起来、过来、过去、开来、开去。《朱子语类》时代,复合趋向词语已形成配对使用的形制:

	上	下	入	出	回	过	起	开	进
来	上来	下来	入来	出来	回来	过来	起来	开来	进来
去	上去	下去	入去	出去	回去	过去	起去	开去	/

与现代汉语(普通话)相比,《朱子语类》时代复合趋向词语配对使用的形制特点是:

其一，现代汉语中配对使用的"进来、进去"在《朱子语类》时代基本不用作趋向词语，相同语义的结构形式是"入来、入去"，极少数"进来"例开始用作趋向词语，表示趋向意义，但远未形成对"入来、入去"的替代趋势。

其二，现代汉语中没有与"起来"配对的"起去"，这一空格在《朱子语类》时代可以填补上。

其三，"开来、开去"在现代汉语中不能单独用于表趋向，而必须跟在普通动作行为动词后面才能表示趋向或结果等语法意义，这一特点《朱子语类》时代已形成，仅见1例"开去"单独表示趋向。

其四，"回去、起去、进来"都能表示趋向意义，《朱子语类》中有单独使用表趋向意义的用例，但不见它们用于普通动作行为动词后面表趋向的用例。

IV. 不带宾语的用例共99例，带宾语的29例，二者频率比超过了3∶1，前者为常。宾语位置有二：VOC_1C_2、VC_1OC_2。当宾语是受事宾语时，可以有上述两种插入位置，处所名词作宾语时，只有后种形式，宾语位置的差异与其性质有关。现代汉语中，受事宾语可以直接受普通动作行为动词支配，处所名词一般不能。《朱子语类》简单趋方述补式中，表处所的名词或代词可以直接受普通动作行为动词管辖，构成"VOC"式（见前例(71)），而复合趋方述补式不行，可见《朱子语类》复合趋方述补式带处所宾语的规则已经与现代汉语基本一致。另外，与现代不同的是，《朱子语类》中没有"VC_1C_2O"结构。

V. 复合趋方述补结构也常常与表示位移起点的成分连用，这些成分一般是由介词跟方位名词或处所名词组成的介宾词组，如例(92)(95)(96)等。

VI. 与被动式和处置式连用的情况不多，共7例。与处置式连用的1例，结构形式为"将$O_1VC_1O_2C_2$"，与"被"字句套合的有6例，结构

第一节 《朱子语类》动趋式述补结构的形式和语义特征

形式有三：被 VC_1C_2，1 例；被 $NPVC_1C_2$，2 例；被 $NPVC_1OC_2C_3$，1 例。第三类形式在现代汉语中已经不用了。例如：

⑲ 圣贤千言万语，只是欲人将已放之心收拾入身来，自能寻向上去。(1·202)

⑳ 或是心病，或是目病，《外书》却言"不信神怪不可，被猛撞出来后，如何处置"？(7·2498)

㉑ 却见得他底高，直是玄妙，又且省得气力，自家反不及他，反为他所鄙陋，所以便溺于他之说，被他引入去。(8·3036)

㉒ 后被朝廷写下《常平法》一卷下来，也不道是行得行不得，只休了。(7·2717)

VII. 否定式 4 例，形式有：$NegVC_1C_2$，3 例；$NegVC_1OC_2$，1 例。否定词有"不""不曾"，例见前⑰⑭。

(二) 语义特征

1. 成分的语义性质及特征

(1) 趋方述补式的述语动词表示施事所发出的动作行为，补语趋向动词补充说明因施事动作行为的实施而使施事或受事得到补语动词所表示的某种结果，即通过施事动作行为的实施而给施事或受事带来的空间位移。当述语动词是及物性普通动作行为动词时，补语补充说明受事通过动作在空间的位移方向（见下㉓㉔例），当述语动词是不及物性普通动作行为动词或趋向动词时，补语补充说明施事自身在空间的位移方向（见下㉕—㉘例），例如：

㉓ 魏公闻之，大怒，遂赶回刘光世。(8·3148)

㉔ 送下讼来，即与上簿。(7·2647)

㉕ 说他先已仕魏，不是后来方奔去。(8·3269)

㉖ 无可如何，遂回入书室中作小册……(7·2580)

㉗ 若大着意思反复熟看，那正当道理自涌出来。(8·2929)

⑫⑧若不问来由,一向直走过均亭去,迤逦前去,更无到建阳时节。(7·2889)

(2)趋方述补式中的述语动词是一个封闭的类,除少数引申活用形式外,语义特征都与"移动"义有关,大致有三:一是表示人和事物自身运动的普通动作行为动词,如"流、走、奔、行、滴、飞、掉"等;二是表示明确运动趋向的趋向动词;三是表示动作结果能造成动作对象移动意义的动词,如"搬、牵、迁、投、召、带、举、掀"等。由具备以上语义特征的动词作述语的趋方动趋式都表示人或事物通过动作在空间的具体位移方向。

部分动趋式不表示人、物具体的空间位移方向,而表示某种抽象位移,如:

⑫⑨大凡为学有两样:一者是自下面做上去,一者是自上面做下来。(7·2762)

"做上去""做下来"表示动作行为本身的抽象移动,比之表示具体空间位移的形式,这类形式要虚化一些。还有一些用例表示领属或占有关系的转移,如"付出、借出、买来、偷来、讨索来、荐过来、占过来"等,领属关系和占有关系的改变实际上涉及对象由一方向另一方的转移,可以把它们看成是趋方述补式的引申活用。例如:

⑬⓪如无,又借出内藏钱以充之。(7·2720)

⑬①所以仓卒难得中度者,只得买来自以意择制之尔。(6·2198)

以上两种情况介于方向义和结果义之间,是在基本趋向意义的基础上引申发展出来的。这些结构中的述语动词基本上都不带有"位移"义,表领属关系或占有关系转移的动趋式,它们的述语动词往往具有"使事物改变领属关系或占有关系的某种方式"的语义特征。

(3)就与述语动词的语义关系言,本类动趋式中的宾语大致有两类:一是受事宾语(如⑫③⑫④例),二是处所宾语(如⑫⑥⑫⑧例)。宾语的语义类型与述语动词的语义类别有关。一般来说,由表示人或事物在空间

自身运动的动词作述语时,作宾语的成分一般为处所名词,处所宾语往往提示出位移的起点和终点,如:

⑫既是如此,下山来则甚?(8·2985)(起点)

⑬建阳旧有一村僧宗元,一日走上径山,住得七八十日,悟禅而归。(7·2554)(终点)

由可使人或事物改变位置(包括空间位置的改变和领有关系的改变)的动词作述语时,动趋式表示通过某一动作行为造成人或事物的空间移动,宾语一般为受事宾语。

无论简单趋方述补式还是复合趋方述补式,结构中的宾语都可以用介词"将/把"提前到述补结构的前面,或与被动式结合,以受事主语的形式出现在主语位置上。个别情况下简单趋方述补式的宾语还能以施事宾语的形式出现在动趋式后面,如前例⑪。

(4)补语的语义指向与述语动词的性质和语义特征有关,一般来说,当述语动词为及物性普通动作行为动词,带有可使动作对象移动的语义特征时,补语表示受事的运动趋向,语义指向受事;当述语动词是表示人和事物自身运动的不及物性普通动作行为动词时,补语表示施事的运动趋向,语义指向施事;个别表示抽象位移的结构,其述语动词不带"移动"特征,补语语义指向动作行为。

(5)由"上来、下来、上去、下去、入来、入去、出来、出去、回来、起来、过来、过去、开去"跟在动词后面所构成的复合趋方述补式表示方向时的特征为:移动方向与复合趋向词语的前部分"上、下、入、出、回、过"等的相同,立足点(即确定方向的点)则与"来、去"相同,这与现代汉语是一致的。①

2. 基本语义结构

---

① 参见刘月华主编《趋向补语通释》,第6—8页,北京语言文化大学出版社,1998。

底层构成两个语义动核结构。补语指向受事的动趋式以"魏公闻之,大怒,遂赶回刘光世(8·3148)"为例,隐层语义动核为:A. 魏公赶刘光世:N$_{施}$ VtN$_{受}$,B. 刘光世回:N$_{受}$ Vi。补语指向施事的动趋式以"而今硬捉在这里读书,心飞扬那里去,如何得会长进(6·2462)"为例,即:A. 心飞扬:N$_{当}$ Vi,B. 心去那里:N$_{当}$ ViN$_{处}$。

二 趋成述补结构的形式和语义特征

(一)形式特征

根据充当述语、补语的成分以及宾语的位置,趋成述补结构可以分成以下几类:

1. 简单趋成述补结构:述语由普通动作行为动词充当,补语由单音节趋向动词充当。根据是否带宾语及宾语位置的不同,可分为三种形式:VC、VCO、VOC。

2. 复合趋成述补结构:述语由普通动作行为动词充当,补语由复合趋向词语充当。根据是否带宾语及宾语位置的不同,分为三种形式:VC$_1$C$_2$,VOC$_1$C$_2$,VC$_1$OC$_2$。

讨论如下。

1. 简单趋成述补结构

共594例,其中"VC"372例,"VCO"211例,"VOC"11例。作补语的趋向动词有6个:上、下、出、起、过、开,依次举例如下:

VC:

⑭ 又各人合下有个肚私见识,世间书、人,无所不有,又一切去附会上,故皆偏侧违道去。(8·2946)

⑮ 如宗室生下,便有孤遗请给。(7·2720)

⑯ 伯恭策止缘里面说大原不分明,只自恁地依傍说,更不直截指出。(8·2954)

第一节 《朱子语类》动趋式述补结构的形式和语义特征

⑬⑦及子弟渐长,逐间接起,又接起厅屋。(7·2601)

⑬⑧又有一官人,要令逐县试过了,方得来就试。(7·2717)

⑬⑨说开了,当云虽武王周公为万世标准,然伯夷叔齐惟自特立不顾。(8·3304)

VCO：

⑭⓪渡江后,又添上御前军,却是张韩辈自起此项兵。(7·2708)

⑭①你不会做底,我做下样子在此,与你做。(1·230)

⑭②子路是个好勇底人,终身只是说出那勇底话。(6·2355)

⑭③都只令人筑起沿江闲地以为屯,此亦太不立。(7·2709)

⑭④今人闲坐过了多少日子,凡事都不肯去理会。(1·300)

⑭⑤后面又分析开八件：致知至修身五件,是明明德事;齐家至平天下三件,是新民事。(1·308)

VOC,能出现在此式中的补语趋向动词有"下、出、起、过"4个：

⑭⑥公今且收拾这心下,勿为事物所胜。(6·2181)

⑭⑦看石头上如何种物事出！(1·115)

⑭⑧常提撕他起,莫为物欲所蔽,便将这个做本领,然后去格物、致知。(1·292)

⑭⑨说一段过又一段,何补！(7·2879)

I. 述语多为及物性普通动作行为动词,不及物动词不多,以单音节为主,常见的如"做、说、添、引、生、克、认、减、立、想、发(产生)编、抹、抄、指、撰、伏、写、兴、刷、分、爆、放、撒、删、逐、除、扫、舍、削、濯、节、罢、吃、试、奏、作、思、振、露、迸、掉、死"等。双音动词和词组所占比例约11%,内部构造是并列式,常见的如"理会、附会、安排、分别、挑拨、思量、整顿、宣读、注解、咀嚼、忧虞、分析"等。个别有形容词作述语的情况,见下例⑮①。

II. 补语趋向动词有"上、下、出、起、过、开",未见"人、回、来、去"表结果意义的用例。

值得一提的是"过"。"过"作结果补语时的基本意义有二：一是表示"度过"，其前述语动词一般与"度过"义有关，或由"度过"义引申出其他相关意义，如"超过"、"胜过"等，例如：

⑩虽圣旨如此，然终无得钱粮处，只得如此挨过日子而已！（7·2682）

⑪今新死者祔，则高过穆这一排对空坐。（6·2299）

二是表示完结，如：

⑫若只恁地等闲看过了，有甚滋味！（1·164）

由"完结"义进一步语法化就成为表曾然态的动态助词"过"。

表示动作完结的"过"与表示曾然态的动态助词"过"很相似，但并不一样，主要区别在于：

第一，"完结"义结果补语"过"表示动作行为的完结，"过"前动词所表示的动作行为以及所涉及的对象都是已知信息，因此，它所处的语境一般都提供出一定的信息，使述语动词所表示的动作行为及所涉及的对象成为已知信息，如例⑫的上文为："看文字，正如酷吏之用法深刻，都没人情，直要做到底。"凡未知信息均不能与"完结"义结果补语"过"共现，如：

*去年我看过了一本书。

曾然态动态助词"过"则强调动作曾经发生过，但现在没有进行，更不可能完结，如：

我去过北京。

第二，带"完结"义结果补语"过"的述语动词都是表具体动作行为的动词，如《朱子语类》中有"看、读、奏、呈、说、揭、做、诵、宣读、咀嚼"等，非动作动词如状态动词等不能进入。动态助词"过"与述语动词的结合面则因"过"的语法化而比"完结"义结果补语"过"要宽，非动作动词都能进入。

第三，表"完结"义的结果补语"过"有一定意义，可以用"完"替换，常常出现在"做完一事再做另一事"的语境中，表示有关联的动作或事件的前后相续，如：

⑮㊂端明为礼部尚书，奏过太上，得旨催促，又却十日便了！（8·3283）

所以完结义"V 过（O）"结构后往往带有表动态或事态完成的助词"了"，而动态助词"过"只能表示动作行为曾经发生或状态曾经出现，无实在意义。

不过，较之作结果补语"过"的其他结果义，表示动作的完结已经是较为虚化的意义，这种结构中的"过"也比其他结果意义的"过"要虚化，而且，由于"过"的半虚化性质，"过"前述语动词不再受音节的限制，双音化比例大大上升。

III. 若带宾语，宾语的位置有二：VCO 和 VOC。作宾语的成分有单音节名、代词（如例⑭㊃），双音节或多音节名词（如例⑭⓿⑭㊁）及词组（如例⑭㊁—⑭㊆），词组的内部构造多为偏正式，也有少数并列词组如同位性并列词组等（见例⑮㊀）。

IV. 趋成动趋式能带动态助词"了"，如例⑬㊈⑭㊃。

V. 趋成动趋式一般不与提示动作行为起始点的介宾词组连用。

VI. 与处置式、被动式套合的用例分别有 4 例、7 例，结构形式为：将 OVC，4 例；被 VC，1 例；被 NPVC，5 例；被 NPVCO，1 例。举例如下：

⑮㊃及看不得，便将自己身上一般意思说出，把做圣人意思。（1·179）

⑮㊄见人胡乱一言一动，便被降下了。（7·2792）

⑮㊅才交谈，便被石霜降下。（8·3184）

⑮⑦而今学者未有疑,却反被这个生出疑!(1·258)

VII. 否定形式共 34 例,具体结构形式有:NegVC,28 例;NegV-CO,4 例;NegVOC,1 例;VNegC,1 例;否定词有"不、莫、未、未尝"等,例见上⑬⑥等。

2. 复合趋成述补结构

共 229 例,有 VC_1C_2,188 例;VOC_1C_2,14 例;VC_1OC_2,27 例。作补语的复合趋向词语有 8 个:下来、上去、出来、出去、起来、过来、过去、开去。依次举例如下:

VC_1C_2:

⑮⑧然而有生下来善底,有生下来便恶底,此是气禀不同。(1·69)

⑮⑨日日累上去,则一年便与会。(1·15)

⑯⓪谓虽未曾说出来时,存于心中者,已断是如此了,然后用得戒慎恐惧存养工夫。(7·2489)

⑯①然不如横渠更验过,则行出去无窒碍。(7·2495)

⑯②待得再新整顿起来,费多少力!(1·132)

⑯③他却事事理会过来。(8·3235)

⑯④若未晓,且看过去,那时复把来玩味,少间自见得。(7·2886)

⑯⑤天下道理,各见得恁地,剖析开去,多少快活!(7·2608)

VOC_1C_2,能进入的复合补语有"出来"和"出去",如:

⑯⑥所以周程发明道理出来,非一人之力也。(7·2915)

⑯⑦当时若写此文字出去,谁人敢争!(7·2660)

VC_1OC_2,能进入的复合补语有"出来":

⑯⑧濂溪著《太极图》,某若不分别出许多节次来,如何看得?(6·2387)

I. 充当述语的成分以单音节及物性普通动作行为动词为主,但双音节动词和词组及多音节词组的比例有所上升,约占总数的 20%,内部构造基本是并列式。

　　II. 作补语的复合趋向词语有 8 个：下来、上去、出来、出去、起来、过来、过去、开去。未见"上来、下去、入来、入去、回来、回去、起去、开来"用于结果意义，"上来、下去"应该有表结果意义的用法，但"上来"在现代汉语中已很少用于结果义；[①]"入来、入去、回来、回去"与其相对应的简单形式"入、回"一样，一般没有表结果义的用法，"起去"在《朱子语类》中只用于表动态，现代汉语普通话中已经消失，"开来"在现代汉语中也较少表结果。

　　大多数复合趋向补语与其对应的简单趋向补语所表示的常见结果义大致相同，如：

　　上、上来、上去：表示接触、黏合及目标实现（如：换上、添上、附会上；连上去、做上去；"上来"在《朱子语类》中未见用例）

　　下、下来、下去：表示脱离（如：截下、扬下、擦下；生下来；"下去"在《朱子语类》中未见用例）

　　出、出来、出去：表示由隐蔽到显露、从无到有（如：说出、想出、编出、绣出；写出来、画出来、推〈推理〉出来；生出去、写出去）

　　起、起来：表示接合、完成及目标实现（如：接起、筑起、抖擞起；整顿起来、装荷起来、做起来）

　　开、开去：表示分离、扩展、清楚等（如：挑开、说开、分析开；说开去、剖析开去；"开来"在《朱子语类》中未见用例）

　　也有部分复合形式与简单形式不尽一致，如"过"与"过来、过去"，在表结果意义时，三者的基本语法意义为"度过"，但"过"在表示"度过"意义

[①] 参见刘月华主编《趋向补语通释》，第 39 页，北京语言文化大学出版社，1998。

时,还引申出"超过、胜过"等义,还可表示动作行为的完结,这些意义"过来、过去"都不能表示。

此外,现代汉语中,简单动趋式和复合动趋式在表结果意义时会受到句法结构和音节的限制,如某些简单动趋式在使用时常常要求带上宾语,否则句子无效,而复合形式不受此限制,能较自由地用于句末,等等。① 从《朱子语类》语料看,《朱子语类》时期,这些限制还不起作用,区别也不明显。

Ⅲ. 带宾语的情况。复合趋成动趋式以不带宾语为常,带宾语用例不足 18%。宾语的位置有二:VOC_1C_2 和 VC_1OC_2,后者更常见。不见"VC_1C_2O"式。宾语的构成与简单形式大致相同。从语料看,《朱子语类》中带宾语的复合趋成动趋式只有由"出来""出去"作补语的动趋式,原因一时难以解释清,也许与它们表结果时的语义特征有关——表示由隐蔽到显露、从无到有,结果语义特征更为明显。

Ⅳ. 复合趋成述补式也不与提示动作行为起始点的介宾结构连用。

Ⅴ. 与处置式、被动式套合的情况很少,不见与"被"字句套合的例子,和处置式连用的有 2 例,结构形式为"将 OVC_1C_2",如:

⑩盖有厌卑近之意,故须将日用常行底事装荷起来。(1·139)

Ⅵ. 否定式共 9 例,形式为:$NegVC_1C_2$,7 例;$NegVC_1OC_2$,2 例;否定词为"不、未曾"等,例见上⑩⑱。

(二)语义特征

1. 成分的语义性质及特征

(1)趋成动趋式表示动作行为有了结果或达到了目的。结果义是由方向义发展来的,所以趋成动趋式的结果意义与其对应的趋方述补

---

① 详见刘月华主编《趋向补语通释》,第 35—39 页,北京语言文化大学出版社,1998。

式的趋向意义有内在联系,以简单动趋式为例分析如下:

	趋向意义	结果意义
上:	由低处向高处移动或趋近前面目标	表示接触、黏合及目标实现
下:	由高处向低处移动或退离前面目标	表示脱离
出:	由里往外移动	表示由隐蔽到显露、从无到有
起:	由低处向高处移动	表示接合、完成和目标实现
过:	经过某处所	表示度过、完结
开:	分开或离开	表示分离、扩展

以上结果意义都是各趋成动趋式所表示的基本意义,实际上,各趋成动趋式还有一些由基本结果意义引申出来的结果意义,如:"开",基本结果意义是"表示分离",由此又引申出"扩展"(如"想开一点")、"清楚、明白"(如"说开(事情说开了也就没事了)")等意义。复合趋成述补式的结果意义与相应的趋方述补式所表示的方向意义也有内在联系,多数复合趋成动趋式的基本结果意义与相应的简单趋成动趋式相同,个别形式如"过"与"过来、过去"不完全一样。

(2)述语动词与趋成补语搭配时会受到补语意义的制约,即趋成结果补语对与之结合的述语动词有选择性。如"出",表结果时表示从无到有、由隐藏到显现,构成动趋式时,能出现在"出"前的动词一般也都与使事物从无到有、从隐藏到显现的动作行为有关,如"说、写、做、传、撰、画、生、标、发、签、寻、突、想"等等。

(3)宾语一般都是受述语动词支配的受事宾语,处所宾语不能与趋成动趋式共现,有少量表动量或时量的准宾语,①如:

⑰看道理,若只恁地说过一遍便了,则都不济事。(7・2616)

(4)与趋向义相比,结果义更多地脱离具体意义,较为概括,接近于抽象概括的语法意义,很多趋成动趋式的补语成分接近于半虚化状态,

---

① 朱德熙《语法讲义》,第 116-117 页,商务印书馆,1982。

表示动作目标的实现,这种特点使得趋成动趋式补语的语义一般指向动作行为本身,表示动作目的的达成。如:

⑰你不会做底,我做下样子在此,与你做。(1·230)

⑫端明为礼部尚书,奏过太上,得旨催促,又却十日便了!(8·3283)

若补语趋向动词还保留有一定的具体意义,由它们构成的趋成动趋式的补语语义也能指向受事宾语。例如"出","出"做结果补语时表示"由隐蔽到显露、从无到有"的意义,这些意义较为具体,所以,补语语义也能指向受事宾语,如:

⑬圣贤言语,初不是着意安排,只遇着这字,便说出这字也。(7·2632)

2. 基本语义结构

补语语义指向受事的趋成动趋式在隐层构成两个语义动核,以例⑬为例,隐层语义动核为:A. [N$_{施}$]说这字:N$_{施}$ VtN$_{受}$,B. 这字出:N$_{受}$ Vi。补语语义指向动作的在底层构成一个语义动核结构,以例⑰为例,隐层语义动核为:我做下样子,即:N$_{施}$ VtViN$_{受}$。

三 趋态述补结构的形式和语义特征

(一)形式特征

《朱子语类》中共有趋态述补结构 189 例,结构形式有三:VC,171 例(含 2 例 NegVC);VCO,6 例;VC$_1$C$_2$,12 例。前两类是简单趋态述补结构,第三类是复合趋态述补结构。充当补语的成分有:起、去、下去、起来、起去、开去。依次举例如下:

VC:

⑭但他也只从《春秋》中间说起,这却不特如此。(6·3172)

⑮读书,只凭逐段子细看,积累去,则一生读多少书!(1·166)

第一节 《朱子语类》动趋式述补结构的形式和语义特征

VCO：

⑯如两军厮杀，两边擂起鼓了，只得拚命进前……。(7·2803)

VC$_1$C$_2$：

⑰此后愈挨下去，方合大吕诸声。(6·2346)

⑱即是伊尹在莘郊时，全无些能解，及至伐夏救民，逐旋叫唤起来，皆说得一边事。(6·2402)

⑲韩不用科段，直便说起去至终篇，自然纯粹成体，无破绽。(8·3320)

⑳使之历历落落，分明开去，莫要含糊。(7·2783)

I. 述语以及物或不及物单音节动词为主，常见的如"说、做、生、记、读、看、吃、擂、挨、捱、病"等，有1例是形容词"猛"，双音及多音节动词和词组约占用例总数的11%，有1例是形容词"分明"，内部构造形式基本为并列式，如"叫唤、接续、积累、循环、体验、整顿、收敛提掇"等。形容词充任述语的趋态述补结构表示状态的开始或持续。

II. 作补语的成分有单音节趋向动词"起、去"和复合趋向词语"下去、起来、起去、开去"。现代汉语中表示动态意义的趋向补语成分有限，常见的有"上、下、上来、下来、起、起来、开"等，与现代汉语相比，现代汉语中表动态的趋态补语成分在《朱子语类》时代多数也都可以用于动态义，有些现代常见的动态补语成分如"上、开"和"下来"在《朱子语类》中没有见到，而一些《朱子语类》时代有的动态补语成分如"起去、开去"等在现代汉语中已不复存在。

III. 动态意义是更为虚化的语法意义，《朱子语类》中的趋态述补结构所表示的动态意义大概有两类：一是表示新动作或新状态的开始，"起、起来、起去、开去"与述语动词(含部分形容词)结合后都能表示该语法意义；二是表示已有动作行为或状态的持续，主要有"去、下去"。

IV. 带宾语的情况少见，出现频率为3%，频率低的原因可能是由于趋态动趋式往往用于主动性陈述句,出现在描述性语境,对施、受事或当事所处状态进行描述,即:它常常是出现在对已有动作行为或状态的持续情况进行描述,或是对某一新动作或状态的开始状况进行描述的语境中,这种语境中,被描述的对象通常是以话题身份出现,自然宾语的出现几率就减少了。

Ⅴ. 趋态动趋式不能与表示动作终点的宾语共现,有时能与提示动作或状态起始点的介宾短语连用,介宾短语一般是以状语的身份介入,如前例⑭。

Ⅵ. 趋态动趋式也可以带上表动态或事态完成的助词"了","了"的位置一般在趋态述补式的后面,若带有宾语,"了"可以放在整个"VCO"的后面,如例⑯。

Ⅶ. 与被动式、处置式连用的情况不普遍,共 8 例,分别为 1 例和 7 例,例如:

⑱或他日被人问起,又遂旋扭捏说得些小,过了又忘记了。(7·2803)

⑱今姑把这个说起。(6·2370)

与处置式套合的趋态述补式都是以"将/把+宾语+单音动词+起"形式出现,这种结构形式在现代汉语中因受到音节的限制而不能成立,但在《朱子语类》时代却是有效句法形式,这与古代汉语和近代汉语句法结构的音节特点有关。

(二)语义特征

1. 成分的语义性质及特征

(1)《朱子语类》中的趋态述补结构所表示的动态意义有两类:一是表示新动作或新状态的开始,二是表示已有动作行为或状态的持续,在一类动趋式中作补语的主要有"起、起来、起去、开去",二类主要有"去、下去"。与其语法意义相适应,两类结构中的述语动词也呈现出不同语义特点。一类趋态述补式中的述语动词具备大致相同的语义特征,大概可分为以下几类:A. 与语言有关的动作动词,如"提(谈)说、读、问、歌、叫唤";B. 表示人的具体动作行为的动词,如"奏、写、排、擂、修、看、学、寻、做、用、改";C. 表示人的思维和心理活动的知见类动词,如"知、思量、理会"等。二类趋态述补式中的述语动词基本上都是能保持动作或状态持续的状态动词,如"挨、捱、做、看、读、说、吃、持、缠、接续、循环、积累"。

(2)趋态述补结构中的两类补语成分也呈现出相似的语义特征。"起、起来、起去"表示动作或状态的开始,进入新状态,一般都表示由静态进入动态,如前例⑯⑱⑲,"开去"仅1例,由形容词作述语,见上例⑱,表示新状态的开始。"去、下去"表示动作或状态的持续,一般是已经存在的旧有动作或状态的持续和继续进行,如前例⑮⑰。

(3)趋态动趋式是由趋方述补式和趋成述补式逐步发展虚化而来,因此,它与表方向意义的趋方述补式有内在联系。现代汉语研究者已经找到二者相互联系的一些规律①,即:"在趋向补语中,主要是表示由低向高移动的'起'、'起来'、'上'及由高向低移动的'下'、'下来'、'下去'可以表示状态意义。"趋向意义与状态意义的联系表现在:"趋向意义表示由低向高位移的,状态意义表示由静态向动态、由负向向正向的变化;相反,趋向意义为由高向低位移的,状态意义表示由动态向静态、由正向向负向的变化。"从《朱子语类》看,"起、起来、起去"作补语时表现出来的规律与现代汉语大致相同,"下、下来"在《朱子语类》中没有相关表示状态意义的用法,"去"与"下去"基本上用于表示动作或状态的持续,在表持续意义时二者大致相同,但由于这一时期形容词进入动趋式作述语的情况极其罕见,"去、下去"作补语时没有与形容词结合的情

---

① 参见刘月华主编《趋向补语通释》,第27—28页,北京语言文化大学出版社,1998。

况,也就没有用于进入新状态的用法,所以,现代汉语中"趋向意义为由高向低位移的,状态意义表示由动态向静态、由正向向负向的变化"的规律在《朱子语类》时代还显示不出来。

(4)趋态述补式补语的语义都指向动作本身。

2. 基本语义结构

隐层构成一个语义动核,以"但他也只从《春秋》中间说起,这却不特如此(6·3172)"为例,即:[N_施]说起:N_施 VtVi。

第二节 相关格式的讨论

一 "V 将 V_趋"结构

"V 将 V_趋"结构是魏晋南北朝时期产生的句法格式,产生之初,它是连谓结构,历经唐五代的发展,格式逐渐统一为"V 将 V_趋"式,①《朱子语类》时代,又有了新发展。

《朱子语类》共有"V 将 V_趋"结构 221 例,所表示的语法意义有三:趋向意义(38 例)、结果意义(2 例)和动态意义(181 例),动态意义是其主要语法功能。

(一)趋向意义

结构形式有四:A. V 将 C(C:来/去/过/上),见下⑱—⑯例;B. V 将 C₁C₂,(C₁C₂:出来)见下例⑰;C. V 将 O 来,见下例⑱;D. V 将 CO 去,如例⑲。举例如下:

⑱东坡曾云,今为礼官者,皆是自牛背上拖将来。(6·2295)

---

① "V 将 V_趋"结构演变发展的详细情况,曹广顺(1995)已作过详细分析说明,见曹广顺《近代汉语助词》,第 46—61 页,语文出版社,1995。

第二节　相关格式的讨论　169

⑱水本流将去,有些渗漏处便留滞。(6・2462)

⑲文字在眼前,他心不曾着上面,只是恁地略绰将过,这心元不曾伏杀在这里。(1・254)

⑯天下事体固是说道当从原头理会来,也须是从下面细处会将上,始得。(7・2648)

⑰虽是如此,而所谓"阴阳两端",成片段滚将出来者,固自若也。(7・2508)

⑱后人读《诗》,便要去捉将志来,以至束缚之。(7・2813)

⑲待寻得见了,好与夺下,却赶将出门去!(8・2973)

1. 述语动词一般都是表示人或事物自身位移的动词,如"流、转、行、登、吹、滚、挪趱"等(见例⑱⑰),或是动作结果能造成对象移动的动作行为动词,如"拖、捉、取、引、赶"等(见例⑱⑱⑲),少数表示抽象位移的动趋式(如例⑯),其述语动词不带"移动"或"造成对象移动"的特征,还有一些述语动词具有造成占有关系或领属关系发生改变的意义,如"偷、牵"等。例如:

⑲如自家有一大光明宝藏,被人偷将去,此心还肯放舍否?(8・2919)

2. 充当补语的成分主要是"来""去","过""上""出来"也有少量用例。

3. 与被动式连用时,结构形式为"为/被 NPV 将 $V_趋$",共有 9 例,表被动的介词有"为"和"被","被"字句有 8 例,如上例⑲,"为"字句 1 例,如:

⑲今人恶则全绝之,逐则又为物引将去。(6・2442)

(二)结果意义

结构形式为"V 将 $V_趋$",作补语的趋向动词为"出"。例如:

⑫到得说将出,都离这个不得,不是要安排如此。(7・2631)

(三)动态意义

动态意义是《朱子语类》"V 将 V$_{趋}$"结构所表示的主要语法意义,出现频率最高,占总数的 80%。

1. 充当补语的成分以趋向动词"去"为主,共 169 例,其次是:来 10 例、起 1 例、下去 1 例。基本上都是能在趋态述补结构中充当补语表动态的词语。列举如下:

⑬学者做工夫,莫说道是要待一个顿段大项目工夫后方做得,即今逐些零碎积累将去。(1·132)

⑭盖古人钱阙,方铸将来添。(7·2723)

⑮如兴体不一,或借眼前物事说将起,或别自将一物说起,大抵只是将三四句引起,如唐时尚有此等诗体。(6·2070)

⑯五者从头做将下去,只微有少差耳,初无先后也。(8·2941)

此外,《朱子语类》中还有 2 例"V 将 CV$_{趋}$"式,"C"表示述语动作发生后所带来的结果。如:

⑰大学,只是推将开阔去。(1·132)

2. 述语动词以单音节为主,常见的有"分、做、行、捱、解、读、说、挨、配、应、推"等。双音节和多音节动词及词组有 30 例,所占比例接近 17%,如"指点、收拾、因循、凑合、理会、积累、涵养、推寻、持养、抵拒、恢廓展布、玩索推广、缠绕思念"等。还有 2 例形容词作述语的情况。双音动词作述语的见上例⑲,多音节词组及形容词作述语的用例如下:

⑱致知工夫,亦只是且据所已知者,玩索推广将去。(1·283)

⑲说得个起头,后面懒将去。(7·2760)

3. 与"被"字句连用的仅有 1 例:

⑳才到那里,便被守把老阍促将去,云:"这里不是久立处。"(7·2668)

4. "V 将 V$_{趋}$"结构所表示的动态意义大致涉及以下方面:一是表示动作行为的完成,二是表示新动作或状态的开始,三是表示已有动作行为或状态的持续。

5. 结构中的"将"已经是相当虚化的语法成分,不具备任何实义,只是作为表动态的助词或是补语标志出现在结构中。有时,"将"的有无已不对结构意义产生明显影响,这一现象曹广顺(1995)已经注意到了,并列举了用例加以比较:[①]

⑳读书理会道理,只是将勤苦捱将去,不解得不成。(1·190)

⑳如此逐旋捱去,捱得多后,却见头头道理都到。(1·167)

这样的用例在《朱子语类》中还有很多,不一一列举。

(四)小结

与前代相比,《朱子语类》中的"V 将 V$_{趋}$"结构有以下特点和变化:

1. "V 将"结构在承继唐五代以来的发展趋势的基础上,已经完成了向"V 将 V$_{趋}$"结构统一归并的过程。

2. 在"V 将 V$_{趋}$"结构所承担的三类语法意义中,动态意义占到80%的比例,是该结构所表示的主流语法意义。

3. 就具体结构形式及进入结构的成分而言,《朱子语类》时代的"V 将 V$_{趋}$"结构也较前代有变化发展,表现为:一是一些前代没有的格式在此期出现了,如表趋向意义的"V 将 C 去"式、表动态意义的"V 将 CV$_{趋}$"式等;二是一些前代已有的格式在这时变得更为普遍,如"V 将来/去"格式成为"V 将 V$_{趋}$"结构的主流形式;三是前代不见的成分开始进入到结构中充当补语或述语,例如:唐五代时期,在"V 将 V$_{趋}$"结构中作补语的成分一般都是趋向动词"来、去",极少数表趋向意义的

[①] 参见曹广顺《近代汉语助词》,第 56—57 页,语文出版社,1995。文中用例册数和页码为笔者所改加。

"V 将 V$_趋$"结构中有其他趋向词语作补语的情况,如《祖堂集》中有 1 例"流将出来"。到《朱子语类》时代,无论是表趋向、结果意义,还是动态意义的"V 将 V$_趋$"结构中,充当补语的成分都已经大大丰富,除已有的"来、去"外,还有"上、出、过、起、出来、下去"等趋向词语。此外,形容词开始在"V 将 V$_趋$"结构中作述语,这也是前代没有的情况。

4. 伴随结构变化,"将"由动态助词进一步语法化,在相当数量的用例中成为一种可有可无的羡余成分,这为"将"的最终退出奠定了基础。

二 "V＋介宾词组＋V$_趋$"结构

"V＋介宾＋V$_趋$"结构是《朱子语类》动趋式述补结构中的一种特色性句法形式,它的内部构造实际上是"VC$_1$C$_2$"式,"C$_1$"由介宾词组充当,表示述语动词所表示的动作行为的方向、动作行为发生的处所或动作行为的起始点或终点。《朱子语类》中共有该结构 63 例,均表趋向意义,又分为两类:一是表示具体位移,27 例,二是表示抽象位移,36 例。介宾词组中的介词有"从、在、向、于、到、做","做"的用法相当于"向"或"到"。充当"C$_2$"的趋向动词是"去"(58 例)、"来"(4 例)和"过来"(1 例),"去"占了绝大多数。举例讨论如下。

(一)具体位移

⑳自家也知得合行大路,然被小路有个物事引着,不知不觉,走从小路去。(7·2875)

⑳知止,如人之射,必欲中的,终不成要射做东去,又要射做西去。(1·279)

⑳如船遭逆风,吹向别处去,若得风翻转,是这一载不问甚么物色,一齐都搜转。(7·2759)

⑳虽是禀得气清,才不检束,便流于欲去。(6·2428)

⑳⑦放心不必是走在别处去,但一札眼间便不见。(7·2717)

⑳⑧跋,是急走倒从这边来;赴,是又急再还倒向那边去,来往只是向背之意。(6·2249)

⑳⑨天地之气与物相通,只借从人躯壳里过来。(1·60)

(二)抽象位移

⑳⑩故人初看时不曾着精神,只管看向后去,却记不得,不若先草草看正史一过。(7·2813)

⑳⑪撞着这事,以理断定,便小心尽力做到尾去。(7·2819)

⑳⑫今看文字,专要看做里面去。(7·2888)

⑳⑬圣人之言,本自直截。若里面有屈曲处,圣人亦必说在上面。若上面无底,又何必思量从那屈曲处去?(8·2934)

⑳⑭说得却也好看,只是非圣人之意,硬将圣人经旨说从他道理上来。(8·3258)

1. 在表具体位移的"V+介宾+V趋"结构中,介宾词组表示动作行为的移动方向,有两类:一是表示动作行为移动的起点,二是表示移动的终点,述语动词都带有"移动"或"能造成对象移动"的语义特征,如例⑳③—⑳⑧,少数动词带有"改变领属及占有关系"的语义特征,如例⑳⑨,可视作表具体位移的动趋式的活用,动作行为发生的结果最终是造成施事或受事的位置改变,补语语义指向施事或受事。

表示移动起点的结构都可以变换成"介宾+V+V趋"形式,这是《朱子语类》趋方述补结构表示动作移动起点的常规形式,如上例⑳⑤,可变换为"向别处吹去"。表示动作移动终点的结构,介宾词组就只能以补语形式出现在述语动词后面,补充说明动作行为移动的终点,如上例⑳⑦,这也是"V+介宾+V趋"结构存在的原因。同样的意义(表示动作行为的移动终点)在普通表具体位移的趋方动趋式中,一般是用处所名词或方位名词作处所宾语的形式出现,如:

㉕如这水流来下面,做几个塘子,须先从那第一个塘子过。(7·2870)

例㉗与㉕之间可以作形式变换,如例㉗若不用介宾词组的话,可变换成:"走去别处",例㉕也可以介宾词组的形式来表达,变换成"流到下面来"。不过,若作补语的成分不是"来、去"的话,例㉕类结构就不能如上变换,如:

㉖少顷,闻前面有人马声,恐是来赶他,乃下马走入麦中藏。(8·3293)

没有"走到麦中入"的表达,这也就是趋方动趋式中除"来、去"以外的它类趋向成分要以"V+V$_趋$+处所宾语"形式来表达移动终点意义的原因所在。

2. 表示抽象位移的"V+介宾+V$_趋$"结构中的述语动词都是不带"位移"或"造成对象位移"语义特征的动词,如"说、做、看、读、用、思量"等,格式中的介宾词组表示的不是人或事物位移的起、终点,而是提示出动作行为的起、终点,补语语义指向动作本身。

就具体用例来看,例㉑表示的是动作行为的起点,例㉑—㉔都是表示动作行为的终点,例㉒—㉔中的"做、从"都相当于"到"义。

表示动作行为起点的抽象位移趋方述补结构也能用"介宾+V+V$_趋$"形式表达,如:

㉗学问只要心里见得分明,便从上面做去。(1·93)

比较例㉑"看向后去",可以变换成:"向后看去",而㉗例也可以变换成"做从上面去",可见,当表示动作行为起始点时,"介宾+V+V$_趋$"与"V+介宾+V$_趋$"结构是等价结构。不过,若是"来、去"以外的趋向动词作补语时,则不见"V+介宾+V$_趋$"式用例,如:

㉘但他也只从《春秋》中间说起,这却不特如此。(6·3172)

《朱子语类》中没有"说从《春秋》中间起"类表达。

表示动作的移动终点时,介宾词组一般是以补语形式出现在述语动词的后面,补充说明动作行为移动的终点,即以"V＋介宾＋V$_{趋}$"形式出现,偶有"V＋V$_{趋}$＋介宾"的用例,但极罕见,如:

㉑⑨曾子平日工夫,只先就贯上事事做去到极处,夫子方唤醒他说,我这道理,只用一个去贯了,曾子便理会得。(7·2828)

"做去到极处"与"做到极处去"是等价语义表述形式,现代汉语中只有后类表述方式保留下来了。

3. 就目前所调查的语料看,宋以前的文献以及大致与《朱子语类》同时的文献中都没有发现与《朱子语类》"V＋介宾＋V$_{趋}$"结构相类似的用例。《朱子语类》中的这类结构很有特点,如用"从、做"等表示动作行为的移动终点等,似乎与方言特征有关,有待进一步考察。不过,表示移动起点的相关结构应该是文白夹杂的产物,因为这种词序在先秦两汉时期是很普遍的,如:

㉒⓪冬,王归自虢。(左传·庄公二十一年)

㉒㉑抵蜀从故道,故道多阪,回远。(史记·河渠书)

所不同的是,《朱子语类》中的这类结构套合上了动趋式,所以它应该是新旧形式杂糅的产物。

三 "V来V去"结构

"V来V去"结构是一种熟语性结构,所表示的语法意义单一,即:表示动作行为的反复交替进行。《朱子语类》中共有这类结构59例,其中56例是"V来V去",充当"V"的动词有:看17、嚼1、考1、并1、比1、捉1、添1、弄1、凿1、寻1、算1、随1、走1、揑1、穷4、读2、推3、撞2、滚3、说6、做3、认2、理会1(各词后面数字表示由该词所组成的"V来V去"结构的出现频率);另有3例"V$_1$来V$_2$去","V$_1$"和"V$_2$"是近义词,它们是:"翻来覆去"(2例)和"反来覆去"(1例)。这类表达式一直保留到了现代汉语中。略举几例如下：

㉒看来看去,是非长短,皆自分明。(1·180)

㉓读来读去,一日复一日,觉得圣贤言语渐渐有味。(7·2620)

㉔若只把在手里翻来覆去,欲望之燕,之越,岂有是理！(1·251)

四 "V来"结构

"V来"结构主要用于引出说话人的某种看法或意见,这种看法和意见通常是通过观察并加以判断而得出的,因而常常带有推断、估量的语义成分,即表达"经观察、推断而得出结论"的语义,可以看成是趋成述补结构的一类。《朱子语类》时代,出现在这类结构中的述语动词有"看"和"论",作补语的是趋向词语"来"。由于表达的是"经观察、推断而得出结论"语义,所以,"V来"结构一般都需要一定的上下文交代出相关具体语境,提示出具体的背景,是一种对上下文语境依赖性较强的结构。《朱子语类》中有"V来"结构209例,其中"看来"201例,"论来"8例。例如：

㉕看来横渠之说极是。(1·16)

㉖喜怒哀惧爱恶欲是七情,论来亦自性发。(6·2242)

"V来"结构在现代汉语中仍有保留,进入格式的述语动词更多,主要有"想、看、说"等。此外,现代汉语还可以用"V起来"来表示大致相同的意思。

本章小结

我们将《朱子语类》中各类动趋式的使用情况统计如下(否定形式已统计入相应肯定式中)：

补语结构形式	类型	趋方补语 普通动作动词作述语	趋方补语 趋向动词作述语	趋成补语	趋态补语	总计	
简单趋向补语	VC	597	219	372	171	1359	2139
	特殊"V来"			209		209	
	VCO	173	5	211	6	395	
	VOC	137	28	11		176	
复合趋向补语	VC$_1$C$_2$	102		188	12	302	373
	VOC$_1$C$_2$	7		14		21	
	VC$_1$OC$_2$	23		27		50	
总计		1039	252	1032	189	2512	
		1291					
V+将+V$_趋$		38		2	181	221	
V+介宾+V$_趋$		63				63	
总计		1392		1034	370	2796	

另有特殊形式"V来V去"59例。

一、《朱子语类》共有各类动趋式2855例,动趋式的使用已经相当普遍。从各类动趋式的频率分布看,趋方述补结构的出现频率最高,趋成、趋态述补结构的用例也明显增多,与趋方述补结构的频率比已分别达到1∶1.4和1∶3.8,动趋式已经完全摆脱了前代趋方述补式占绝对优势、趋成述补式不多见、趋态述补式极其少见的局面,大大地前进了一步。

二、从形式看,有以下特点和变化:

(一)简单趋向补语是主要形式,但复合趋向补语的数量已大大增加,与简单形式的频率比达到1∶5.7,而晚唐五代的《敦煌变文集》和《祖堂集》中,二者频率比分别为1∶46和1∶39。[①]

[①] 见吴福祥《敦煌变文语法研究》,第391、397—398页,岳麓书社,1996。此频率比根据吴文统计数字计算出来。

(二)简单动趋式的基本格局大致承继前代,以"VC、VCO、VOC"为基本形式,但也出现了一些前代没有的形式,如"V 将 C 去"、"V+介宾+V趋"等,一些前代已有的形式也有进一步发展,如"V 将"结构在此期完成了向"V 将 V趋"结构的统一归并,等等。复合动趋式的出现频率增多,表达的语法意义有变化发展,还出现了一些前代没有的形式如"VC_1OC_2"等。

(三)充当述语和补语的成分也有变化。双音动词和词组作述语的数量增加,还出现了多音节词组,形容词也可以进入,这是前代没有的现象。各类动趋式中,作补语的简单趋向动词非常丰富,复合趋向词语普遍使用,几乎所有的单音节趋向动词及复合趋向词语都能进入到述补结构中表示方向意义,绝大多数都能表示结果意义,表动态意义的补语成分也已经跟现代汉语相差无几。

(四)带宾语的情况。

1. 简单动趋式带宾语出现了规律性变化,表现为二:

(1)从趋方→趋成→趋态动趋式,带宾语频率的递减趋势。简单动趋式以不带宾语为常见形式,趋方、趋成、趋态三类动趋式不带宾语与带宾语的频率比分别为 1.9∶1、1.7∶1 和 29∶1,随着动趋式所表示的语法意义的虚化,带宾语的频率降低,意义最虚化的趋态动趋式尤为显著。

(2)"VOC"式的递减变化趋势。简单动趋式带宾语的形式有二:VCO、VOC,二者频率比为 2.3∶1,"VCO"为常见形式。就趋方、趋成、趋态三类动趋式来说,"VCO"和"VOC"的频率比分别为 1.1∶1、19∶1、6∶0,数据表明,趋方动趋式中,宾语以"VCO"或"VOC"形式出现是两可的,但趋成动趋式以"VCO"为主要形式,趋态动趋式中则根本不见"VOC"式,即:随着动趋式所表达的语法意义的虚化,"VOC"式呈递减趋势,直至消失。其原因应与各类动趋式中补语成分的虚化程度直接相关：当补语成分虚化程度趋高时，补语与述语的黏合度增强，宾语的插入就会变得困难。

2. 复合动趋式带宾语的形式有二：VOC_1C_2、VOC_1C_2，不见宾语出现在复合趋向补语后面的情况。

三、从意义看，有以下特点和变化：

（一）就动趋式所表达的语法意义看，与前代相比，总的格局发生了变化：表结果、动态义的趋成、趋态动趋式的数量大大增多，方向、结果、动态三类意义基本形成了三足鼎立的局面。从结构形式对应于语法意义来说，简单动趋式仍以表示方向意义为主，结果义次之，动态义频率最低，三者频率比为6.6∶4.5∶1，复合动趋式的情况有所不同，频率比为11∶19∶1，结果义已经超过了方向义，这是《朱子语类》时期复合动趋式的重要变化。

（二）三类动趋式的述语与补语成分在搭配时都显示出各自的语义特点：趋方述补式中的述语动词主要是表示人、物自身运动的动作行为动词，或是可使对象改变位置的动作行为动词；趋成述补结构中，述语动词的意义一般会受到补语意义的制约，结果补语对跟它结合的述语动词有选择性，不同语义特征的补语成分对述语动词的语义制约也不同；趋态述补结构的述语成分与补语成分在搭配时较为自由，这与趋态动趋式补语意义更加虚化有关，但也不是没有限制，如表示动作或状态持续时，述语动词一般都得是能保持动作或状态持续的状态动词。

四、与动结式发展的类同性。

动趋式是动结式的一部分，可视作广义结果补语。考察两类述补结构的发展途径，就会发现二者的发展有着共同的规律，即：与动结式的发展大致相同，动趋式的发展途径也是：由方向义→结果义→动态义（→分化出动态助词"来、去、过"），补语意义越来越虚，补语成分的虚化程度越来越高,可结合的述语动词的范围越来越广,最终导致部分补语成分语法化成表态貌的助词。这一过程反映出汉语词义及句法结构演变发展的一般规律。

本章参考文献

曹广顺 1995《近代汉语助词》,语文出版社。
蒋绍愚 1994《近代汉语研究概况》,北京大学出版社。
刘月华主编 1998《趋向补语通释》,北京语言文化大学出版社。
吴福祥 1996《敦煌变文语法研究》,岳麓书社。
朱德熙 1982《语法讲义》,商务印书馆。
祝敏彻 1958《先秦两汉时期的动词补语》,《语言学论丛》第 2 辑,新知识出版社。

附录:《朱子语类》动趋式述补结构用法一览表

表1:

补语成分 结构类型	上 38(趋向 22;结果 16)	下 147(趋向 91;结果 56)
VC	**趋向 18**:蒸 1、冲 1、腾 1、散 1、推 3、奏 2、递 1、白 1、陈 1、将 3、申 1、纳 1、展 1 **结果 7**:撑 1、添 1、彻 1、做 2、说 1、附会 1	**趋向 48**:陷 2、落 2、垂 3、降 1、行 6、看 1、放 28、投 1、印 1、派 1、咽 1、移近 1 **结果 24**:弃 1、写 2、定 1、排 1、生 3、立 1、做 2、克 3、安 1、截 1、掉 2、拍 1、夺 1、撰 1、点 1、说 1、趱积 1
VCO	**趋向 3**:将 1、申 1、启 1 **结果 9**:看 1、引 2、添 2、挨 1、说 3	**趋向 32**:移 1、行 13、俯 1、低 1、送 3、发 1、放 8、咽 1、将 1、牵 1、押 1 **结果 25**:生 2、认 3、做 2、记 1、立 3、办 1、减 2、留 1、判 1、乞 3、遗 1、积 1、说 1、扬 1、擦 1、安排 1
VOC		**结果 2**:报 1、收拾 1
将/把 OVC		
将/把 O$_1$ VCO$_2$		
为/被(NP)VC(含"为…所…"式)		**结果 4**:降(降伏)3、说 1
被 NPVCO		
Neg 被 NPVC		
将/把 ONegVC		**趋向 1**:放 1
NegVC	**趋向 1**:将 1	**趋向 10**:放 9、拖 1 **结果 1**:认 1
NegVCO		
VNegC		
NegVOC		

补结构类型＼语成分	入 93（趋向 93）
VC	**趋向 38**：流 6、乳 2、补 2、赠 2、编 2、添 6、思 2、附 1、衬 1、类 1、搬 1、召 2、挑 1、突 1、进（进献）1、随 1、放 1、写 1、吸 2、搀 1、剿 1
VCO	**趋向 40**：(1)1：回 1； (2)39：射 1、流 7、附 1、取 2、编 1、压 1、堕 1、论 1、添 4、做 1、思 1、类 1、搀 1、延 1、断 1、随 1、补 1、迁 1、说 1、召 1、参 1、撞 1、撮 1、奔 1、遣 1、引 1、写 1、走 1、玩味 1
VOC	
将/把 OVC	
将/把 O₁VCO₂	**趋向 1**：塞 1
为/被(NP)VC（含"为…所…"式）	**趋向 2**：召 1、添 1
被 NPVCO	
Neg 被 NPVC	
将/把 ONegVC	
NegVC	**趋向 12**：取 2、编 4、乳 1、用 1、移 2、放 1、玩味 1
NegVCO	
VNegC	
NegVOC	

续表1:

结构类型\补语构成分型	出 363(趋向 117;结果 246)
VC	趋向 72:撒 2、射 1、绕 1、流 27、呵 1、摊 1、走 1、请 2、取 3、发(发芽)3、泻 1、送 1、差 1、拈 3、把 1、搬 1、推 1、将 1、行 2、打 2、挑 1、剔 1、进 3、撒 1、付 2、寻 1、赶 1、散 1、降 1、涎 1、吐 1、放 1、发生 1 结果 118:节 1、想 2、生 5、发(产生)13、推(推理)6、说 24、指 2、勘 1、写 9、动 1、做 14、看 2、编 3、撰 4、弹 1、对 1、提 1、举 2、标 1、绣 1、超 1、抹 7、考 1、抄 2、试 1、挨 1、译 1、签 1、罢 1、索 1、突 1、批 2、分别 1、滋味 1、根究 1、斗凑 1
VCO	趋向 30:拔 2、引 1、提 1、请 2、发(散发、发芽)3、带 1、散 1、降 2、溢 1、借 1、拈 2、搬 1、差 1、逐 1、传 1、滴 1、挑 2、拣 2、翻 1、传送 1 结果 117:节 1、生 23、高 2、用 2、说 25、斡 1、超 1、发(产生、发表)6、做 17、推(推理)3、惹 1、洗 1、兴 1、造 1、使 1、行 1、突 2、差 1、衬 1、分 1、指 3、露 2、扇 1、提 1、添 1、画 1、写 3、供 1、追(追究)1、抄 1、作 1、抹 1、撰 3、想 1、化 1、挑拨 1、思量 1、点化 1
VOC	趋向 3:放 1、唤 1、移 1 结果 3:种 1、起(兴起)1、收举 1
将/把 OVC	结果 1:说 1
将/把 O₁VCO₂	
为/被(NP)VC(含"为…所…"式)	
被 NPVCO	趋向 1:拣 1 结果 1:生 1
Neg 被 NPVC	
将/把 ONegVC	
NegVC	趋向 11:放 2、降 3、流 3、付 2、投发 1 结果 3:放(显露)1、指 1、说 1
NegVCO	结果 2:说 1、分别 1
VNegC	结果 1:说 1
NegVOC	

第三章 《朱子语类》中的动趋式述补结构

补结构类型\语成分	回 11（趋向 11）	起 163（趋向 31；结果 55；动态 77）
VC	趋向 6：收 1、遏 1、发 1、激 1、走 1、袖 1	趋向 15：崛 1、拾 1、挈 2、将 2、钓 1、举 2、跳 1、拄 1、竖 1、提 2、拈 1 结果 33：激 1、磨 1、兴 14、振 2、刷 2、押 1、引 1、隆 1、作 2、衬 1、接 1、阁 1、突 1、合 1、驾驭 1、抖擞 1、提掇 1 动态 63：说 19、提（谈）2、做 17、温 1、寻 1、看 3、知 2、修 1、病 1、用 1、排 1、争 1、猛 1、坏 1、写 1、量 1、学 1、高 1、合围 1、整顿 2、理会 3、收敛提掇 1
VCO	趋向 5：收 2、发 1、唤 1、赶 1	趋向 15：涌 1、耸 1、树 1、提 4、扶 1、撑 1、拈 1、抬 1、揭 1、将 1、掀 1 结果 19：着 3、奋 1、兴 8、引 2、合 1、接 1、筑 1、作 1、振 1 动态 6：说 2、擂 2、提（谈）2
VOC		趋向 1：提 1 结果 1：提撕 1
将/把 OVC		动态 7：改 1、读 4、说 2
将/把 O₁VCO₂		
为/被（NP）VC（含"为…所…"式）		动态 1：问 1
被 NPVCO		
Neg 被 NPVC		
将/把 ONegVC		
NegVC		结果 2：兴 1、振 1
NegVCO		
VNegC		
NegVOC		

续表1：

补结构类型 \ 语构成分型	
	过 257（趋向 46；结果 211）
VC	**趋向 30**：透 4、将 1、带 1、蹉 11、踏 2、拂 4、穿 1、行 1、突 1、绰 2、略 1、横贯 1 **结果 147**：差 1、放 10、读 11、考 1、涉（度过时间）1、说 14、看 34、穷 1、验 2、试 2、吃 3、知 1、打 1、认 1、略 1、格 1、筛 1、转 1、对 1、思 1、观 1、揭 1、呈 1、付 1、抹 1、救 1、弄 1、罩 1、改 1、问 1、讲 1、做 3、挫 1、诵 1、扑 1、删 1、哄 1、奏 2、脱 1、作 1、讲 1、摄 1、宣读 1、注解 1、批抹 1、拈掇 1、思绎 1、咀嚼 1、整理 1、滚缠 1、审验 1、经历 1、含糊 2、理会 14、整顿 3、温寻 1、思量 3
VCO	**趋向 16**：行 3、侵 1、跳 1、浮 1、移 2、迁 1、托 1、发 1、走 1、挈 1、驾 1、越 1、驱逐 1 **结果 35**：差 4、放 4、高 1、挨 1、等 1、坐 2、保养 1、进 3、搅 1、偏 1、挨 1、看 1、思 2、察 1、说 2、交 1、关 2、抹 1、掉 1、揭 1、作 1、奏 1、忧虞 1
VOC	**结果 2**：说 2
将/把 OVC	**结果 3**：看 1、思量 1、理会 1
将/把 O₁VCO₂	
为/被（NP）VC（含"为…所…"式）	**结果 2**：谩 1、见 1
被 NPVCO	
Neg 被 NPVC	
将/把 ONegVC	
NegVC	**结果 20**：说 1、看 1、放 15、涉 1（度过时间）、理会 2
NegVCO	**结果 2**：放 2
VNegC	
NegVOC	

第三章 《朱子语类》中的动趋式述补结构

补结构类型 \ 语成分	
	开 60（趋向 55；结果 5）
VC	趋向 44：放 16、打 2、散 1、分 4、撒 2、斫 1、阔 1、掉 2、爆 2、切 1、拆 1、抽 1、破 2、隔 1、展 1、解 1、抉 1、咬 1、洞 1、凿 1、拨 1、溃 1、拍 1 结果 3：说 2、挑 1
VCO	趋向 11：拨 1、揭 1、放 2、撒 2、涨 1、分 1、铺 1、展 1、挲 1 结果 1：分析 1
VOC	
将/把 OVC	
将/把 O₁VCO₂	
为/被（NP）VC（含"为…所…"式）	
被 NPVCO	
Neg 被 NPVC	
将/把 ONegVC	
NegVC	结果 1：说 1
NegVCO	
VNegC	
NegVOC	

续表1：

补语结构类型\成分	
	来 664(趋向 455；特殊 209)
VC	**趋向 335**：(1)180：上 3、下 14、出 130、入 12、回 5、进 1、过 3、起 12 (2)155：冲 1、将 54、把 21、寄 3、行 1、到 1、转 3、归 15、担 1、买 1、发 3、迎 1、捉 3、传 2、杀 1、带 1、退 1、借 1、集 1、收 1、押 1、追 1、写 2、抄 1、荐 1、撰 1、摭 1、取 2、删 1、引 1、走 1、呼 1、滚 1、录 1、召 3、奏 1、进(进献)2、犯 1、移 1、携 1、假借 1、点检 1、兜揽 1、讨索 1、调发 1、合凑 1、收敛 1、聚凑 1、凑合 4、捏合 1 **特殊 209**：论 8、看 201
VCO	**趋向 7**：(1)1：过 1 (2)6：带 1、引 1、流 1、把 1、传 1、写 1
VOC	**趋向 99**：(1)9：下 1、入 8 (2)90：带 2、招 2、把 9、讨 7、牵 1、拖 1、求 1、引 1、将 19、取 8、担 1、呼 1、归 2、寻 2、买 2、寄 1、行 1、怀 1、拣 4、举 1、摘 1、写 2、得 3、偷 1、移 1、以(带)2、传 1、召 1、送 1、借 1、提 1、捉 2、作 1、解(押解)1、近 1、持 1、取敛 1、牵引 1
将/把 OVC	**趋向 1**：移 1
将/把 O₁VCO₂	
为/被(NP)VC(含"为…所…"式)	**趋向 4**：(1)3：出 3 (2)1：采摘 1
被 NPVCO	
Neg 被 NPVC	
将/把 ONegVC	
NegVC	**趋向 7**：(1)5：出 4、回 1 (2)2：将 1、送 1
NegVCO	
VNegC	
NegVOC	**趋向 2**：(1)1：下 1 (2)1：引 1

补语结构类型\成分	去 337(趋向 236;动态 101)
VC	**趋向 117**:(1)29:上 8、下 2、出 4、入 7、回 2、过 2、起 3、开 1 (2)88:把 1、发 3、归 18、退 6、送 1、引 1、牵 1、差 1、取 4、散 5、写 3、申 6、迁 1、随 1、将 1、趱 2、挑 1、辞 1、驾 1、配 1、书 1、报 2、占 1、呼 1、听 1、转 2、冲 1、召 1、钻 1、移 1、遁 1、逃 1、别 1、离 1、奔 1、推送 1、举送 1、分散 1、走作 1、流注 1 **动态 99**:做 39、看 10、推(推理)8、捱 2、记 1、读 5、说 3、行 5、吃 2、格 2、排 1、祭 1、生 2、挨 3、持 1、温 1、缠 1、解 1、体验 1、接续 1、理会 4、循环 2、涵养 2、积累 1
VCO	**趋向 15**:(1)3:上 1、出 2 (2)12:徙 1、走 1、挑 1、担 1、偷 1、迁 1、趱 5、走作 1
VOC	**趋向 56**:(1)16:上 1、下 1、出 3、入 9、过 1、去 1 (2)40:将 4、移 1、就 1、引 1、运 1、装 1、伸 2、进 3、携 1、流 2、退 1、推 1、写 1、带 1、申 1、作 2、归 4、供 1、突 1、搬 1、陷 1、行 1、占 1、走作 1、飞扬 1、拈归 1、带领 1、思量 2
将/把 OVC	
将/把 O_1VCO_2	
为/被(NP)VC(含 "为…所…"式)	**趋向 29**:引 16、传 1、盗 1、窃 2、诱 3、夺 2、拖 1、将 1、劫 1、偷 1
被 NPVCO	**趋向 2**:引 2
Neg 被 NPVC	**趋向 1**:引 1
将/把 ONegVC	
NegVC	**趋向 11**:(1)2:上 1、起 1 (2)9:进(向前移动)1、转 1、就 1、将 2、带 1、衮 2、思量 1 **动态 2**:做 2
NegVCO	
VNegC	
NegVOC	**趋向 5**:(1)2:来 1、入 1 (2)3:带 1、就 1、思量 1

表2：

结构类型＼补语成分	上来3(趋向3)	下来24(趋向14;结果10)	上去20(趋向14;结果6)
VC_1C_2	趋向3:问1、将1、走1	趋向7:流1、劈1、行1、飞1、贯1、做1、梳理1 结果10:传1、生4、看1、说2、比1、传袭1	趋向14:(1)1:出1 (2)13:推5、腾5、移1、做1、将1 结果6:累1、做4、连1
VC_1OC_2		趋向3:送1、行2	
VOC_1C_2		趋向2:行2	
将OVC_1C_2			
将$O_1VC_1O_2C_2$			
被(NP)VC_1C_2		趋向1:放1	
被$NPVC_1OC_2C_3$		趋向1:写下1	
Neg将OVC_1C_2			
NegVC_1C_2			
NegVC_1OC_2			

续表2：

结构类型 \ 补语成分	下去9 (趋向8;动态1)	入来11(趋向11)	入去13(趋向13)
VC_1C_2	**趋向6**：推3、移1、刷1、跌落1 **动态1**：挨1	**趋向6**：请1、看1、识1、安排1、寻讨2	**趋向2**：推1、说1
VC_1OC_2	**趋向1**：行1	**趋向2**：牵1、说1	**趋向9**：走2、押1、瞥1、说1、错1、打1、看1、流1
VOC_1C_2	**趋向1**：吸1	**趋向2**：扛1、引1	
将 OVC_1C_2			
将 $O_1VC_1O_2C_2$		**趋向1**：收拾1	
被(NP)VC_1C_2			**趋向1**：引1
被 $NPVC_1OC_2C_3$			
Neg 将 OVC_1C_2			**趋向1**：参1
NegVC_1C_2			
NegVC_1OC_2			

附录:《朱子语类》动趋式述补结构用法一览表

补语成分 结构类型	出来 227(趋向:42;结果 185)
VC_1C_2	**趋向 37**:流 10、捉 1、取 2、将 2、发 6、拥 1、放 1、把 1、涌 1、抽 1、撒 1、走 1、迸 2、爆 2、翻腾 2、摆脱 1、迸趱 1、涌垒 1 **结果 139**:做 17、说 30、发 37、推(推理)4、会 1、写 4、行 1、画 1、生 8、突 1、见 1、推演 1、作为 1、敲点 1、牢笼 1、装点 1、搜抉 1、推排 1、厮拶 1、恭显 1、磨刮 1、证验 1、发挥 1、体贴 1、譬喻 1、发明 1、振策 1、变化 1、流行 4、发见 1、粧点 1、捻合 1、解释 1、涵养 1、敷施 1、理会 2、剖析 1、发扬 1、发用 2、挑剔揩磨 1
VC_1OC_2	**趋向 1**:捉 1 **结果 25**:生 3、发 3、做 5、养 1、说 5、扇 1、行(做)1、放(显露)2、撰 1、弄 1、发明 1、妆点 1
VOC_1C_2	**结果 12**:生 2、随 1、分 1、说 1、做 3、作 1、安排 1、经营 1、发明 1
将 OVC_1C_2	
将 $O_1VC_1O_2C_2$	
被 (NP)VC_1C_2	**趋向 2**:撞 1、流 1
被 $NPVC_1OC_2C_3$	
Neg 将 OVC_1C_2	
NegVC_1C_2	**趋向 2**:拈 1、将 1 **结果 7**:做 2、说 3、写 1、发挥 1
NegVC_1OC_2	**结果 2**:放(显露)1、分别 1

续表2：

补语成分＼结构类型	出去 15 (趋向 10;结果 5)	回来 1(趋向 1)	起来 19 (趋向 3;结果 7; 动态 9)	起去 1(动态 1)
VC_1C_2	**趋向 9**：行 2、流 4、放 1、奔驰 1、迸裂 1 **结果 3**：生 1、行(做)1、做 1	趋向 1：唤 1	**趋向 2**：把 1、提掇 1 **结果 5**：做 3、爆 1、整顿 1 **动态 9**：说 2、提(谈)1、奏 1、歌 1、温 1、叫唤 1、思量 1、衬贴 1	**动态 1**：说 1
VC_1OC_2				
VOC_1C_2	结果 2：写 1、排 1		趋向 1：拈 1	
将 OVC_1C_2			结果 2：带 1、装荷 1	
将 $O_1VC_1O_2C_2$				
被 $(NP)VC_1C_2$	趋向 1：牢笼 1			
被 $NPVC_1OC_2C_3$				
Neg 将 OVC_1C_2				
$NegVC_1C_2$				
$NegVC_1OC_2$				

结构类型＼补语成分	过来 6 (趋向 4;结果 2)	过去 14 (趋向 6;结果 8)	开来 1(趋向 1)	开去 9 (趋向 3;结果 5; 动态 1)
VC₁C₂	**趋向 3**:占 1、侵 1、荐 1 **结果 2**: 经历 1、理会 1	**趋向 1**:打 1 **结果 8**:解 1、带 1、看 3、差 1、绰 1、领略 1	**趋向 1**:爆 1	**趋向 3**:展 1、广 1、离 1 **结果 5**:说 2、推（推理）2、剖析 1 **动态 1**:分明 1
VC₁OC₂		**趋向 5**:蹉 2、走 1、移 1、取 1		
VOC₁C₂				
将 OVC₁C₂				
将 O₁VC₁O₂C₂				
被 (NP)VC₁C₂				
被 NPVC₁OC₂C₃				
Neg 将 OVC₁C₂				
NegVC₁C₂				
NegVC₁OC₂	**趋向 1**:侵 1			

表3：

结构类型＼补语成分	来 80(趋向 11;动态 10;其他 59)
VC₁C₂(C₃) (V+从/向/在 O+来/去/上来/上去/过来)	趋向 3：借 1、倒 1、压 1
将 OVC₁C₂C₃ (将 O₁V 从 O₂ 上来)	趋向 1：说 1
V 将 C/C₁C₂	趋向 6：取 1、拏 1、拖 1、捉 1、写 1、挪撦 1 动态 10：分 1、收 1、推(推测、推理)3、差(不好)1、铸 1、做 1、说 1、收敛 1
V 将 OC	趋向 1：捉 1
被 NPV 将 C	
V 将 C 去	
V 来 V 去	其他 56：看 17、嚼 1、考 1、并 1、比 1、捉 1、添 1、弄 1、凿 1、寻 1、算 1、随 1、走 1、捱 1、穷 4、读 2、推 3、撞 2、滚 3、说 6、做 3、认 2、理会 1 另有 2 例"翻来覆去"和 1 例"反来覆去"
NegV 将 C	
NegVC₁C₂(C₃) (NegV 从/向/在 O 来/去/上来/上去/过来)	

补语成分 结构类型	去 311(趋向 84;动态 168;其他 59)	上 1 (趋向 1)
VC₁C₂(C₃) (V+从/向/ 在 O+来/去/ 上来/上 去/过来)	**趋向 55**:射 4、杀 1、打 1、寻 1、倒 2、流 3、走 3、吹 1、行 1、落 2、探 1、趱 1、学 1、分 1、说 15、推 1、放 1、看 3、做 1、用 1、贬 1、归 1、偏 2、缠 2、走作 1、思量 2	
将 OVC₁C₂C₃ (将 O₁V 从 O₂ 上来)		
V 将 C/C₁C₂	**趋向 16**:登 1、流 3、引 2、吹 1、转 1、滚 2、泛 2、行 1、差 1、求 1、推 1 **动态 163**:惑 1、分 2、养 3、推 6、做 44、胜 1、卷 1、羁 3、行 15、解 4、积 2、看 3、捱 1、耕 1、起 1、明 3、挨 3、格 2、说 11、读 2、带 1、赖 1、学 1、滚(混)3、配 2、应 4、持 1、打 1、撞 1、骂 1、叠 1、呀 1、杀 2、穷 1、懒 1、吃 1、包笼 1、贯串 1、指点 1、收拾 1、贬窜 1、因循 1、挨展 1、抵拒 1、领略 1、超躐 1、凑合 1、寻讨 1、持养 1、处置 1、生长 1、推寻 1、理会 4、呼扬 1、觉察 1、涵养 3、积累 1、恢廓展布 1、玩索推广 1、缠绕思念 1、操存涵养 1	趋向 1: 理会 1
V 将 OC		
被 NPV 将 C	**趋向 9**:捉 1、引 3、牵 2、偷 1、诱引 1、勾引 1 **动态 1**:促 1	
V 将 C 去	**趋向 1**:赶 1 **动态 2**:求 1、推 1	
V 来 V 去	同上栏"V 来 V 去"	
NegV 将 C	**动态 2**:推 1、做 1	
NegVC₁C₂(C₃) (NegV 从/向/ 在 O 来/去/ 上来/上去/过来)	**趋向 3**:寻 1、走 1、读 1	

续表3:

补语成分＼结构类型	出2（结果2）	过1（趋向1）	起1（动态1）	出来2（趋向2）	下去1（动态1）	过来1（趋向1）
VC$_1$C$_2$(C$_3$)（V+从/向/在O+来/去/上来/上去/过来）						趋向1：借1
将OVC$_1$C$_2$C$_3$（将O$_1$V从O$_2$上来）						
V将C/C$_1$C$_2$	结果1：说1	趋向1：略绰1	动态1：说1	趋向2：涌1、滚1	动态1：做1	
V将OC						
被NPV将C						
V将C去						
V来V去						
NegV将C	结果1：说1					
NegVC$_1$C$_2$(C$_3$)（NegV从/向/在O来/去/上来/上去/过来）						

第四章 《朱子语类》中的"V 得(O)"述补结构

第一节 《朱子语类》"V 得(O)"述补结构的界定分类

"V 得(O)"述补结构由连谓结构语法化而来,一般把"得"前动词由取义动词向非取义动词扩展作为判定"V 得(O)"述补结构确立的重要标准,因为当"得"前动词限于取义动词时,"得"还有"获得"实词义,"V 得(O)"是连谓结构,一旦非取义动词进入,"得"的及物性趋弱,"获得"义消失,不对后面的名词性成分构成支配关系,而从语法关系上转为表示其前动词所表示的动作行为的完成实现,"V 得(O)"就语法化成述补结构了。上述语法化过程始于六朝,唐代完成。

南宋《朱子语类》时代,"V_{非取义}得(O)"结构占据了绝对优势(3627例,96%),"V_{取义}得(O)"结构已很少见(157 例,4%),部分"V 得(O)"式中的"得"还语法化成了动态助词,"V 得(O)"已经是相当成熟的述补结构。根据《朱子语类》"V 得(O)"述补结构所表达的语法意义,我们把它分为四类:结果述补结构、动态述补结构、能性述补结构、动态/能性述补结构。在第一章中我们曾对"V 得(O)"述补结构的界定分类做过简单描述,因各类实际情况较为复杂,涉及问题较多,本章再做详细讨论。

一 "V 得(O)"结果述补结构

"V 得(O)"结果述补结构表示通过某种动作获得某种结果,述语由取义动词充当,动词"得"由"获得"义转而表示"获得"性"涉及"义,相当于"到",作结果补语。例如:

①后来在《集韵》中寻出,乃云:"反印也",却在"印"部寻得。(8·3336)

②李问陈几叟借得文定《传》本,用薄纸真谨写一部。(7·2602)

二 "V 得(O)"动态述补结构

"V 得(O)"动态述补结构表示动作行为的完成实现,述语由非取义动词充当,"得"是半虚化的完成动词,有"成、完、到、住"等意义,充当完成补语,表示动作行为的完成。例如:

③唐官看他《六典》,将前代许多官一齐尽置得偏官,如何不冗? (7·2963)

④若如此看得三五项了,自然便熟。(7·2850)

⑤今有一般人,看文字却只摸得些渣滓,到有深意好处,却全不识! (7·2615)

⑥学者只守得某言语,已自不易,少间又自转移了。(7·2576)

"得"在结果述补结构中有"到"义(例①②),在部分动态述补结构中也有"到"义(例⑤),二者是有区别的:结果述补结构中的"得"跟在取义动词后面,表示的是"获得"性"涉及",动态述补结构中的"得"跟在非取义动词后面,表示的是"非获得"性"涉及",从"得"的虚化程度看,前者比后者低。"非获得"性"涉及"的情况较复杂,下面会进一步讨论。

动态述补结构是《朱子语类》"V 得(O)"结构的主要功能类型。由动态补语进一步虚化,"得"完全语法化,成为表动态的助词,例如:

⑦近两日方令书坊开得,然里面亦难晓。(8·3001)

⑧他说须是实得。(8·2976)

⑨如此,只是推广得自家意思,如何见得古人意思!(1·180)

如何把动态补语"得"与动态助词"得"区分开来?以往研究中,不少学者采取"一刀切"的办法来给"得"定性:凡"得"在"V得(O)"结构中都是动词作结果补语,在"V得C"结构中是结构助词,这种处理不免简单化,因为"得"在不同语义特征的述语动词后面作补语时的虚化程度不一样,后代又还发展出了补语以外的用法。近年来,有学者注意到"得"前动词的语义特征对"得"的影响,因此根据"得"前动词的语义变化来判断它是否语法化成动态助词,即:若"得"前动词由取义动词转为非取义动词,部分"V得(O)"结构表示动作的实现或状态的完成,"得"就从补语变成了助词。① 这种从"得"前动词语义变化去考察"得"字语法化的思路很正确,但具体处理时还是把动态助词的范围定得偏宽,不少动态补语的用例也归入了动态助词的范畴。

从动态补语到动态助词,"得"处于重新分析的过程中,单纯从形式特征来区分发生了质变的不同语法成分比较困难,我们认为可以从语义和频率两方面着手,并寻找一些形式特征。分析如下。

(一)语义特征

1. 动态补语"得"前述语动词的语义特征

(1)"涉及"(包括能造成涉及性结果)义动词,根据"得"的意义差别,又分为四类:

一类是典型的"涉及"义动词,如"摸、触、窥、看、听、闻、说、读、击、靠、来、挪、用、做、染(沾染)"等,这类动词一般都表示人体或人体器官与某种对象的接触(例⑩),或是由具体接触转而表示抽象意义的接触

---

① 见曹广顺《近代汉语助词》,第72—83页,语文出版社,1995。

或涉及（例⑪），结果是从对象获得了某种感觉或产生了涉及性结果，"得"有"到"义，例如：

⑩某看得学者有个病：于他人如此说处，又讨个义理，责其不如彼说……（8·2932）

⑪有临川来者，则渐染得陆子静之学。（8·3334）

二类是"把、包、牵、抱、守、扶、记"等，"得"有"住"义，表示动作涉及后产生某种牢固、稳当的结果或状态，例如：

⑫如今须是把得圣贤言语，凑得成常俗言语，方是，不要引东引西。（7·2911）

三类是"减、去（去除）、克、革去、杀、留（遗留）、降（降低）"等表示反方向的"反义"涉及动词，动作发生后会产生某种离心式脱离结果或状态，广义上也可以归入"涉及"类，"得"有"掉"、"下"义，如：

⑬近却尽去得前病，又觉全然安了，忒然无疑，恐难进步。（7·2749）

⑭凡天下之好名色钱容易取者、多者，皆归于内藏库、封桩库，惟留得名色极不好、极难取者，乃归户部。（7·2719）

四类是"渡、行（走）、报（报仇）、救、练（训练）、耕、开垦"等，这类动词所表示的动作对象虽有涉及，但偏重于表示完成或经历过，"得"有"完结"、"经历过"义，例如：

⑮都读得了，方可循环再看。（7·2613）

⑯却是这中间一条路，不曾有人行得。（8·2980）

前例中的"得"有"完结"义，这类用例常出现于表前后相续的两个动作行为的句法环境中，表示先做完一事，再做另一事；后例中的"得"有"经历过"义，可用半虚化的"过"去替换。

第四类与其他三类动词有的有交叉，如例④⑮中的"看""读"，其后的"得"既可表示"到"，也可表示"完"，这与动词所处的句法环境有关：

当动词出现在表示前后相续的两个动作行为的句法环境中,表示"先做完一事,再做另一事"的意义时,"得"一般就具有"完结"义。

(2)"成果"义动词,动作发生后能带来成果性结果或状态,如"变、造、修、置(设置)、积、编、凝结、编录、养、生、起(兴起)、画、翻(寻找)"等,"得"有"成"、"出"义,例如:

⑰后来变得令人先纳绢,后请钱,已自费力了。(7·2714)

⑱浙人极弱,却生得一宗汝霖,至刚果。(8·3135)

个别动词兼有"涉及"和"成果"两类动词的语义特征,例如"做",在一定上下文中,它有时表示涉及性结果(见例⑲),有时表示成果性结果(例⑳),如:

⑲某做知县,只做得五分。(7·2733)

⑳公今却是读得一书,便做得许多文字,驰骋跳踯,心都不在里面。(7·2903)

这种情况的出现与动词的"泛义"性语义特征有关。以"做"为例,其基本意义是表示"从事某种工作或活动",具体来说有"制造"、"写作"等义项,还有"承担、担当"义项,作前面义项讲时,是典型的成果义动词,作后一义项讲时,又可以产生涉及性结果或状态,所以它兼跨两类。

(3)知见类心理动词,如"见(了解)、会、了、晓、觉(感觉)、识、明、通(通晓)、思、察、料、度、思量、理会、体察"等。受文体内容的影响,这类动词在《朱子语类》中大量存在,它们虽然不带"取义"特征,但动作结果却都有一定的"获得"义,只不过比"取义"动词意义稍虚些。所以,其后的"得"往往有"到"义,是涉及性结果的一种。由于这类动词语义特征特殊,出现频率很高,所以把它单独列类讨论。例如:

㉑只说我自理会得了,其余事皆截断,不必理会,自会做得。(7·2893)

㉒当时秦也是强,但相如也是料得秦不敢杀他后,方恁地做。(8·

3214)

知见动词有时也带有瞬间特征,但同时又兼有"涉及"性特征,因此,它们在表示瞬间完成的动态义时,往往兼具"涉及"义,如"理会得一个道理"即"理会到了一个道理",这是与瞬间动词所不同的,所以其后的"得"是完成动词充当表动态完成的动态补语。

2.动态助词"得"前动词的语义特征

(1)非持续性瞬间动词,强调动作行为的时限性,而不带有动作进程性或持续性,如"开、到、省(省悟)、寂灭、从(听从)、信(相信)、别(分开)"等,见前例⑦。有些动词不是瞬间动词,但它们与"得"组合时,因结构变化而发展成为动态助词,用例不多,如"提、隔、执"等,下面会具体论及。

(2)形容词,表示状态的实现和达成,但用例极罕见,见前例⑧。

(3)动结式,如"推广、窥见、生出"等。动结式本身就表示动作行为有了结果或完成,其后的"得"一般是没有词汇意义的,只表示动态完成,相当于动态助词"了",如前例⑨。

3.部分动词不好归类,用例不多,如"有、同、通用"等,例如:

㉓今看《孝经》中有得一段似这个否?(6·2143)

㉔所谓性者,人物之所同得。(7·2511)

㉕只是这"慾"字指那物事而言,说得较重;这"欲"字又较通用得。(6·2242)

"得"没有任何意义,既不表动态完成,也不表持续,既非动态助词,也非动态补语,而类似某种语法冗余成分,这类结构可能是经由临时性错误类推发展而来。

4."得"与某些动词组合时带有约定俗成性,如"想得、疑得"等,或组成双音词,成为构词词素,如"使得、免得、致得"等,或是跟在一些意义较为抽象的动词(如能愿动词)后面而带有词尾性质,如"要得、欲得、须得、能得、可得"等,这些"得"字用例不是动态补语或动态助词。

(二)使用频率

若不计算词尾性"得"字例,《朱子语类》中完成动词"得"与动态助词"得"的频率比超过了9∶1,绝大多数"V 得(O)"式中的"得"都是完成动词作动态补语,动态助词的用例不过几十个,"得"在《朱子语类》时代还没有完成从动态补语到动态助词的语法化定型过程,原因将在下节讨论。

(三)形式特征

1.《朱子语类》中有相当数量的"V 得了"结构(例⑮㉑),"得"与"了"共存,表明它们的功能有差异:"得"是完成动词作补语,表示动作行为的完成实现;"了"是动态助词或事态助词(有时是动态助词兼事态助词),强调动态或事态的完成。

2.作为"V 得(O)"的否定形式,《朱子语类》中有"V 未得"和"VO 未得"等形式,如:

㉖这一字理会未得,更不得看下字。(1·189)

㉗讲学切忌研究一事未得,又且放过别求一事。(7·2848)

"未"后的"得"动词性明显,如例㉖,"理会未得"意即"理会未到"、"没有理会到",例㉗中的"得"有"完结"意义,这些格式中的"得"都是完成动词作动态补语。

3.部分结构变化使得其中的"得"语法化成动态助词或结构助词。

(1)当"得"出现在"V+得+时间短语"结构中,例如:

㉘建阳旧有一村僧宗元,一日走上径山,住得七八十日,悟禅而归。

(7·2554)

这类结构中的时间词可以看成是表时量的准宾语①,时量宾语表示动

---

① 朱德熙《语法讲义》,第116—117页,商务印书馆,1982。

作行为延续的时间;也可以看成是表时量的补语。无论哪种处理法,其中的"得"都已经语法化,变成了助词——在时量宾语结构中是动态助词,在时量补语结构中是结构助词。我们把它看成带时量补语的"V得C"述补结构。

(2)当"得"出现在"(S)V_1得(O)V_2"(V_1是V_2的伴随动作)结构中时,"得"语法化成表持续态的动态助词,相当于表持续貌的动态助词"着",如:

㉙尝见他执得一部吕不韦吕览到……(7·2867)

以上是本文辨识完成动词"得"与动态助词"得"的方法和标准,下面再简单概括二者的区别。

1.意义不同。完成动词"得"一般跟在"涉及"义、"成果"义或"知见"义动词的后面,有一定实词义,如"到、掉、成、出、完、过"等,是半虚化性语法成分,整个结构表示动作行为的完成实现,这种完成实现义一般表现为某种涉及性结果或成果性结果。动态助词"得"一般出现在瞬间动词后面,不带任何实词义,而表纯粹的动态完成,是单纯表态貌(完成貌或持续貌)的助词。

2.在结构中的语法地位不同。完成动词或动态助词"得"在"V得(O)"结构中不是以独立动词的身份与前项动词平行组合,而是作为黏附性成分黏附于前项动词,但二者的黏附程度有别:"得"以完成动词充当动态补语时多少带有一定实词义,是半虚化性成分,与前项动词的黏附程度要低一些,所以它与述语动词是可以被隔开的,如"VO得"、"V(了)ONeg得"、"NegVO得"等,而动态助词"得"已完全语法化,对前项动词的黏附程度增高,进一步语法化,则成为不表义的词尾性质的助词,在这种情况下,"得"与前项动词必须是紧密相连的。

总的来说,《朱子语类》中"V得(O)"结果述补结构只有少量用例,绝大部分都是动态述补结构,动态助词"得"不多见。

三 "V得(O)"能性述补结构

"V得(O)"能性述补结构概指表示"能够"、"可以"的述补结构,通常指主观能力做得到做不到,或表示客观条件及情理上的许可。学界一般把这类结构叫做"可能述补结构",我们不取这一名称,因为用"可能"来概括表示"能够""可以"的述补结构不够准确,这一点已有学者指出。①

由于述语动词的"获得"义特征,结果述补结构与能性述补结构一般不存在纠缠混淆的问题(下文说明),有纠缠的是动态述补结构。本文从以下几方面区分能性述补式与动态述补式:

(一)语境预设

学界对能性"V得(O)"式来源的分歧意见有两种:一种意见认为能性述补结构中的"得"是由上古汉语动词前的能性助动词"得"后移而来;②另一种意见认为能性"V得(O)"式中的"得"与表达成的同形格式中的"得"同源,二者区别仅在语境。③"位移说"不能解释位移的动因和具体过程,它在解释语言事实时所遭遇到的困难已有学者指出。④我们同意第二种意见。

根据李晓琪(1985)、杨平(1989)⑤的研究,能性述补结构是表达成

---

① 李晓琪《关于能性述补结构式中的语素"得"》,《语文研究》1985年第4期。
② 详见杨建国《补语式发展试探》,《语法论集》第3集,中华书局,1959;祝敏彻《"得"字用法演变考》,《甘肃师范大学学报》1960年第1期;岳俊发《"得"字句的产生和演变》,《语言研究》1984年第2期。
③ 见王力《汉语史稿》(中),中华书局,1980;太田辰夫《中国语历史文法》,蒋绍愚、徐昌华译,北京大学出版社,1987;李晓琪《关于能性述补结构式中的语素"得"》,《语文研究》1985年第4期;杨平《"动词+得+宾语"结构的产生和发展》,《中国语文》1989年第2期;蒋绍愚《近代汉语研究概况》,北京大学出版社,1994。
④ 见李晓琪《关于能性述补结构式中的语素"得"》,《语文研究》1985年第4期。
⑤ 参见李晓琪《关于能性述补结构式中的语素"得"》,《语文研究》1985年第4期;杨平《"动词+得+宾语"结构的产生和发展》,《中国语文》1989年第2期。

的述补结构的可能式,二者在结构形式上相同,不同的是它们出现的语境,能性述补结构一般用于未然语境(表推测、假设或疑问)中,动态述补结构用于已然语境中。语境有区别意义的作用,它给结构带来了变化。《朱子语类》中"V得(O)"能性述补结构的情况基本如此。例如:

㉚人若于日间闲言语省得一两句,闲人客省见得一两人,也济事。(7·2806)

㉛一个自方,一个自圆,如何总合得?(8·3317)

这两例都依托于未然语境,但《朱子语类》中的"V得(O)"能性述补式已发展出脱离语境的形式,如:

㉜又如脾胃伤弱,不能饮食之人,却硬要将饭将肉塞入他口,不问他吃得与吃不得。(8·2970)

这类用例的能性意义由"得"来承担,它的出现表明"V得(O)"能性述补结构经历了一个从语境能性意义过渡到用"得"承载能性意义的发展过程。

(二)形式特征

汉语句子在表述客观事件时通常带有时态特征,因为与客观世界相联系的具体事件一般都包含有时间因素,而时间因素往往以显性手段体现出来,这种显性手段一般有二:词汇手段和语法手段,即通过某些词汇标识(如表时间的名词、副词等)和语法标识(如动态助词"了""着""过"或其他提示已然状态的语法手段诸如动结式等)表现出来,这为我们判定语境的已、未然状态,进而判定能性、动态述补结构的界限提供了很好的形式特征。

1.《朱子语类》时代,表动态的"V得(O)"述补结构在形式上已经开始标记化,一是出现在用表示状态变化已经实现的动态助词"了"标记的语境中,或出现在用表示动作行为已经完成、有了结果的述补结构标记的语境中;二是出现在用表完成体、经验体的时间副词如"已"、

第一节 《朱子语类》"V得(O)"述补结构的界定分类

"既"、"曾"、"不曾"、"未曾"等或表过去时的时间名词等标记的语境中。例如:

㉝若只逐段解过去,解得了便休,也不济事。(1·182)

㉞那曾见得圣人执笔删那个,存这个!(6·2065)

㉟然临事不如此者,只是实未曾见得。(1·302)

㊱既知得悠悠,何不便莫要悠悠?(7·2803)

㊲且如前日令老兄作《告子未尝知义论》,其说亦自好;但终是拸拸量,非实见得。(7·2749)

有时两种标记手段会套合使用,如:

㊳今公等只是外面望见城是如此,便说我都知得了。(6·2086)

㊴只看公如此说,便是不曾理会得了。(7·2802)

2.能性"V得(O)"述补结构常与表可能的助动词"能"、"可"、"会"、"可以"以及表事实上需要如此或情理上应该如此的助动词"要"、"须"、"要须"等连用,例如:

㊵纷乱是他自纷乱,我若有一定之见,安能纷乱得我!(7·2848)

㊶须是自家强了他,方说得他,如孟子辟杨墨相似。(8·3116)

能性助动词是能性意义的承载者,不过,若去掉它们,句子的能性意义依然存在,这说明未然语境中的"V得(O)"结构本身也能承载能性意义,即能性意义一方面是通过能性助动词来表达,另一方面则由"V得(O)"格式本身承担,但能性助动词是判定能性述补结构的一个辅助性形式标志。

(三)"V"的语义特征及"得"的虚化程度

语境标准是区分能性、动态述补结构的一项重要标准,但不是唯一标准,因为并非所有未然语境中的"V得(O)"式都是能性述补结构,当"V"为取义动词时,就不受语境规律管辖,即便是出现在未然语境中,"V得(O)"述补结构也是表结果,而非能性,例如:

㊷又如人捉贼,走东去,合从东去捉,却教它走从西去,如何捉得。(3·1100)

其他文献如《敦煌变文集》中有:

㊸观此园亭国内希,未知本主谁人是,百计如何买得之？（变文·降魔变文）

这两例不是表示"如何能捉"、"如何能买"的意思,而是表示动作有了结果的结果述补结构,其原因与"得"前动词的语义特征以及"得"的虚化程度有关。具体说来:

其一,当"得"前动词是取义动词时,"得"的虚化程度低,带有较强的"获得"性"涉及"义,与述语动词在语义上有极强的逻辑相关性——获取动作及其直接"获得"性涉及结果,"得"难以游离于结构之外发生语义引申;当"得"在非取义动词后面时,语义开始虚化,表示动作或结果状态的达成,"得"因语义虚化而与述语动词关系密切,成为一种半虚化性黏附成分,"V得(O)"结构中各成分间的结合关系更紧密,所以,在未然语境中,整个"V得(O)"结构能被作为一个整体赋予能性意义。不过,未然语境中的能性"V得(O)"结构最初只是一种临时性的能性述补结构,久而久之,当"V得(O)"结构经常出现在未然语境中时,原来由语境承载的能性意义为结构所吸纳,最终使得结构成为能性意义的负载者,具体来说,是用"得"来承担能性意义,这时,专职化的能性"V得(O)"结构就产生了。这类结构最早出现在唐五代。

其二,从能性结构的发展来看,它是由结果→达成→能性,而不能由结果直接转化。从"结果→达成"涉及语义的虚化,而从"达成→能性"的变化则是由语境带来的。《朱子语类》所反映的情况基本如此。出现在能性"V得(O)"述补结构中的动词大致有两类:一是知见类动词,如"知、觉、辨、理会、辨识、体察"等;二是其他非取义动作动词、状态动词及相关动词性结构,如"出、入、来、去、做、转、用、掷、变、吹、说、吃、读、埋、坐、存、养、住、载、藏、守、分别、整顿、照管、安排、扫荡、建立、担当、倚靠"等。"得"在这些动词后面,语义开始虚化,不再带有"获得"性"涉及"义,而表示动作或结果状态的达成,是半虚化的动态补语,已经完成从"结果→达成"的发展阶段,而处于"达成→能性"阶段,所以,一旦语境不是已然状态,就会在语境的作用下,由表完成的动态述补结构转而成为表能性的述补结构,并进一步发展成为专职化的能性述补结构。《朱子语类》时代,能性"V得(O)"结构正处于由语境能性述补结构向专职化能性述补结构过渡的阶段。

四 "V得(O)"动态/能性述补结构

汉语中有不少歧义句,产生歧义的原因有多方面,如句法结构的层次构造、显性语法关系、隐性语法关系等,但上述因素造成的歧义现象在语境明晰的条件下一般都会消失,换言之,从语用角度来说,句法结构的歧义往往是由于语境的模糊性使然,由于语境不具体,缺乏若干因素的限定,因而使得人们对句法结构的意义产生不同的理解,一旦语境的条件限定变得具体明晰,歧义就会消失。所以,在特定的语言环境里,句法结构一般都只表示单一的意义,不会有歧义出现。

《朱子语类》中有部分"V得(O)"用例因语境的模糊性而出现歧义。例如:

㊹只如"明明德"一句,若理会得,自提省人多少。(7·2655)

此例既可以理解成"理会了",也可以理解成"能理会",即有两种理解和解释的可能:动作行为业已完成实现的动态述补结构,或未然状态中的能性述补结构。

上述例句出现歧义的原因与语境不明确直接相关。前文已经谈到,汉语句子在表述客观事件时通常带有时态特征,这种时态特征常以一定的显性手段标识出来。不过,汉语中也存在着大量无时态标记的句子,它们必须依据特定的语境才能体现出时态特征,一旦语境的时态义模糊,句子所表述的语义就会出现两可解释,《朱子语类》中的这类动态/能性述补结构就是一种游离于已然动态和未然能性之间的两可句法结构,它反映了汉语句法结构在模糊语境中所表现出来的歧义特征。《朱子语类》是一部文人讲学语录,论述义理是该书一大特色,也是其重要的语体特征。讲述道理的语境基本上不必强调时间概念,语境的时间特征是不明晰的,所以,出现在这种语境中的句法结构往往会因为人们对语境时间特征的不同理解而产生歧义,出现未然能性和已然实现的不同理解:如果从分析论述逻辑事理的角度去理解,一般就会忽略掉句子的时间性特征,而偏重于强调能性;若强调动作行为或事件的发展过程,则会关注动作行为的时间特征,而偏重于强调动作实现后所产生的结果。当然,能有两可理解的语义基础在于能性和结果是两个有着共同逻辑语义基础的范畴:能性是一种可能的实现,而结果是以可能实现为前提的,二者并不矛盾,因此一定的条件下出现相互转化是很容易的事情。

此外,动态/能性述补结构的存在与述语动词的语义特征也有关系。该类"V得(O)"结构中的述语动词基本上都带有"知见"语义特征,如:晓、识、认、会(领会)、见(明白)、理会、领会,等等,这也是有原因的。动作动词的动作性强,所以它们所在的句法结构一般都带有明确的时间性特征,当它们出现在已然语境中就是表动作行为的实现和有结果,是动态述补结构;若进入到未然语境中,就是能性述补结构。知见类动词不一样,它们的动作性很弱,所进入的语境时间性特征往往不明显,因此常常会有两可解释的可能:若从论述逻辑事理的角度去理解,强调主体对客体的认知能力,就是能性述补结构;若着重于知见行为的时间过程,强调它的实现性特征,则为动态述补结构。正因为知见

类动词的这一语义特点,所以,有时在语境条件明晰的情况下,仍有发生歧义的可能,如:

㊺"尹和靖从伊川半年后,方见得《西铭》《大学》",不知那半年是在做甚么?(6·2457)

此例出现在已然语境中,但仍有能性和动态两可解释,原因就与"知见"动词的语义特征相关。

不过,少量动作、状态动词有时也会因具体语境的不明晰而兼顾动态和能性的特点,如:

㊻人若除得个倚靠人底心,学也须会进。(7·2748)

第二节 《朱子语类》"V 得(O)"述补结构的形式和语义特征

一 "V 得(O)"结果述补结构的形式和语义特征

(一)形式特征

共 157 例,肯定形式 143 例,有两类:V 得,20 例;V 得(个)O,123 例。否定形式 14 例,有:VNeg 得,7 例;NegV 得,4 例;NegV 得 O,2 例;VNeg 得 O,1 例。依次举例如下:

肯定形式:

㊼孔子教人仁,只要自寻得了后自知,非言可喻。(1·119)

㊽上古礼书极多,如河间献王收拾得五十六篇,后来藏在秘府,郑玄辈尚及见之。(6·2194)

㊾却去他墙根壁角,窃得个破瓶破罐用,此甚好笑!(8·3010)

否定形式:

㊿讨得便是自底,讨不得也无奈何。(7·2817)

(51)少间本州本郡底不曾给得，只得去应副他处人矣。(7・2696)

(52)是未取得他中原。(8・3156)

(53)如何道恁地便取得人才，如彼便取不得人才？(7・2702)

1.述语由及物性“取义”动词(包括能造成获得结果的动词）充当，常见的有“捉、讨、寻、取、求、买、借、取、抄、收、接、偷、夺、争、收拾、提掇、招募、招收”等。一般是单音节动词，如上例㊾—(53)，也有少量双音节形式，如例㊽。

2.“V得个O”式共10例(例㊾)，结构助词“个”从量词语法化而来，结果述补结构中的“个”还保留有量词痕迹。“个”是否有量词嫌疑与“得”前动词的语义类别有关。若是取义动词，“V得”后的成分容易呈现出可数名词特征，若为非取义动词，该特征一般消失，这一特点一直保留到现代汉语，如“问个明白/打他个落花流水”。从《朱子语类》看，多数“V得个O”动态述补结构中的“个”不再表示确指数量，已经语法化成结构助词，其他如“V得个C”等中的“个”更是结构助词，所以，我们倾向于把结果述补式中的“个”也看作结构助词。

3.“得”有实词义，动词性质较明显，表示“获得”性涉及结果，在述语后面作结果补语。

4.宾语为体词性宾语，多数由名词性偏正结构充当，如例㊽，个别是两种结构的套合式，如例㊾是由偏正结构组成的并列结构，也有一些单、双音节名词，如“气、钱、贼、意思、中原、人才、道理”等。

5.“V得(O)”结果述补结构一般是在句中独立作谓语，如例(51)，也不乏在连谓结构中充当结构前、后项的用例，如例㊾，个别还有作宾语的情况，如例(52)。

6.否定式。否定词有“不”、“未”和“不曾”，位置有二：一是置于“V”与“得(O)”之间，二是置于“V得(O)”之前。“V不得”式在《朱子语类》中一般表示能性意义，表结果的不多，限于“V”为取义动词的格式。"V不得"结果述补结构与同形能性述补结构的来源途径不同,前者由连谓式"V不得"发展而来,后者由能性助动词"不得"后移而来。

(二)语义特征

1.成分的语义性质

(1)充当述语的是取义动词,表示施事所发出的动作行为;"得"有动词痕迹,表示"获得"性涉及结果;若带宾语,宾语一般是动作行为的受事;有时结构中还带有结构助词"个",因在结果述补结构中常与有量化特征的名词性成分共现,所以不能完全排除量词嫌疑,但考虑到《朱子语类》述补结构中"个"的总体语法分布,我们将之看作结构助词。

(2)"V得(O)"结果述补结构一般出现在已然语境或虚拟已然的语境中,表示通过某种动作行为获得某种结果。

(3)补语"得"的语义指向述语所表示的动作行为。

2.基本语义结构

隐层构成两个语义动核结构,以"某于刘共父家借得全书看……(8·3124)"为例,即:A.某借全书,B.某借得。隐层动核通过一定句法手段套合在一起就形成显层的相应结构。

二 "V得(O)"动态述补结构的形式和语义特征

(一)形式特征

共1776例,肯定形式1518例,否定形式258例。肯定式有:V得,304例;V得(个)O,1209例;变式"VO得",5例。否定式有:NegV得,115例;VNeg得,33例;NegV得(个)O,99例;VONeg得,6例;变式5例:不曾V得V得(1例)、V得不曾(1例)、不VO得(1例)、V不得O(2例)。依类举例讨论如下。

肯定形式:

㊴须先读本文,念得,次将《章句》来解本文,又将《或问》来参《章

句》。(1·257)

(55)如秦焚书,也只是教天下焚之,他朝廷依旧留得。(8·3277)

(56)国初人材,是五代时已生得了。(8·3085)

(57)唐官看他《六典》,将前代许多官一齐尽置得偏官,如何不冗?(7·2963)

(58)今有一般人,看文字却只摸得些渣滓,到有深意好处,却全不识!(7·2615)

(59)盖天在四畔,地居其中,减得一尺地,遂有一尺气,但人不见耳。(7·2506)

(60)候玩味得七篇了,渐觉得意思。(7·2807)

(61)今却只下得个种子了便休,都无耘治培养工夫。(6·2087)

(62)平常只是在外面听朋友问答,或时里面亦只说某病痛处得。(1·258)

否定形式:

(63)旧时未理会得,是下了多少工夫!(7·2513)

(64)及看不得,便将自己身上一般意思说出,把做圣人意思。(1·179)

(65)今人只泛泛说得道,不曾见得性。(7·2550)

(66)今人多是未曾知得个大规模,先去修治得一间半房,所以不济事。(1·130)

(67)讲学切忌研究一事未得,又且放过别求一事。(7·2848)

(68)这个道理,在在处处发见,无所不有,只是你不曾存得养得。(8·3023)

(69)莫依傍他底说,只问取自家是真实见得不曾?(7·2802)

(70)据其所见,本不须圣人文字得。(7·2978)

(71)这都看不得礼之大体,所以都易得偏。(7·2564)

1. 述语一般为及物性单音动词，如例㊹—㊾，少数为不及物单音动词（下例⑨⑦），由于述语动词语义范围的扩大——由取义动词向非取义动词扩展，"得"开始虚化，所以双音动词和词组作述语的用例较之结果述补式明显增多，见例⑥⓪⑥③⑥⑦。常见述语成分有：编、掷、照、做、传、办、看、读、念、说、学、吹、吃、埋、减、去（去除）、留、守、积、变、坐、来、入、知、见（明白）、觉、思、感、晓、想、认、识、点化、存养、蔽窒、藏掩、形容、考订、灌溉、开垦、教养、虏掠、商量、推算、承当、改换、拣荐、积叠、绝断、寻究、察识、玩味、揣摸、识认、体认、思量、理会，等等。双音词组的内部结构形式一般是并列式。

2. 由于述语动词由取义动词扩展为非取义动词，"得"的词义虚化，"获得"实词义完全丧失，而表示动作行为的完成实现，但仍有一定意义，能用"成、到、掉、出、完"等表示动作有了结果或完成的半虚化性成分来替换，还有不少"得""了"连用的结构形式如"V得了""V得（个）O了"（例⑤⑥⑥⓪⑥①），"得"与"了"在同一句法格式中共存，说明二者功能有异："得"是补语，表示动作的完成实现，"了"是动态助词或事态助词（或兼顾二职），强调动态或事态的完成，所以"得"还不是动态助词。不过，《朱子语类》中开始出现"得""了"互文的用例：

⑦②又如吃药，吃得会治病是药力，或凉，或寒，或热，便是药性。至于吃了有寒证，有热证，便是情。（1·91）

⑦③扶得东边，倒了西边；知得这里，忘了那里。（8·3140）

前例中的"得"与完成动词"了"相呼应，二者性质相同；后例"得"与动态助词"了"互文，虽难以排除掉完成动词的嫌疑，但显示出了向动态助词发展的趋向。

这里涉及到一个问题："得"在汉语动态助词系统中到底处于什么地位？要弄清这个问题需结合汉语史其他历时文献一起考察，同时还要掌握好辨识动态助词"得"与动态补语"得"的标准。从《朱子语类》

看,在结果补语、动态补语和动态助词三种功能中,充当动态补语是"得"的主要功能,动态助词的地位没有确立,其实"得"的整个历时发展情况也是如此。出现这种局面是有原因的:当"得"还在向动态助词发展时,"了"作为动态助词的地位已经完全确立,汉语动态助词系统中各类助词的功能分工也已趋于明确,这使得"得"不再有向动态助词功能扩展的机会;而且,"得"的语义特征与"了"也有明显差异,较强的完成动词意义限制了它的进一步语法化,而完成动词身份在汉语史中又历时过长,这使得它在刚刚萌芽出动态助词的功能又尚未完全站稳脚跟时就被别类动态助词淘汰掉了。所以,"得"作为动态助词,在汉语发展史中不过是昙花一现。

3. 由于动态述补结构中述语动词语义范围扩大,"得"后宾语语义泛化,不再是述语动词的具体获取对象,这使得"个"与数量词的距离越来越远,虚化程度更高,即使用在名词前也很难再看成是计数的量词(如例㊿),而成为结构助词。因"得"的渐趋虚化,"得"字结构带动态助词或事态助词(有时兼顾二职)"了"的用例也越来越普遍(例㊺)。

4. 动态述补结构带宾语的情况占据了绝对优势,将近是不带宾语用例的4倍,以"V 得(个)O"为主要形式,"VO 得"出现频率相当低(5例,例㊽),可看成变式。宾语既有体词性宾语,也有谓词性宾语,后者是结果述补结构中所没有的,这与述语动词范围的扩展、"得"的虚化以及整个"V 得 O"结构的语法化都有关系。宾语的构成已经相当丰富,除占绝对优势的名词性偏正词组外(见例㊾㊽等),单、双音节名词、代词、数量词、动词、形容词及其重叠式,各类词组如同位、并列、状中式偏正、主谓、述宾等以及多种词组的套合式都可以充任宾语,例证见上文所举,形容词及各类词组作宾语的再略举几例:

㊆所以目视霄汉,悠悠过日,下梢只成得个狂妄!(8·2972)

第二节 《朱子语类》"V 得(O)"述补结构的形式和语义特征　217

⑦⑤既知得悠悠,何不便莫要悠悠?(7·2803)

⑦⑥他只念得"于仁也柔,于义也刚"两句,便如此说。(1·106)

⑦⑦其有知得某人诗好,某人诗不好者,亦只是见已前人如此说……(7·2802)

⑦⑧因今日有这情,便见得本来有这性。(1·89)

⑦⑨恁地,便见得天王都做主不起。(6·2145)

⑧⓪今人自无实学,见得说这一般好,也投降……(1·93)

⑧①某初不晓得,后来看得他们都是把本原处是别有一块物来模样。(7·2742)

⑧②这便见得他孟子胸中无一毫私意蔽窒得也……(1·290)

5. "V 得(O)"动态述补结构在句中基本上是作谓语(如前例⑤④⑤⑤等),也可以作主语、定语、状语等,若构成名词性"底"字结构或"者"字结构时,还能作宾语,后几种举例如下:

⑧③然来得已不是;及至,又无可为者,只是说得那没紧要底事。(7·2572)

⑧④学得底人,有许多机锋,将出来弄一上了,便收拾了。(8·3030)

⑧⑤如赤子入井时,恻隐怵惕之心,只些子仁,见得时却好看。(6·2434)

⑧⑥将来理明,却将已晓得者去解得未晓者。(8·2940)①

6. 能与连谓式、处置式、被动式套合使用,例如:

⑧⑦蔡季通去庐山问得,云是腐叶之光。(8·3034)

----

① "晓得"在《朱子语类》中出现频率很高,已经有成词趋向,不过"晓""得"中间仍可插入其他成分,而且会因否定词和宾语位置的不同而出现多种变式,如"晓得、晓不得、不晓得、晓义理不得、不晓得义理",等等,所以,本文仍将之视作述补结构。类似形式在《朱子语类》中不少,如"知得、识得、见得"等,也都处理作述补结构。

⑧⑧南渡时,有许多人出来做得事。(8·2963)

⑧⑨《联句》中被他牵得,亦着如此做。(8·3327)

⑨⑩曾点不知是如何,合下便被他绰见得这个物事。(7·2826)

⑨①体认是把那听得底自去心里重复思量过。(7·2616)

⑨②唐官看他《六典》,将前代许多官一齐尽置得偏官,如何不冗?(8·2963)

7. 否定式以"NegV得、NegV得(个)O"为基本形式,"VONeg得、VNeg得O、NegVO得、VNeg得"用例不多,各类形式少见是有原因的。"VONeg得"自汉代始就被能性述补结构占用,在唐宋时代也是能性述补结构的主要否定形式,这是它少见的原因之一,它与同形能性式形成机制的不同是原因之二,能性"VONeg得"式来源于能性助动词"不得"的后移(蒋绍愚1994),而动态"VONeg得"式是由同形连谓式重新分析而来,它在魏晋六朝时期还处于重新分析阶段,定型化尚需时日,如:①

⑨③如是处处,求水不得。(支谦译《撰集百缘经》卷九P246下,《大正藏》No.200)

这一过程的最后完成大概是在唐代。"VNeg得O"式可能是从"V得O"式类推而来,同样的类推在能性述补式中也发生过,正因为该式在一定时期内兼顾动态和能性两种功能,后来又成为与"V得O"式相匹配的能性述补式的主要否定形式,所以表动态的同类否定形式一直没有得到扩张发展。"V不得"式主要用于能性述补结构的否定,这是它少见的原因。"V不得"动态述补结构与同形能性述补结构的来源途径也不同,前者由连谓式"V不得"发展来,后者由能性助动词"不得"后移

---

① 此例转引自赵长才《汉语述补结构的历时研究》,第79页,中国社会科学院语言研究所2000年博士学位论文。

而来,个别用例尚保留从连谓式过渡而来的痕迹,如:

㉔赴试屡试不得,到老只恁地衰飒了,沉浮乡曲间。(1·245)

"屡试不得"的意思是"屡试不中",若表完成实现义,自然应是由"屡试而不得"重新分析而来。"NegVO得"是罕见的变体形式。

否定词有"不、未、不曾、未曾","不、未"是对已然事件的否定,"不曾、未曾"是对完成体和经验体的否定。

"NegV得(O)"等式动词前还可插入形容词、时间副词等修饰成分,例如:

㉕今之学者不曾亲切见得,而臆度揣摸为说,皆助长之病也。(1·158)

㉖若是不先知得这道理,到临事时便脚忙手乱,岂能虑而有得!(1·279)

另有5例"未V得(O)在"式,"在"是对动作行为的存在进行肯定的语气助词,[①]如:

㉗若只恁地待他自变,他也未与你卒乍变得在。(6·2425)

㉘廷秀行夫都未理会得这个功夫在。(7·2874)

(二)语义特征

1. 成分的语义性质

(1)与结果述补式相比,动态述补式中述语动词的语义特征发生了很大变化,取义动词不能进入,多数为非取义动词,按其语义特征可分为以下几类:其一,"涉及"义或是动作发生后能产生涉及性结果的动词,如"摸、触、用、窥、说、读、击、看、把、染、靠、扶、做、减、少、去、克、包、抱、牵、守、记、留、渡、行(走)、报(报仇)、救、练(训练)、耕、开垦"等,这

---

① 吕叔湘《释〈景德传灯录〉中在、著二助词》,《吕叔湘文集》第二卷:《汉语语法论文集》,第58页,商务印书馆,1995;曹广顺《近代汉语助词》,第171页,语文出版社,1995。

些动词与"得"结合时也显示出语义特征的细微差别,具体情况上节已有论述。其二,"成果"义动词,即动作发生后能带来成果性结果的动词,如"变、造、修、置(设置)、积、编、编录、生(产生)、凝结"等。上面两类中,有的动词兼跨上述两类语义特征,如"做"等,一定的上下文中,它有时表示涉及性结果,有时表示成果性结果。具体原因和用例前文已有讨论。其三,知见类动词,如"见(了解)、会、了、晓、觉、识、明、通(通晓)、思、察、料、度、思量、理会、体察"等,"知见"动词实际上是"涉及"义动词的一部分,因语义特征明显,且用例多见,所以单独列类讨论。跟在这类动词后面的"得"语义较"取义"动词后面的"得"稍虚,但仍带有一定的"结果达成"义。

(2)"得"已经半虚化,又还保留有一定意义,能与"成、出、到、完、掉"等表动作完成或有了结果的半虚化性成分相替换,可看成是表动作完成的完成义动词充当动态补语,语义指向述语动作。"个"为结构助词。

(3)谓动词前的名词性成分可以承上下文省略,一般都是施事,少数为受事,受事用例如:

⑨熟读了,自精熟,精熟后,理自见得。(1·167)
宾语一般都是受述语动词所表示的动作行为支配的受事。

2.基本语义结构

隐层构成两个语义动核,"NP"是施事的,以"如做得个船……(8·2934)"为例,隐层语义动核结构为:A.($N_{施}$)做船,B.($N_{施}$)做得个船;"NP"是受事的,以"熟读了,自精熟,精熟后,理自见得(1·167)"为例,隐层语义动核结构为:A.($N_{施}$)见理,B.($N_{施}$)见得理。隐层的两个动核结构通过一定的句法手段套合在一起就形成相应的显层结构。

三 "V得(O)"能性述补结构的形式和语义特征

(一)形式特征

共 1470 例,肯定式 825 例,具体形式:V 得,324 例;V 得(个)O,485 例;VO 得,16 例。否定式 645 例,有:NegV 得,43 例;VNeg 得,396 例;VONeg 得,146 例;NegV 得(个)O,44 例;NegVO 得,3 例;VNeg 得 O,13 例。依类举例讨论如下。

肯定形式:

⑩ 虽是气禀,亦尚可变得否?(6·2425)

⑩① 心不是横门硬迸教大得。(7·2540)

⑩② 若本无,却如何建立得?(8·2968)

⑩③ 那人既无资送,如何便回去得?(8·2970)

⑩④ 而今一齐说得枯燥,无些子滋味,便更看二十年,也只不济事,须教他心里活动转得,若〔莫〕着在那角落头处。(8·2929)

⑩⑤ 天下有必亡之势,这如何慢慢得!(8·3231)

⑩⑥ 他如何晓得我底意思!(8·2925)

⑩⑦ 若是不哀,别人如何抑勒得他!(6·2279)

⑩⑧ 无人理会得《老子》通透,大段鼓动得人,恐非佛教之比。(8·2992)

⑩⑨ 纷乱是他自纷乱,我若有一定之见,安能纷乱得我!(8·2848)

⑩⑩ 岂有学圣人之书,为市井之行,这个穷得个甚道理!(1·289)

⑪⑪ 未发之前,不是瞑然不省,怎生说做静得?(6·2469)

否定形式:

⑪⑫ 及王齐贤去,颜依旧行下约束,却被某不能管得,只认支使了。(7·2682)

⑪⑬ 工夫到此,自是不能间断得?(7·2882)

⑭看也看不得了,行也行不尽了,说也说不办了。(7·2622)

⑮某平生不会懒,虽甚病,然亦一心欲向前做事,自是懒不得。(7·2890)

⑯然此理自掩蔽不得,故曰"暗然而日章"。(7·2490)

⑰方图又却两头放小不得。(1·22)

⑱天上有仙人下来吃,见好后,只管来吃,吃得身重,遂上去不得……(6·2380)

⑲文字可汲汲看,悠悠不得。(7·2779)

⑳初学心下恐空闲未得。(7·2758)

㉑它自知定学做孔子不得了,才见个小家活子,便悦而趋之。(8·2962)

㉒若是如此做将去,无大段残暴之事,恐卒消磨他未得,盖其势易以振起也。(8·3195)

㉓虽做得圣人田地,也只放下这敬不得。(1·126)

㉔恁地靠着他不得。(1·110)

㉕看甚大事小事,都离了这个事不得。(6·2421)

㉖人须是识得自家物事,且如存,若不识得他,如何存得?(7·2880)

㉗若不识得个头,只恁地散散逐段说,不济事。(7·2759)

㉘要之,税有轻重,如何不出乡得?(7·2715)

㉙但恐如草药,锻炼得无性了,救不得病耳!(7·2671)

1.能性述补结构述语的形式构成与动态述补结构差别不大,绝大多数都是及物性单音动词,个别为不及物单音动词,双音动词和词组也不少,还有多音节形式,所不同的是进入格式的动词语义类别有变化,瞬间动词可以进入,形容词及其重叠式、动结式或动词后带动态助词等也可以进入。常见的如:撰、做、述、说、毁、守、执、着(附着)、倚、持、谩、教、坑、作、穷(推究)、到、救、学、吃、责、看、代、念、读、替、济、扶、离、种、牵、存、养、动、变、认、识、觉、察(体察)、推(推测)、知、晓、了(了解)、会(理会)、去、入、出、开、全、高、益、足、懒、处置、担当、整顿、探讨、安排、分别、文饰、照管、建立、扫荡、遮护、收拾、成就、启发、诛讨、变化、承载、把捉、制驭、抑勒、侵轶、倚靠、扩充、理会、辨识、体识、知见、纷乱、空闲、悠悠、慢慢、回去、上去、放小、鼓动,等等。双音及多音成分基本上是并列式和述补式,以前者居多,如例(102)—(105)、(107)—(109)、(116)—(120)等。

能性述补式的述语前面常有能愿助动词“能、会、要、可”等(例(100)(109))帮助强调能性意义,但去掉它们并不影响能性意义的表达,可见“V得(O)”结构是能性意义的主要负载者。

2. 一般来说,初期的“V得(O)”能性述补结构与同形动态述补结构的区别仅在于语境的不同,当“V(得)O”结构处于已然语境时,是动态述补结构,处于未然语境(表示假设、推测、疑问等)时就是能性述补结构,因此,当“V得(O)”能性述补结构与动态述补结构的区别仅在于语境的已、未然差异时,能性结构中的“得”与动态结构中的“得”是同一的,都是完成动词,这种用例在《朱子语类》中占据多数。不过,也有部分用例开始摆脱语境发展成为独立定型化的能性述补结构,如:

(130)又如脾胃伤弱,不能饮食之人,却硬要将饭将肉塞入他口,不问他吃得与吃不得。(8·2970)

(131)文士虽未必能,却又口中说得,笔下写得,真足以动人闻听,多至败事者,此也。(8·3141)

(132)他那清明,也只管得做圣贤,却管不得那富贵。(1·79)

(133)不可都要衮去,如人一日只吃得三碗饭,不可将十数日饭都一齐吃了。(1·166)

受语境管辖的能性述补结构的能性功能还是临时性的,一旦摆脱了语境义,则成为功能固定化的能性述补结构,这时,“得”已经由“获得

→达成、实现→可能",成为能性意义的负载者了,是表能性的能性助动词。所以,近代汉语时期的能性述补结构经历了一个由语境承担能性意义向"得"承担能性意义的发展过程。从目前来看,脱离语境义的能性结构在唐五代已经出现,如:

⑬㊉问:"如何是无情说法?"师指东边露柱云:"这个师僧说得。"(祖堂集·324)

也有学者对能性述补结构中"得"的性质有不同看法,如李晓琪(1985)认为能性述补结构"V 得(O)"中的"得"与同形动态述补结构中的"得"具有同一性,都是动词作完成补语,并认为这种用法一直保留到现代汉语普通话中。朱德熙(1982)也认为能性述补结构"V 得"中的"得"是动词,以"说得"为例,朱先生认为"说得"实际上应该分析为"说得得",前一个"得"是助词,后一个"得"是充当补语的动词,因为两个"得"的语音形式相同,所以把助词"得"略去了,李晓琪(1985)还用山西文水方言材料予以了验证。[①] 不过,从历史语料看,并未见"V 得得"结构,它的产生时代难以确知,性质也还有待进一步考证。而且,从汉语史发展事实来看,能性述补结构在近代汉语时期经历了一个由语境承担能性意义向"得"承载能性意义的转换发展过程,所以,我们认为未脱离语境的能性述补结构"V 得(O)"中的"得"是完成动词,一旦脱离语境,就是能性助动词。

另有数十例"(Neg)V 得个 O"式,其中的"个"是结构助词。

3. 作宾语的成分有单、双、多音节名词、代词、形容词,如"事、物、他、我、新、道理、工夫、气质、主宰、这里、精怪、王介甫"等,也有词组,如并列、同位、主谓、述宾、偏正(定中式、状中式)等,还出现了多种词组的套合式。词组作宾语的用例如:

[①] 李晓琪《关于能性述补结构式中的语素"得"》,《语文研究》1985 年第 4 期;朱德熙《语法讲义》,第 133 页,商务印书馆,1982。

第二节 《朱子语类》"V得(O)"述补结构的形式和语义特征

㉟为学无许多事,只是要持守心身,研究道理,分别得是非善恶……(7·2852)

㊱通此五句,才做得"致知在格物"一句。(1·278)

㊲如何见得天有三百六十度?(1·12)

㊳若不就己验之,如何知得是本有?(7·2550)

㊴日用之间如何离得这四个。(1·255)

⑭赵公于军旅边事上不甚谙练,于国事人才上却理会得精密,仍更持重,但其心未必如张公辨得为国家担当向前。(8·3149)

⑭①第一且是攒宫掘个窟在那里,如何保得无水出!(7·2667)

⑭②每日只讲两行书,如何做得致君泽民事业?(7·2557)

⑭③而今某自不曾理会得,如何说得他是与不是。(1·26)

4. "V得(O)"能性述补结构一般作谓语,少数有作定语及连谓式前后项谓动成分的情况,如:

⑭④公不知,便是《六经》,也有说得行不得处。(8·3154)

⑭⑤但它几个心难一,如何有个人兜揽得他,也是难。(8·3215)

5. 否定式的基本形式是"VNeg得、VONeg得、NegV得(个)O","VNeg得O、NegVO得"式少见。表可能的"V得"与"V不得"相对称的格局已基本定型,语料中常有对举的情况。带宾语的能性述补结构的肯定、否定式仍呈不对称格局,与"V得O"相对的三类否定式出现频率为:"VONeg得"146例,占70%,"NegV得(个)O"44例,占21.4%,"VNeg得O"13例,占6.3%,另有少量变体"NegVO得"式(3例)。蒋绍愚师(1994)认为"V得O"与"VONeg得"的不对称是因二者来源不同造成的,其说可信。至于"NegV得O"式,应由"V得O"式类推扩展而来。而"VNeg得O"式,蒋绍愚师(1994)认为是"V得O"式类推的结果。① 类推的动因源于语言系

---

① 见蒋绍愚《近代汉语研究概况》,第195—197页,北京大学出版社。

统中相关语法形式之间的归并整合。在后来的发展中,由于"V 得 O"与"V 不得 O"这一对肯定否定格式在形式语义上有整齐划一的优势,这使得它们逐步取代了其他格式,成为能性述补结构肯定、否定形式的主要格式。《朱子语类》中"VNeg 得 O"式虽还不多见,但已显示出发展并替代"VONeg 得"式的苗头,"V 得 O"与"V 不得 O"对举的用例时有出现,如前例⑬。

否定式中有 9 例"V 不得了"式(例⑭),"了"表示从可能到不可能事态的转变,是事态助词,偶尔"了"也能出现在"VONeg 得了"和"V 了 ONeg 得"中,如例⑫⑮,前例"了"是事态助词,对动作预期结果实现的可能性的否定性结论进行肯定,后例"了"是动态助词。

否定词主要有"不、未"。"未"通常用于对已然事实或变化的否定,相当于"没(有)",但它在《朱子语类》中与"不"有混用的情况,"未 V 得""V 未得"可以表示未然语境中的能性否定,而"V 不得""不 V 得"也可以用于已然状态下结果、动态的否定。

否定式能性述补结构对语境也有依赖,一般出现在未然语境,但脱离语境的用例已相当常见。

带宾语的各类否定式能性述补结构一般作谓语,少数可以作宾语(例⑫)。不带宾语时,一般作谓语,也可作宾语、定语等,还能与连谓式连用,充当后项谓词性成分,如:

⑭如潘叔度临死,却去讨佛书看,且是止不得。(7·2896)

⑭辛幼安亦是个人才,岂有使不得之理!(8·3179)

⑭他便撰许多符呪,千般万样,教人理会不得,极是陋。(8·2991)

与其他句式如被动式、处置式等连用的情况不多见(见例⑫),概与被动式、处置式多用于已然语境有关。

(二)语义特征

1. 成分的语义性质

(1)从述语动词的语义特征看,由于语义限制,取义动词不能进入,述语动词主要有两类:一是心理感知动词,如"知、觉、辨、理会、辨识、体察"等;二是非取义动作动词、状态动词及相关动词性结构,如"出、入、来、去、做、转、用、掷、变、吹、说、吃、读、埋、坐、存、养、住、载、藏、守、分别、整顿、照管、安排、倚靠、扫荡、建立、担当"等。与动态述补结构不同的是,非持续性瞬间动词可以进入格式,表示性质状态的形容词、表示动作有了结果的动结式等也可以进入。

(2)主语时隐时现,在不带宾语的结构式中,它既可以是施事,也可以为受事。如:

⑭如人饥饱寒暖,须自知之,他人如何说得!(7·2837)

⑮只是这私意如何卒急除得!(6·2180)

若带宾语,则因受事宾语的出现,主语一般是施事,如:

⑮若是不衰,别人如何抑勒得他!(6·2279)

(3)"得"因能性结构的不同发展阶段,分别为完成动词和能性助动词,其语义指向述语动作。

2. 基本语义结构

无论主语是施事还是受事,隐层都只构成一个语义动核结构,"NP"是施事的如例⑮,语义动核为:别人如何抑勒得他;受事的如例⑮,语义动核为:这私意如何卒急除得。凡受语境制约的能性"V得(O)"述补结构,其深层语义动核也不能脱离语境,如上述例中指示语境的成分"如何"不能去除。

四 "V得(O)"动态/能性述补结构的形式和语义特征

(一)形式特征

共381例,有以下几类:V得,131例;V得(个)O,205例;NegV得,20例;VNeg得,17例;NegV得O,5例;VONeg得,3例。依类举例讨论如下:

⑫只如"明明德"一句,若理会得,自提省人多少。(7·2655)

⑬风俗滚来滚去,如何到本朝程先生出来,便理会发明得圣贤道理?(7·2915)

⑭人若除得个倚靠人底心,学也须会进。(7·2748)

⑮某时为学,虽略理会得,有不理会得处,便也恁地过了。(7·2513)

⑯其初亦自晓不得,后来仔细思之,日之中各自不同……(6·2214)

⑰向时不理会得孟子,以其章长故也。(1·190)

⑱心不定,故见理不得。(1·177)

1. 述语动词以及物性单音动词为主,如"知、识、见(了解)、晓、领(领会)、记、断(判断)、背(记忆)、使(使用)、做、存、养、除"等,如例⑭⑯等;双音动词以"知见"类动词"理会"的复现率较高,见例⑫;词组充当述语的少见,如例⑬。

2. 由于动态/能性述补结构是一种两可分析的结构,歧义的产生基本上与语境有关,所以,多数用例中的"得"在动态或能性述补结构中的性质是一样的,是表动作完成的半虚化性完成动词,少数能性意义已经脱离了语境的用例中,"得"的性质为二:在动态述补结构中是完成动词,在能性述补结构中是能性助动词。插入"个"的"V得个O"式有12例,如例⑭,"个"是结构助词。

3. 多数充当宾语的成分是名词性偏正词组,还有单、双音节名词、代词、并列词组、述宾词组、主谓词组及多种词组的套合例。宾语为偏正式以外的词组用例如下:

⑲"尹和靖从伊川半年后,方见得《西铭》《大学》",不知那半年是在做甚么?(6·2457)

⑳亦未说至此,须是见得有踊跃之意,方可。(7·2842)

⑯且如与人相揖,便要知得礼数合当如此。(7·2909)

⑱通得《大学》了,去看他经,方见得此是格物、致知事;此是正心、诚意事;此是修身事;此是齐家、治国、平天下事。(1·252)

4."V得(O)"动态/能性述补结构在句中一般作谓语。

5.否定式中的否定词均为"不",对动作行为的实现或实现的可能性进行否定。否定式在句中一般也作谓语,有时可作定语等(例⑮)。

(二)语义特征

1.成分的语义性质

(1)前文已述,此类述补结构的出现原因主要在于语境的模糊性,即语境可以作两可解释:既可以理解成已然状态下的实现性语境(动态述补结构),也可以理解成未然状态下的非实现性语境(能性述补结构),而这种模糊语境在《朱子语类》中出现频率较高的原因,一方面是与它讲述义理的语体内容密切相关,另一方面则与述语动词的语义特征有关。

动态/能性述补结构的述语动词以知见类心理动词为主,动作动词及其词组极少出现。知见动词大量进入是有原因的,知见动词表示人类对客观事物的主观认知能力,动作性不强,这种语义特点使得它们通常出现在时间特征不明显的语境中,在这种语境中,人们对其所表达的语义会因观察角度的不同而有两可解释:若着重于知见行为的时间过程,强调其实现性特征,就是动态述补结构的语义特征;若从人类主观认知能力着眼,强调主体对客体的认知能力,则是能性述补结构的语义特征。而动作动词由于动作性较强,因而语境义一般也较明晰,很少出现在该格式中,个别出现在结构中的非知见动词,往往是某种泛义行为动词或状态动词,基本不表示十分具体的动作义,如"除、存、养"等。

(2)动态/能性述补结构是一种兼类结构,结构中"得"的性质有两种情况:未脱离语境的用例中,"得"是完成动词;脱离语境后,"得"分属两类:在动态述补结构中是完成动词,在能性述补结构中是能性助动词。"得"的语义指向述语动作。

2.基本语义结构

隐层语义动核结构与相应的动态或能性述补结构一致,兹不赘述。

本章小结

以下是《朱子语类》中各类"V得(O)"式使用情况的统计:

格式\类型	结果述补结构	动态述补结构	能性述补结构	动态/能性述补结构	总计
V得	20	304	324	131	779
V得(个)O	123	1209	485	205	2022
VO得		5	16		21
VNeg得	7	33	396	17	453
NegV得	4	115	43	20	182
NegV得V得		1			1
V得Neg		1			1
NegV得(个)O	2	99	44	5	150
VNeg得O	1	2	13		16
VONeg得		6	146	3	155
NegVO得		1	3		4
总计	157	1776	1470	381	3784

总体来说,《朱子语类》中的"V得(O)"述补结构有以下特点:

一、使用频率高(共3784例)、功能全(能表示结果、动态、能性、动态/能性等多种语法意义),这表明,《朱子语类》时代"V得(O)"式仍是述补结构的重要表达形式,占据着重要地位。

二、不同类别的"V得(O)"述补结构在这一时期呈现出不同变化,表现在：

（一）结果述补结构呈萎缩趋势，动态述补结构极度膨胀，用例数量急遽增加，二者频率比为 1∶11，动态述补结构已上升为"V 得（O）"式的主要功能形式。

（二）能性述补结构虽然还需依托于未然语境，但已经出现了相当数量的脱离语境的独立定型化的能性述补结构，这是此期能性述补结构的重要变化。

（三）动态/能性述补结构的存在是《朱子语类》一书的特色，与该书的内容及语体特点有关系，而心理感知动词在述语位置上的高复现率是此类述补结构出现的直接动因。

三、"V 得（O）"述补结构的内部构成特点：

（一）述语成分的双音化趋势呈递增态势，据粗略统计，双音成分作述语的用例已占到 10% 左右。形容词也可以出现在述语的位置上，用例虽不多见（共 29 例，0.8%），但较之前代已有很大发展，而且形容词的双音化比例大大高于动词性成分（超过 30%）。若是词组充当述语，其内部结构形式基本上是并列式，多音节成分作述语的例子也偶能见到，一般为并列式。

（二）作宾语的成分一般是体词性成分，如名词、代词和偏正词组，部分是谓词性的形容词和动词、其他各式词组如并列、述宾、主谓、连谓及多种词组的套合式等充当宾语的情况也不少见，形式已相当丰富，格式构造也相当复杂。

（三）"得"的主要功能是作表动作完成实现的动态补语，它的演化轨迹反映了绝大多数动态助词的语法化途径，即：由独立动词→连谓式后项成分→结果述补式补语→动态述补式补语→动态助词。结果述补结构中的"得"用于取义动词后，虚化程度低，在动词后作结果补语；动态述补结构中的"得"用于非取义动词后，虚化程度较高，是完成动词充当半虚化的动态补语,表示动作行为或状态的完成实现;受语境管辖的能性述补结构中的"得"与动态述补结构中的"得"具有同一性,脱离语境的能性述补结构中的"得"是能性助动词作补语。"了"一般是表动作实现完成的动态助词,或是表事件情貌发生变化的事态助词,有时是动态助词兼事态助词。"个"在结果义"V得(O)"式中似还保留有数量词的痕迹,但就总体用法来看,已经语法化为结构助词。"在"是对事物存在进行肯定强调的语气助词,有加强句子语气的作用。

四、语义特征方面,主要表现为各类"V得(O)"述补式的述语动词呈现出不同特点:结果述补结构中都是取义动词,动态述补结构中为非取义动词,包括涉及、成果、知见等语义类别,能性、动态/能性述补结构中则基本上是非取义动词,可粗分为动作、状态、知见等类别。

除能性述补结构外,"V得(O)"述补结构一般在隐层构成两个语义动核。否定词和宾语的位置对隐层语义动核的构成没有影响。补语"得"的语义指向述语动作。

五、《朱子语类》时代,"V得(O)"式还处于高度能产期,使用频率高,功能全,结构形式极为丰富。不过,"V得(O)"式中的动词已经呈现出一定的复现率较高、类型化、固定化的趋势,如心理感知动词,此类的高复现率与《朱子语类》一书的内容和文体特点分不开,但不少动词由于复现率较高,有形成固定表达式或凝固成词的迹象,如:觉得、晓得、记得、认得、免得、难得、易得,等等[①],此外还有一些固定搭配,如:不消得、不见得、免不得,等等。这种趋势进一步发展就造成"V得(O)"式能产性降低,最终萎缩消失。就发展趋势来说,"V得(O)"述补结构的繁复功能到后代特别是现代汉语中有一个逐步萎缩直至消失的

[①] 以上各式不能一概而论,有的已成词,如"难得、易得",有的如"晓得"等,虽有成词趋向,但《朱子语类》时期"V得"中间仍可插入其他成分,或因否定词和宾语位置的不同出现多种变式,宜处理作述补结构。

趋势,萎缩消失的原因除与"V得(O)"式的自身发展有关外,还与动态助词及其他述补结构的兴起发展,使得"V得(O)"式表结果、动态的功能被替代等因素有关,如随着汉语动态助词系统的归并整合,"得"逐步被具有相同语法功能且功能单一的其他动态助词诸如"了"、"着"等所替换;"V得C"述补结构在后代进一步发展,所表达的语义更丰富,在表结果状态和能性义的同时,还能表达出"V得(O)"结构所不能表达的语义,因此"V得C"便以更为丰富精密的语义表达在竞争中取得了优势地位。现代汉语中,已不用"V得(O)"式表结果、动态,少数情况下用它来表能性,但表能性时"V得"的后面一般也不带宾语了。

本章参考文献

曹广顺 1995《近代汉语助词》,语文出版社。
蒋绍愚 1994《近代汉语研究概况》,北京大学出版社。
—— 1999《汉语动结式产生的时代》,《国学研究》第六卷,北京大学出版社。
李晓琪 1985《关于能性述补结构式中的语素"得"》,《语文研究》第4期。
吕叔湘 1941/1995《释〈景德传灯录〉中在、著二助词》,载《吕叔湘文集》第二卷:《汉语语法论文集》,商务印书馆。
太田辰夫 1958/1987《中国语历史文法》,蒋绍愚、徐昌华译,北京大学出版社。
王力   1958/1980《汉语史稿》(中),中华书局。
吴福祥 1998《试论现代汉语动补结构的来源》,《汉语现状与历史的研究》,中国社会科学出版社。
杨建国 1959《补语式发展试探》,《语法论集》第3集,中华书局。
杨平   1989《"动词+得+宾语"结构的产生和发展》,《中国语文》第2期。
岳俊发 1984《"得"字句的产生和演变》,《语言研究》第2期。
赵长才 2000《汉语述补结构的历时研究》,中国社会科学院语言研究所博士学位论文,未刊稿。
朱德熙 1982《语法讲义》,商务印书馆。
祝敏彻 1960《"得"字用法演变考》,《甘肃师范大学学报》第1期。

第五章 《朱子语类》中的"V 得 C"述补结构

第一节 《朱子语类》"V 得 C"述补结构的界定分类

对于近代汉语"V 得 C"述补结构的分类,学界看法不一。[①] 有学者把它分成状态(情态)补语和可能补语两类(杨建国 1959、祝敏彻 1960、岳俊发 1984),有的分成状态、程度、结果、趋向和可能补语五类(杨平 1990),有的认为它是多层级体系,包括结果补语[预期结果(又分成非趋向结果、趋向结果)、状态结果、程度结果]和可能补语等数类(赵长才 2000)。以上分类一般以意义为标准,这样分出来的类别往往有交叉,使得结果、状态、程度等补语之间的界限不易划清。因为从本质上说结果、状态、程度补语等都是对事物在一定阶段或场合中所表现出来的状况的说明,是结果的不同语义表现形式,只是侧重方面有差异(状态突显动作结果所呈现的状貌,程度突显结果所达到的维度),如"热得出汗",既是对"热"的结果的叙述,也是对"热"的状态的描写或程度的说明。

[①] 各家意见请参见:杨建国《述补结构发展试探》,《语法论集》第 3 集,中华书局,1959;祝敏彻《"得"字用法演变考》,《甘肃师范大学学报》1960 年第 1 期;岳俊发《"得"字句的产生和演变》,《语言研究》1984 年第 2 期;杨平《带"得"的述补结构的产生和发展》,《古汉语研究》1990 年第 1 期;赵长才《汉语述补结构的历时研究》,中国社会科学院语言研究所 2000 年博士学位论文。

第一节 《朱子语类》"V得C"述补结构的界定分类

要解决上述问题,需结合形式特征。本文将依据形式和意义相结合的原则给《朱子语类》中的"V得C"述补结构分类。根据《朱子语类》"V得C"结构的形式和意义特征,本文把它分成结果、程度、能性、结果/能性、程度/能性述补结构五类。在第一章中我们曾对"V得C"述补结构的界定分类做过简单描述,因各类实际情况较为复杂,本章再做详细讨论。

一 "V得C"结果述补结构

结果述补结构是对动作行为或状态变化的结果进行陈述说明,述语由动词充当,补语由动词、动词性词组及谓词性指代词充当。例如:

①被他只就一个"敬"字上做工夫,终被他做得成。(7·2782)
②这里说得如此,那里又却不如此。(7·2630)
③如鸡抱卵,看来抱得有甚暖气,只被他常常恁地抱得成。(1·132)
④向时得《徽宗实录》,连夜看,看得眼睛都疼。(7·2624)
⑤你攻得它前面一项破,它又有后面一项,攻它不破。(7·2500)
⑥也是他见得个道理如此。(7·2608)

前4例是"V得C"式,后2例是"V得(个)OC"式。动词是表示动作、行为、心理活动或存在、变化、消失等的词[①],动词性成分作补语时,主要功能和语法意义是表示动作结果,即对述语动作所造成的结果、状态或变化进行陈述说明,当补语为某些动词性词组时,往往还带有一定的描写性,描写动作或人、物的情态。动词不能表示性质,状态动词所表示的状态与形容词所表示的状态不同,动词也不能表性质状态所达到的程度,因此,动词性成分与形容词性成分作补语所表示的语法意义有

---

① 黄伯荣、廖序东《现代汉语》,第315页,甘肃人民出版社,1985。

本质区别。一般认为形容词是表性质状态的词,实际上,无论性质形容词、状态形容词,还是形容词重叠式,它们都具有一定的程度性,在表程度时还体现出不同的级次性,表程度是形容词的重要功能和语义特征。出于以上考虑,我们把由动词性成分作补语的形式视作结果述补结构,把形容词性成分作补语的形式视作程度述补结构。这样分类能解决单纯从意义区分结果、状态、程度补语所存在的界限不易划清的问题。至于是用结果补语还是用状态(情态)补语来命名就只是处理策略问题。考虑到动词的主要语法意义,我们把动词、动词性词组及谓词性指代词作补语的"V得C"述补结构界定为结果述补结构。

二 "V得C"程度述补结构

程度述补结构是对述语动作造成的结果状态所达到的程度或事物的性质、情状(形容词作述语)所达到的程度进行评价说明。程度的概念是广义的,包括动作行为的量、速度的快慢、持续时间的长短以及结果、状态、性质所达到的程度等。补语一般由形容词及其重叠式以及形容词性词组充当。

之所以定名为程度述补结构,原因是:其一,汉语形容词具有一定的程度性,李宇明(1997)对现代汉语性质形容词、状态形容词及形容词重叠式的级次(形容词的程度的维度上所表现的各种等级)进行过研究,结果表明:性质形容词的程度级次大致分六级(最级、挺级、相当级、参照级、较级、点级),状态形容词的程度级次一般高于性质形容词,单音节形容词重叠后有减轻程度级次的作用,双音节形容词重叠后有加重程度的作用。[①] 所以,当形容词性成分作补语时,其对状态的描写说明更本质的语法意义应当是一种程度性的描写说明。

[①] 见李宇明《论形容词的级次》,载《语法研究和探索(八)》,商务印书馆,1997。

第一节 《朱子语类》"V 得 C"述补结构的界定分类

其二,《朱子语类》时代形容词的情况与现代汉语大体相同。充当程度补语的成分都是形容词、形容词重叠式或形容词性词组,形容词补语表程度时表现出级差分别,性质形容词作补语时前面常有程度副词来帮助强调程度,例如以下用例就显示出从普通级到比较级、再到最高级的递相变化:必是程先生当初说得高了(7·2556)/谢氏发明得较精彩(7·2557)/他看得经书极子细(7·2805)//却不似邵子说得最著实(7·2550)。

从句法形式看,在程度述补结构中充当述语的基本上都是动词和动词性词组,也有少数形容词;补语均为形容词、形容词重叠式及相关词组。例如:

⑦汉卿所问虽若近似,也则看得浅。(7·2743)

⑧若病得狠狠时,也只得去。(7·2660)

⑨不是少,只是看得草草。(1·258)

⑩惟是孟子说义理,说得来精细明白,活泼泼地。(8·3272)

⑪这是自古解作众,他却要恁地说时,是说王氏较香得些子。(8·3102)

⑫譬如他人做得饭熟,盛在碗里,自是好吃,不解毒人,是定。(7·2819)

⑬今须是整肃主一,存养得这个道理分明,常在这里。(7·2783)

⑭古人问筹者,要说得这事分明,历历落落。(8·3286)

前5例是"V 得 C"式,后3例是"V 得 OC"式。

三 "V 得 C"能性述补结构

能性述补结构是结果述补结构和程度述补结构在特定语境(表假设、推测、疑问等未然语境)中的语境变体。"V 得 C"能性述补结构所出现的语境特点与"V得O"能性述补结构基本相同,鉴别它与结果、程度述补结构的标准也基本相同,可参见第四章中的相关说明,此不复述。

"V得C"能性述补结构所表示的语法意义大体有二:一是主观可能性,即主观能力做得到做不到;二是客观可能性,包括客观条件是否允许,事物实现的客观可能性等。

充当述语的基本上是动词及其词组,补语成分有两类:动词及其词组、谓词性指代词,(见下前3例);形容词及其词组(如下后3例)。例如:

⑮若做得成,敌人亦不敢窥伺。(7·2709)

⑯今且须就心上做得主定,方验得圣贤之言有归着,自然有契。(1·202)

⑰人如何测得如此?(6·2214)

⑱此段若无程先生说,终无人理会得透。(8·2970)

⑲若不理会得是非分明,便不成人。(8·3110)

⑳如此,方见得这个道理浑沦周遍,不偏枯……(8·2938)

四 "V得C"结果/能性述补结构

"V得C"结果/能性述补结构是在模糊语境下因对语境预设的两可理解而产生的歧义结构,若从未然语境预设去理解,是能性述补结构;若从已然语境预设着眼,是结果述补结构。这类述补结构的形式和语义特征与相关结果述补结构或能性述补结构相同,补语由动词或动词性词组充当。例如:

㉑古之君臣所以事事做得成,缘是亲爱一体。(6·2284)

㉒若识得个头上有源,头下有归着,看圣贤书,便句句着实,句句为自家身己设,如此方可以讲学。(7·2759)

五 "V得C"程度/能性述补结构

"V得C"程度/能性述补结构也是由于对语境预设的两可理解而产生的歧义结构,从已然语境预设理解,是程度述补结构;从未然语境预设着眼,是能性述补结构。此类述补结构的形式和语义特征与相关程度述补结构或能性述补结构相同,补语由形容词或形容词性词组充当。例如:

㉓天下多少是伪书,开眼看得透,自无多书可读。(6·2187)

㉔儒者之学则有许多义理,若看得透彻,则可以贯事物,可以洞古今。(8·3018)

㉕便是无人考得精细而不易,所以数差。(6·2213)

第二节 《朱子语类》"V得C"述补结构的形式和语义特征

一 "V得C"结果述补结构的形式和语义特征

(一)形式特征

共642例,肯定形式597例,具体形式有:V得C,435例;V/A得来C,17例;V得OC,124例;V得个OC,14例;V得CO,7例。否定形式45例,有:NegV得C,20例;V得NegC,17例;NegV得OC,3例;V得NegCO,5例。依类举例如下:

肯定形式:

㉖和靖在程门直是十分钝底,被他只就一个"敬"字上做工夫,终被他做得成。(7·2782)

㉗有时看得来头痛。(7·2552)

㉘他自豪放,但豪放得来不觉耳。(8·3325)

㉙你攻得它前面一项破,它又有后面一项,攻它不破。(7·2500)

㉚也是他见得个道理如此。(7·2608)

㉛如今须是把得圣贤言语,凑得成常俗言语,方是,不要引东引西。(7·2911)

否定形式:

㉜人每日只鹘鹘突突过了,心都不曾收拾得在里面。(1·114)

㉝这个只可说话,某思量得不是恁地。(6·2239)

㉞如今未曾看得正当底道理出,便落草了……(8·2929)

㉟被他挠得不成模样,人皆不得看卷子。(8·3116)

1. 述语多是及物和不及物性单音节动词,常见的如:寻、取、看、做、杀、说、报、读、编、变(改变/变化)、惹、引、考、吃、医、见(看见/理解)、断(判断)、思、散、生(生长)、收、看、带、修、寄、处(处理)、种、教、学、立(树立)、择、守、存、住、蓄、留、坐、过、出,等等;双音动词、形容词及词组不多,共 70 例,约占 12%,内部构成一般是并列式,偶有述补、述宾式,如:教诲、安顿、收拾、约束、流传、杜撰、整顿、承接、穿凿、涵养、锻炼、收敛、分付、抖搜(抖擞)、栽培、交结、打叠、思量、理会、体察、寻讨、把捉、刮刷、挑载、把定、弄坏、推广、激起、作坏、格物。形容词作述语的少见,共 6 例,1 例为双音节(见上例㉘),另 5 例单音节形容词是"足、乐、忙、热、巧"。单音节及物动词作述语的用例如上例㉖㉗等,单音节不及物动词和形容词、双音节动词及其他词组作述语的如:

㊱建阳旧有一村僧宗元,一日走上径山,住得七八十日,悟禅而归。(7·2554)

㊲而今学者去打坐后,坐得瞌睡时,心下也大故定。(7·2787)

㊳被异端说虚静了后,直使今学者忙得更不敢睡!(1·220)

㊴伯恭又欲主张《小序》,煅炼得郑忽罪不胜诛。(6·2091)

㊵本来诸先生之意,初不体认得,只各人挑载得些去,自做一家说话,本不曾得诸先生之心。(8·2924)

㊶张德远直恁无廉耻,弄坏得淮上事如此,犹不知去!(8·3145)

㊷盖缘是格物得尽,所以如此。(1·284)

2.补语成分丰富复杂,有单、双音节动词(如例㉖㉙㊲)、谓词性指代词(例㉚㉝)、数量词(例㊱)和各式词组,如并列、述宾、偏正、主谓、主谓谓语、述补、介宾词组以及各种词组的套合形式等,各式词组作补语的依类举例如下:

㊸仁本是恻隐温厚底物事,却被他们说得抬虚打险,瞠眉弩眼……(1·120)

㊹但恐如草药,锻炼得无性了,救不得病耳!(7·2671)

㊺却被项羽来杀得狼当走,汤武便不肯恁地。(6·2302)

㊻向时得《徽宗实录》,连夜看,看得眼睛都疼。(7·2624)

㊼每读其书,看得人头痛……(8·3050)

㊽大凡事理,若是自去寻讨得出来,直是别。(7·2883)

㊾如人乘船,一齐破散了,无柰何,将一片板且守得在这里。(7·2896)

㊿弄得天下之事日入于昏乱。(8·3088)

㉛只是说得有详略,有急缓,只是这一个物事。(6·2387)

㉜格物,是穷得这事当如此,那事当如彼。(1·284)

并列结构作补语出现凝固成熟语的倾向,如例㊸,又如"七上八下、惊天动地、四通八达、神出鬼没"等,还常常以与别种词组相套合的形式出现(见例㉛㉜)。

在"V得C"和"V得OC"式中充当补语的成分也有不同,表现为:复杂词组在"V得C"中可以自由出现,而在带宾语的"V得OC"式中则极少出现,即使出现,也常常有凝固成词的倾向,如例㊴,"V得OC"式中的补语一般是单音动词或双音动词及谓词性指代词。

3."得""得来""个"的性质。一般认为"V得C"结果述补结构是由表完成实现的"V得"结构发展来的(王力1958、杨平1990、蒋绍愚1994、吴福祥2002),①"当'动词+得'后面不是带体词性的宾语而是带谓词性成分的补语时,就产生了带'得'的述补结构"。(杨平1990)时间是唐代。"得"的来源是由"获得"转为"达成",再由"达成"进一步语法化而来,它是连接述语和补语的结构助词。我们同意这种看法。进一步来说,结构助词"得"的语法化途径为:动词→连谓式后项成分→述补结构后项补语→动态助词→结构助词。从动词到动态助词的语法化过程是在"V得(O)"连谓结构和述补结构中逐步完成的,结构助词"得"由动态助词"得"进一步发展而来,当"得"后出现谓词性成分时,"得"就成为结构助词了,这与补语的功能性质有关:当补语出现在"V得"后面时,整个结构表示动作的实现和有结果,这种结果义由补语来承担,"得"便成为羡余成分,因此语法化成联系述语和补语的结构助词,成为一种语法性的补语标记。

《朱子语类》中有60例"V/A得来(C)"(C为动词和动词性词组)式结果述补结构,其中"V得来"43例,"V得来C"17例(含2例形容词述语)。另有1例否定形式的"不曾V得来"。

结果述补结构"V得来"所表达的语法意义有二:一是表示动作有结果或完成,二是表示对事实的推测,如:

(53)向在湖南收茶寇,令统领拣人,要一可当十者,押得来便看不得,尽是老弱!(7·2705)

(54)到思索得来,意思已不如初了。(1·143)

① 王力《汉语史稿》(中),中华书局,1980;杨平《带"得"的述补结构的产生和发展》,《古汉语研究》1990年第1期;蒋绍愚《近代汉语研究概况》,北京大学出版社,1994;吴福祥《汉语能性述补结构"V得/不C"的语法化》,《中国语文》2002年第1期。

㊿若不补,又却欠四分之一;补得来,又却多四分之三。(7·2546)
㊱推广得来,盖天盖地……(7·2514)
㊲看得来刘质夫那人煞高,惜乎不寿!(7·2480)

除末例是表推测外,其余四例均表示动作有了结果或完成。不过,前四例中"来"的虚化程度有差异。㉝㉞例中的"来"有明显实义,㉝例的"来"是趋向动词作补语,表示受事对象因动作的发生而造成的移动结果,㉞例的"来"已无趋向义,意义稍虚,但仍是用趋向动词表示动作行为有了结果,"思索得来"犹言"思索出来";㊿例"来"的虚化程度加深,可以看作是表示动作的实现和完成的动态补语,㊱例中的"得来"出现在动结式的后面,"来"的语法化程度更高,应该是从例㊿类表动态完成的例子进一步类推发展而来,《朱子语类》中仅1例,因有结构助词"得"的存在,仍宜看作是动态补语。这四例"V得来"结构都不能完全脱净结果义的干系,所以我们一概将之归入"V得C"结果述补结构,其中的"来"用作结果补语或意义更为虚化的动态补语,考虑到动态补语是结果补语的一种,也考虑到"V得C"式的总体分类情况,我们不再为"V得来"单设一个动态补语的类别。㊲例是表推测、估量的"V得来"。《朱子语类》在表达这类意义时有两种形式:"V来"和"V得来",充当"V"的动词以"看"为主,还有"说、论"。"看得来"与"看来"意义完全相同,与今之表推测判断的"看来""看起来"的意义也完全一样,其中的"得"比之起联系述语补语作用的结构助词的语法化程度还要高一些,可要可不要,几乎是个羡余成分,"来"的作用类似词尾(衬字)。这类用例应是由"V得来"结果述补结构进一步语法化而来。

从形式特征看,在"V得来"结果述补结构中充当述语的成分包括单、双音节动词及词组,"得"是连接述语和补语的结构助词,"来"虽显示出虚化迹象,但仍有一定的结果或动态意义,所以我们仍然把它看作是结果述补结构中的补语。

"V/A 得来 C"(C 为动词及其词组)共 17 例(例㉗㉘),由于"得来"后面出现了动词性补语,所以它已经是结构助词,"V/A 得来 C"是结果述补结构。《朱子语类》中还有形容词性成分作补语的"V 得来 C"式,将在"程度述补结构"节中分析。此外,"V 得来(C)"式还分布在能性、结果/能性等述补结构中,也将在相关章节进行分析。

"得来"用作结构助词的情况在晚唐五代的文献中还未见到,我们遍查《敦煌变文集》和《祖堂集》,只在《祖堂集》中找到 13 例"V 得来","来"都用作表趋向或结果的补语,可见"得来"用作结构助词应是宋代以后才出现的。

关于结构助词"得来"的来源发展,刘坚、江蓝生等(1992)曾做过解释,他们认为:结构助词"得来""最早见于金代的两种诸宫调和南宋的《朱子语类》",是由结构助词"得"与结构助词"来"叠用而成,"最初可能是为了加强语气或使音节和谐才在'V 得'之后加上'来'的,后来'得来'逐渐凝固成一个双音节的结构助词"。[①] 这种看法不失为一种解释,但问题的关键在于"加强语气"和"音节和谐"等外部因素是否能成为语法形式出现的真正动因。

根据《朱子语类》"V 得来"式的使用情况,我们认为"得来"的来源另有途径,语法化的动因仍然来自结构内部。即:"来"最初在"V 得"后面作结果补语,首先用在"[＋移动]"义动词如"押、带、寄"等后面作结果补语,表示受事对象因动作行为的发生而造成的移动结果;然后向"[－移动]"义动词扩展,当述语为"[－移动]"义动词时,"来"成为表动态完成的动态补语;再进一步语法化,带上谓词性补语,就成了结构助词。若把前面用例排列起来,很能反映出"得来"的语法化过程,即:押

[①] 刘坚、江蓝生、白维国、曹广顺《近代汉语虚词研究》,第 153—158 页,语文出版社,1992;江蓝生《近代汉语探索》,第 119—124 页,商务印书馆,2000。

得来→补得来→看得来头痛。

当"V得C"式带上宾语时,"得"的后面还可以出现"个",构成"V得个OC"(见例㉚),与"V得O"述补结构中的"个"一样,也是结构助词。

4.宾语的位置有二:V得(个)OC、V得CO,前式是常见基本形式,是述补结构内部带宾语,后式少见,在格式中充当补语的主要是动词"到、成"。作宾语的成分常见的有单、双音节名词和代词、多音节名词及并列、偏正词组等,如"水、城、他、这个、道理、意思、司马迁、八分九分、这一个道理、数篇诗"等。

5.不带宾语的"V得C"结果述补结构与表被动的"被"字句结合的情况已很普遍(见例㉖㉟㊸),在与"被"字句套合的同时还能与其他句式如连谓式等套合(例㊺),也能与表被动的"为"字句、处置式、连谓式等结合,例如:

㊽《春秋》为仙乡陈蔡诸公穿凿得尽。(7·2761)

㊾今时文日趋于弱,日趋于巧小,将士人这些志气都消削得尽。(7·2702)

㊿又教人看得就切实如此,不是胡乱恁地说去。(7·2628)

带宾语的"V得(个)OC"式,因其通常出现在施事主语句中(可能与汉语在安排语法结构的线性序列时所遵循的时间顺序原则有关),所以很少与"被"字句套合,如:

㉛不知当初韩持国合下被甚人教得个矮底禅如此?(7·2500)

6."V得(O)C"结果述补结构在句中基本上是作谓语,有时充当谓语以外的其他成分,如主语、定语,等等。后类用例如:

㉜今将《六经》做时文,最说得无道理是《易》与《春秋》。(6·2173)

㉝有说得感动人者,有说得不爱听者。(6·2458)

7.由动词充当补语的"V得C"结果述补结构(如"写得成、做得完")在现代汉语中不再用于表示结果意义,而只用于表能性意义,但若是形容词作补语的"V得C"程度述补结构(如"写得好、洗得干净")则既能表程度(即一般所说的结果),又能表能性,二者在发展上出现不平衡现象,原因将在下章分析说明。

8. 否定形式共45例,由于同时并存有"NegVC、VNegC、VONegC、NegVCO、NegVOC"等不带"得"的形式,它们可以表示与"V得(个)(O)C"结果述补式相对应的否定意义,所以带"得"的否定式不多见,不带"得"的形式同时也是动结式的否定式,其使用情况在"动结式"章中已有分析说明。否定词有"不、未、未尝、未曾、不曾"等。

(二) 语义特征

1. 成分的语义性质

(1)述语成分有动作动词、趋向动词、状态动词和心理感知动词,以动作动词和状态动词最常见。

(2)补语成分有几个特点:一是单音动词作补语时,一般是可持续的状态动词或结果义动词,如"破、着、成、尽"等;二是趋向动词作补语时不表趋向,而表示动作所造成的结果状态;三是各类词组作补语也带有状态描述的语义特点。这些特点都与结果述补结构表结果状态的语义特点有关。

(3)"得"、"得来"是连接述语和补语的结构助词,"个"也是结构助词。

(4)带宾语的两类形式中,"V得OC"式是主流形式,宾语一般是述语动词支配的受事对象。宾语有时与补语没有直接语义联系,补语说明述语动作所造成的结果,如"寻得一线子路脉着了(7·2899)":述语动词"寻"对宾语"一线子路脉"构成支配关系,补语"着"用来说明"寻"的结果,宾语与补语没有直接句法语义关系;有时宾语与补语有语义联系,如例㊴"煅炼得郑忽罪不胜诛":宾语"郑忽"与补语"罪不胜诛"

第二节 《朱子语类》"V 得 C"述补结构的形式和语义特征

有语义联系,从意义上"罪不胜诛"可以陈述"郑忽",但句法上"郑忽"是"煅炼"的宾语,不是"罪不胜诛"的主语,所以宾语可以用"把"提前,作如下变换:"把郑忽煅炼得罪不胜诛"。这类宾语与补语有语义联系的结构,补语从意义上可以陈述宾语,可能与补语是多音节结构有关,因为多音节结构充当补语时,补语的描写性会加强,但用例不多。"V 得 OC"式在现代少见,单音动词作补语的形式消失,相关意义用"VCO"式表示,如"凑成了一句话/打破了杯子";多音节动词性结构作补语的"V 得 OC"式在一些俗语表达中还用,如"打得敌人落花流水"。

《朱子语类》中有一类结构的表层形式与"V 得 OC"极为近似,如例㊻"看得眼睛都疼",这类结构的特点是:述语动词"看"与名词性成分"眼睛"以及补语"疼"之间都没有直接句法语义关系,"看"与"眼睛"、与"疼"都不能构成表述,而是"眼睛都疼"作为一个整体对"看"的结果进行说明,正因为"眼睛"不是宾语,所以它不能用"把"字前置,现代汉语中有同类用例,如"热得满头大汗/吓得脸色都变了"等,[①]这类结构是主谓结构作补语的"V 得 C"式。

"V 得 CO"式极少见,因宾语出现在动词补语"到、成"之后,所以宾语与述语动词没有句法和语义上的直接联系,而与补语动词直接相关,是"到"的涉及对象,或是"成"所联系的成果宾语,宾语与补语动词的语义特征有关,是涉及性宾语或成果性宾语。

(5)对于不带宾语的"V 得 C"式来说,主语可以是施事,也可以是受事或当事,依次举例如下:

㉔只是他说得惊天动地。(1·231)

㉕《春秋》为仙乡陈蔡诸公穿凿得尽。(7·2761)

㉖若里面变得是虎,外面便有虎之文;变得是豹,外面便有豹之文。

[①] 转引自朱德熙《语法讲义》,第 135 页,商务印书馆,1982。

(8·3293)

若带宾语，由于宾语基本为受事，所以主语通常是施事，如：

(67)看他只是以术去处得这事恰好无过……(7·2543)

少数情况下主语也可以是受事，这种用例往往是与"被"字句套合的格式，如前例(61)。

(6)补语语义指向有三：一是指向述语动作，说明动作行为本身的结果状态，如前例㊱；二是指向施事，说明施事因动作行为而产生的结果状态，如前例㊻；三是指向受事，说明受事因动作行为而产生的结果状态，如前例㊹。一类最常见；二类不多见，常常是主谓结构作补语时，并且该主谓结构的主语(小主语)与整个"V得C"结构的主语(大主语)有领属关系，补语对大主语(施事)所处的结果或状态进行说明；三类多出现在受事主语句中，作补语的成分一般不能是单音动词，而是一些能对受事主语所处的结果状态进行描述说明的词组，如介宾、述宾、状中词组等。

2. 基本语义结构

语义底层均构成两个动核。补语语义指向动词的以带宾语的形式为例，如"近日陆子静门人寄得数篇诗来(7·2829)"，隐层语义动核结构为：A. 陆子静门人寄数篇诗，B. 寄来(了)。补语语义指向施事的以例㊻为例，隐层语义动核结构为：A. ($N_{施}$)看(《徽宗实录》)，B. ($N_{施}$)眼睛都疼。补语语义指向受事的以例㊹为例，隐层语义动核结构为：A. 锻炼(草药)，B. (草药)无性了。以上三类情况，均是B以A为逻辑语义前提，隐层的两个动核结构通过一定的句法手段套合在一起就形成相应的显层结构。

二 "V得C"程度述补结构的形式和语义特征

(一)形式特征

共1365例，包括肯定形式1198例，否定形式167例。肯定形式

第二节 《朱子语类》"V得C"述补结构的形式和语义特征

有：V得C,923例；V得来C,44例；不规则形式5例：包括"V得C在"2例、"V得C去"、"V得C之"、"V个得C"各1例；V得OC,218例；V得O来C,3例；V得个OC,5例。否定形式有：V得NegC,126例；V得来NegC,5例；NegV得C,18例；V得ONegC,13例；NegV得OC,5例。依次举例如下：

肯定形式：

⑱若病得狼狈时,也只得去。(7·2660)

⑲《公羊》是个村朴秀才,《谷梁》又较黠得些。(6·2153)

⑳虽百工技艺做得精者,也是他心虚理明,所以做得来精。(8·3333)

㉑只是武侯密得来严,其气象刚大严毅。(8·3249)

㉒陆子静说,只是一心,一边属人心,一边属道心,那时尚说得好在。(8·2972)

㉓禅家最说得高妙去……(8·3011)

㉔看得久之,自然认得此诗是说个甚事。(6·2085)

㉕不知如何理会个得恁少,看他自是甘于无知了。(1·154)

㉖如《原道》中说得仁义道德煞好……(8·3261)

㉗坡公因绍圣元丰间用得兵来狼狈,故假此说以发明其议论尔。(8·3115)

㉘学者识得个脉路正,便须刚决向前。(1·138)

否定形式：

㉙后来湜为退之作《墓志》,却说得无紧要……(8·3275)

㉚龟山巧,又别是一般,巧得又不好。(7·2556)

㉛今公辈看文字,大概都有个生之病,所以说得来不透彻。(8·2920)

㉜看来诗人此意,也回互委曲,却大伤巧得来不好。(6·2116)

㊃便是那腔子不曾填得满……(7·2805)

㊄如左丞相大得右丞相不多。(7·2533)

㊅若是格物、致知有所未尽,便是知得这明德未分明。(1·264)

㊆故有终日与他说,不曾判断得一件分晓,徒费气力耳。(7·2614)

1. 作述语的有单、双音节动词和形容词,既有及物动词,也有不及物动词;双音动词、形容词及词组共115例,所占比例接近10%。常见的如:寻、吃、说、搅、看、录、问、审、做、毁、教、论、调(调节)、行(推行)、格、考、放、扛、提、守、积、盛、翻、变(变化)、病、死、坐、冻、凝、居(住)、体(体会)、知、识、疑、见(理解)、解(了解)、晓、来、去、出、轻、巧、香、乐、紧、黠怪、安顿、处置、收拾、吹嘘、积累、考订、形容、包裹、讲究、分别、涵养、逼迫、措置、区处、拈弄、摩擦、拦截、涵养、穷究、理会、领会、料度、持守、熏炙、补凑、磨弄、存养、差慢、急缓、发明、讲明、推广、逼来、提掇起、决狱听讼,等等,词组多为双音节并列式,也有述补式,多音节词组不多。单音动词和形容词作述语的如例㊇—㊆,形容词述语有10例,出现在"A得C"、"A得来C"式中;双音动词作述语的如例㊄㊆,词组作述语的例如:

㊇当时王氏学盛行,熏炙得甚广。(7·2502)

㊈看"欲"与"先"字,差慢得些子,"在"字又紧得些子。(1·310)

㊉须是平时只管去讲明,讲明得熟时后,却解渐渐不做差了。(7·2788)

㊊兼是如薄尉等初官,使之决狱听讼得熟,是亦教诲之也。(7·2647)

2. 补语都是形容词性成分,多由单、双音节形容词及多种词组充当,状态词和形容词重叠式也有少许用例。常见的如:破(透彻)、稳、满、详、絮、明、实、差、错、是(对)、大、小、快、慢、钝、高、低、多、少、远、近、精、粗、偏、正、迟、早、生、熟、清、浊、深、浅、分明、精细、亲切、可笑、明白、透彻、玄妙、痛快、精明、峣崎、鹘突、快活、精密、子细、精切、搭滞、曲折、狼狈、细腻、孤单、伶俐、广阔、通透、条达、贯通、过当、浑沦、粗疏、平易、草草、阔远、闹热、峻奇、净洁、烂熟，等等。作补语的单音形容词呈现出语义相对的特征，这与单音形容词作补语时所特有的评价性特征有关。多音节形容词词组作补语时常以四字格并列式出现，如：千了百当、溥博浃洽、平正周匝、分明决断、脱洒广阔、周遮浩瀚、纷扰狼狈、新奇巧妙、优游和缓、悖慢无礼、直拔俊伟，等等，有的已呈现出熟语化倾向。四字格形式的出现与音节有一定关系，它能起到稳固结构的作用。单、双音节形容词作补语的如以上各例；词组作补语以并列和状中词组最常见，也有多种词组的套合形式，举例如下：

㉛扫得小处净洁，大处亦然。(1·131)

㉜得个光武起，整得略略地，后又不好了。(8·3209)

㉝今有人虽胸中知得分明，说出来亦是见得千了百当……(7·2800)

㉞古人问筹者，要说得这事分明，历历落落。(8·3286)

㉟他直是见得这道理活泼泼地快活。(8·2944)

㊱吏人弄得惯熟，却见得高于他，只得委任之。(7·2735)

㊲庄子说得更广阔似佛……(8·3011)

㊳惟是孟子说义理，说得来精细明白，活泼泼地。(8·3272)

与不带宾语的"V 得 C"式相比，带宾语的格式中补语形式趋于简单，多音节词组趋少，四字格急遽减少，概与宾语的出现有关。

形容词作述语时，"得"后的补语时常由量词"些"、"些子"充当，如例㉙㊳，或在"V 得"与形容词补语之间插入"些"，例如：

㊴此间说时，旋扭捏凑合，说得些小，才过了，又便忘了。(7·2803)

"些(子)"本是表数量少的量词,用在述补结构中,对述语形容词所表示的程度级次进行补充说明,强调量的微小,《朱子语类》中,"些"往往与表示程度较低级的"较"连用,兼有使语义表达更委婉的作用。这类用例现代汉语消失,代之以"形容词+些"式表达,例⑨类意义,现代汉语可以说"说小些",但没有"说得些小"式表达法,它是近代汉语的特有形式。

3. 充当宾语的成分一般是单、双音节名词诸如:事、人、官、书、法、性、理、道理、气象、分数、义理,等等,定中式偏正词组作宾语也较常见(例㉔㉕),也有少数名词性并列词组(例㊻)。宾语的位置在"V 得"和形容词补语之间。

这种"V 得 OC"程度述补结构在现代已不存在,而换用其他形式来表达,如用"把"字句与"得"字句的套合形式(把这件事情说得很清楚)、重动句式(他写字写得很好),等等。

4. 形容词补语前后常带有刻画程度作用的成分,多数是程度副词和谓词性指代词,少数是量词。程度副词所强调的程度包括最高级和比较级,如:最、太、极、颇、忒、煞、好(很)、甚、分外、大段、十分、更、愈、越、稍、略、较;谓词性指代词主要有"恁地""如此",量词有"些""些子",这两类修饰语不能表示形容词的高低级次,但能对形容词所表示的现有级次进行强调。

修饰语的位置有三:A. 在形容词补语之前,B. 在述语动词前面,C. 在形容词补语之后。A 类最多,C 类少见,后置修饰语以"极、甚"为主,不排除古语遗存的嫌疑,不过《朱子语类》时代已经有相当多的"极、甚"作修饰语以强调高级程度的结构,"极、甚"无疑已是表程度的副词,与上古汉语"极、甚"的用法有别,所以我们把《朱子语类》时代后置作修饰语的"极、甚"视作程度副词。如:

⑩横渠说得最好,言:"心,统性情者也。"(1·92)

第二节 《朱子语类》"V得C"述补结构的形式和语义特征

⑩邵子忽地于《击壤集序》自说出几句,最说得好!(7·2550)

⑩见得恁地确定,便有实见得,又都闲了。(7·2501)

⑩恁地看得细碎,不消如此。(6·2160)

⑩此间说时,旋扭捏凑合,说得些小,才过了,又便忘了。(7·2803)

⑩字法直黑内,黄鲁直论得玄甚,然其字却且如此。(8·3337)

以上各例,⑩⑩⑩属 A 类,⑩属 C 类,其余二例属 B 类。带宾语的程度述补结构中修饰语的位置与不带宾语时的情况大致相同,只是不见 C 类用例。不复列举。

修饰语位置不同,结构也不同。当修饰语出现在形容词补语的前面(A 类)或后面(C 类)时,它修饰说明的是补语成分;当修饰语出现在述语动词前面(B 类)时,修饰的则是整个述补结构。

在现代汉语中,只有 A 类表达保存了下来,且例⑩类用"些"作修饰语的用例也不再使用。

5.例⑦—⑦分别是"V得C在"、"V得C去"、"V得C之"、"V个得C"式用例,它们是"V得C"的变体形式,其中的"之"是音节助词,"在"是语气助词,"去"是对事物状态进行陈述的事态助词。

此外,《朱子语类》中还有数例重动式"V得C"程度述补结构,如:

⑩庄周曾做秀才,书都读来,所以他说话都说得也是。(8·2988)

⑩后来见荆公用兵用得狠狈,更不复言兵。(8·3100)

前例与现代汉语"V得"重动句的形式不完全一样,"V"和"V得"、"V得"和补语之间插有副词,现代汉语是不允许的,不过,其形式已与后代的重动句非常接近,可视作重动句的早期过渡形式。后例是典型的重动句,《朱子语类》中极罕见。重动句通过动词重复能使补语的语义指向得以明确,明确地指示出补语对述语动词所表示的动作或动作结果的评价。

6. "得"是连接述语补语的结构助词。"得来"的性质功能同于结果义"V得来C"中的"得",是结构助词。《朱子语类》中"得"与"得来"可以对举(例⑦),可见二者功能的一致。"得来"中间还可插入宾语,构成"V得O来C"式(例⑦),用例不多,是变式。"个"是结构助词。

7. 多数"V得C"程度述补结构都在句中充当谓语,也有作其他成分如宾语、定语、连谓式前后项等的情况,如:

⑱也是见得眼前这个好。(7·2543)

⑲其间看得文义分明者,所见亦未能超诣,不满人意。(7·2762)

⑳正如人要去,又且留住他,莫教他去得远。(7·2878)

8. 不带宾语的"V得C"程度述补结构与"被"字句、处置式套合的情况很普遍,如:

⑪但其他人则被这皮子包裹得厚……(7·2869)

⑫被人扛得来大,又被人以先生长者目我,更不去下问。(7·2493)

⑬然也不须得将戒慎恐惧说得太重,也不是恁地惊恐。(7·2823)

⑭横渠将这道理抬弄得来大,后更柰何不下。((6·2362)

带宾语的形式由于受事宾语的限制,不再跟处置式连用,一般也不与"被"字句套合,偶尔套合时,构成的"被"字句也不是典型受动被动句,而是非被动关系的被动句,且形式简单,形式的简单化可能与形容词作补语的限制有关。如:

⑮太史公书项籍垓下之败,实被韩信布得阵好,是以一败而竟毙。(8·3220)

9. 否定形式(共167例)。否定词有"不、未、无、不曾"等。与结果义"V得C"一样,《朱子语类》时代也常常用"NegVC、VNegC、NegV-CO、VONegC"等不带"得"的形式表示出与"V得(个)(O)C"程度述补式相对应的否定意义。不带"得"的几种形式同时也是动结式(结度述

第二节 《朱子语类》"V 得 C"述补结构的形式和语义特征

补结构)的否定形式。

需说明修饰语的位置。修饰语在句中多出现在贴近形容词补语的位置,也可以出现在"V 得"和"不 C"之间,还可以出现在否定词和"V 得 C"之间。如:

⑯他旧时瞿昙说得本不如此广阔……(8·3023)

⑰五十已后,长进得甚不多。(7·2621)

⑱某尝疑不恁地做得拙。(8·3215)

还有 1 例较特殊,修饰语是程度副词的比较级与最高级的套合连用式,如:

⑲包显道曰:"《新史》做得《韩退之传》较不甚实。"(8·3275)

(二)语义特征

1.成分的语义性质

(1)充当述语的有动作动词、趋向动词、状态动词和感知动词,以动作动词和状态动词多见。

(2)补语形容词大体有性质形容词和状态形容词两类,表示的意义主要有二:

其一,表示对动作或动作所造成的结果状态的评价。性质形容词的基本语义特征就是表示事物的本质属性,包括表度量的形容词(大、小、长、短、粗、细、远、近、深、浅、早、晚,等等)、表属性的形容词(松、紧、干、湿、生、熟、正、歪、斜,等等)、表价值的形容词(好、坏、差、香、臭、怪,等等)、表真假的形容词[错、对、是(=对),等等],其他如表色彩的形容词等。这些形容词表示人们对动作或动作结果的某种主观看法和评价。评价是多方面的,包括对动作量的评价,如"多、少",对动作速度的评价,如"快、慢",对动作持续时间的评价,如"早、迟(晚)",更多的是对动作结果或状态的评价,如"长、短、远、近、精、粗、偏、正、生、熟、清、浊、深、浅、高、低、透彻、确定、分明、精切、阔远"等;评价有好坏之分,好坏又有程度高低之别,因此该类形容词常与表程度高低的程度副词连用(如:说得最好/看得忒重),以显示评价程度所达到的高低维度。

其二,表示人或事物受动作影响而达到的状态程度,即动作行为给人或事物带来某种变化和结果,使人或事物因受动作影响而出现某种客观情状,由于形容词本身的程度性特征,我们把此类也视作程度述补结构。不过,这类用例在"V得C"程度述补结构中不多见。例如:

⑳若便要去理会甚造化,先将这心弄得大了,少间都没物事说得满。(7·2910)

㉑譬如他人做得饭熟,盛在碗里,自是好吃,不解毒人,是定。(7·2819)

两例都是性质形容词,性质形容词单独使用时,其程度级次往往较弱或不明显,因此前后常要加上表程度的副词、谓词性指代词等帮助强调程度的高低级次,使程度性特征更为显性化。性质形容词重叠后便转化成状态形容词。有研究表明,单音形容词重叠后有减轻程度的作用,双音形容词重叠后有加重程度的作用。[①]《朱子语类》时代已经出现了单、双音节形容词的重叠用例,如:整得略略地/说得这事分明,历历落落。

(3)"得""得来"是连接述语和补语的结构助词,可看成补语标记。"个"也是结构助词。

(4)主语能承上下文省略。若是不带宾语的程度述补结构,主语可以是施事,也可以是受事或当事,若是带宾语的形式,主语基本不作受事,偶有作当事的情况。分别举例如下:

㉒横渠说得最好……(1·92)(施事)

㉓然各家亦被韩文公说得也狠狠。(8·3305)(受事)

[①] 见李宇明《论形容词的级次》,载《语法研究和探索(八)》,商务印书馆,1997.

第二节 《朱子语类》"V得C"述补结构的形式和语义特征

⑭看"欲"与"先"字,差慢得些子,"在"字又紧得些子。(1·310)(当事)

⑮周子看得这理熟……(6·2357)(施事)

⑯这处是旧日下得语太重。(7·2603)(当事)

(5)补语语义指向有三:一是指向述语动词,用例最多,因为程度述补结构多对动作的量度进行评价,因此补语语义一般都指向动作本身,如上例⑫等;二是指向受事,当补语表示人或事物受动作的影响而达到的状态程度时,补语指向受事,如上例⑳;三是指向施事,如:

⑰他看得经书极子细……(7·2805)

2.基本语义结构

语义底层均构成两个语义动核。补语语义指向述语动作的以"学者识得个脉路正,便须刚决向前(1·138)"为例,隐层语义动核结构为:A.学者识脉路,B.识得个正;补语语义指向受事的以例⑫为例,隐层语义动核结构为:A.他人做饭,B.饭熟了;补语语义指向施事的以例⑰为例,隐层的语义动核结构为:A.他看经书,B.他极子细。上述语义动核都是 B 以 A 为逻辑语义前提,隐层的两个动核结构通过一定句法手段的套合就形成了相应的显层结构。

三 "V得C"能性述补结构的形式和语义特征

(一)形式特征

共 594 例,肯定式 287 例,具体形式有:V得C,201 例;V得OC,70 例;V得CO,14 例;V得CO来,1 例;VO得C,1 例。否定式 307 例,有:NegV得C,11 例;NegV得OC,7 例;V不C,227 例;VO不C,60 例;V不CO,2 例。依类举例如下:

肯定形式:

⑱人如何测得如此?(6·2214)

(129)若记览词章之学，这般伎俩，如何救拔得他那利欲底窠窟动！(8·3184)

(130)且如天地日月，若无这气，何以撑住得成这象？(7·2535)

(131)当时若使他解虚心屈己，煅炼得成甚次第来！(8·3113)

(132)若自家无所守，安知一旦立脚得牢！(8·2983)

否定形式：

(133)明道说此一段甚好，非程子不能道得到。(7·2856)

(134)若不理会得是非分明，便不成人。(8·3110)

(135)人言陆宣公口说不出，只是写得出。(8·3248)

(136)若只是口里读，心里不思量，看如何也记不子细。(1·170)

(137)想得高山更上去，立人不住了，那里气又紧故也。(1·23)

(138)程门诸先生亲从二程子，何故看他不透？(7·2555)

(139)本朝乐章会要，国史中只有数人做得好……其它有全做不成文章。(6·2346)

1. 述语为单、双音节动词或词组，以单音节及物动词为主，不及物动词不多见，双音节动词和词组共53例，双音化比例接近19%，双音词组的构成方式以并列式为主，偶有述补式。常见成分如：看、求、收、说、唤、扛、恐(威吓)、欺、考(考证)、责(责备)、发、放、包、把(持)、持、打、吃、做、撰、拦、撑、吹、占、坐、睡、辨、断(判断)、知、识、分别、包括、摆脱、穷究、理会、琢磨、呼吸、调发、担负、笼络、提掇、感召、呼召、救拔、引聚、接连、践履、措置、顿放、感动、撑住，等等。单音动词作述语的如例(128)(132)等，双音动词如例(131)(134)等，词组作述语的如例(129)(130)。

2. 补语成分可分为三类：动词，形容词及其词组，谓词性指代词。动词及谓词性指代词作补语表能性是结果述补结构的语境变体，形容词及其词组作补语表能性是程度述补结构的语境变体。补语动词一般是单音节结果义状态动词和趋向动词(例(129)—(131)(133)(135)等)，如“成、住、

第二节 《朱子语类》"V得C"述补结构的形式和语义特征　259

著、动、到、了、聚、及、上、下、出、入、过、起、来、去"等,双音动词极少。在不带宾语的"V得C"能性述补结构中,充当补语的单音动词复现率较高,有固定形成类型化能性述补结构的趋势,特别是"成、著、动、到、住、了、及、倒、出、下",它们与"V得"和"V不"构成的能性述补结构一直保留到现代汉语中。谓词性指代词有二:如此、恁地(例⑱)。形容词作补语一般是单、双音节性质形容词(例⑬⑯等),如:透、熟、是(对)、明(清楚)、真、亲切、安稳、子细、分晓,等等,若是词组,多为简单状中式,偶有复杂形式,如:

⑭且以竹简写之,寻常人如何办得竹简如此多。(1·253)

⑭如此,方见得这个道理浑沦周遍,不偏枯……(8·2938)

还有少数表动作时量的时间词作补语的用例,也是由相应结果述补结构在未然语境中转化而来,例如:

⑭然亦只瞻得两三月,何况都无!(7·2682)

3.宾语成分有单、双音节名词和代词(例⑫⑱⑲),以及名词性词组,词组的结构形式一般不复杂,以定中式偏正词组(例⑫—⑬)和并列词组为主,并列词组如:

⑭兵制、官制、田制,便考得三代、西汉分明,然与今日事势名实皆用不得。(7·2732)

由宾语位置的不同,能性述补结构形成三种不同形式:V得OC(例⑫)、V得CO(例⑬)、VO得C(例⑫),三式用例比为71:15:1,"V得OC"最常见;"V得CO"式在能性述补结构中略微多见,在结果、程度述补结构中少见或不见;"VO得C"在三类补语中仅见1例,当是变式。

4."得"是联系述语和补语的结构助词。有1例"V得CO来"结构(例⑬),"来"置于句末,已经语法化成了事态助词。

5.《朱子语类》中的能性述补结构对语境都有很强的依赖性,脱离

语境的情况很少,若有,一般也是肯定、否定对举的情况,如:

⑭其间做得成者,如斩蛇之事;做不成者,如丹书狐鸣之事。(8·2952)

⑮据今之法,只是两军相持住,相射相刺,立得脚住不退底便赢,立不住退底便输耳。(6·2346)

6."V得C"能性述补结构常与表示可能的助动词"能、会"以及表事实上需要如此或情理上应该如此的助动词"要、须、要须"等连用,但能性意义主要还是靠句式本身来表达,因为若去掉能性助动词,句子的能性意义依然存在。不过,能性助动词能对句子的能性意义起到强调作用,因此,是否带有能性助动词也可算作判断能性"V得C"式的一项形式标准。当然,并非所有的带能性助动词的"V得C"式都表能性,所以,在对这类结构进行判别时,主要还是看语境。略举数例如下:

⑯理会得时,今老而死矣,能受用得几年!(7·2622)

⑰不着意,如何会理会得分晓。(1·152)

⑱今更引来,要如何引证得是?(7·2907)

⑲吾丈老年读书,也须还读得入。(8·3302)

⑳如今有稍高底人,也须会摆脱得过……(8·2923)

7.几种格式在句中的语法地位。一般作谓语,也可作宾语、定语,但少见,后二类用例如:

㊛当时花石纲正盛,许乃要张此等文字去拦截,不知拦得住否?(8·3128)

㊜然范蜀公欲以大乐唤醒,不知怎生唤得它醒?(7·2500)

㊝吾儒做得到底,便"父子有亲,君臣有义,兄弟有序,夫妇有别,朋友有信"。(8·3017)

㊞而今莫说更做甚工夫,只真个看得百十字精细底,也不见有。

(8·2925)

8. 与其他句式的套合情况。极少与别类句式结合使用,与"被"字句、处置式连用均不多,概与这两类句式多用于已然语境有关。如:

⑮今日且将自家写得出、说得出底去穷究。(1·158)

9. 否定形式。

否定式以不带"得"的形式为多,"V 不 C"是主要形式,若带宾语,多为"VO 不 C"式,"V 不 CO"式少见,仅 2 例;带"得"的"NegV 得 C、NegV 得 OC"式不多,原因是《朱子语类》时代存在着大量"V 不 C"能性述补结构,它们是否定形式能性意义的主要负载体。

需注意的是,与肯定式相仿,单音动词作补语时也呈现出类型化趋势,在不带"得"的否定式中尤为明显,补语成分基本上都由动词充当,动词和形容词作补语的频率比为 7.3∶1,补语动词又以"成、到、动、住、着、尽、起、下、去、出"等为最常见成分,已经形成了一个封闭的类,绝大多数都保留到了现代汉语中,成为现代汉语能性"V 不 C"式的主要形式。

此外,"V 不 C"式也能表示已然实现的结果意义,但极少见,在"动结式"章中曾有说明。若否定词为"未"的"V 未 C"式,则基本上是表示结果的动结式的否定形式。

宾语的位置。若不带"得",宾语一般在"V"和"不 C"中间,构成"VO 不 C"式,"V 不 CO"式少见,已有的两个用例,其补语成分为动词"成"和"上"。就内部结构层次来说,"VO 不 C"式是"V 不 C"式内部带宾语的结构,而"V 不 CO"式是"V 不 C"后面再带宾语的形式,其中"V 不 C"有凝固倾向。若带"得",宾语位于"NegV 得"和补语之间。

否定词为"不"、"未"以及能愿助动词的否定形式如"不能、未能"等。

比前代有发展的是，能性"V 不 C"与"V 得 C"可以在脱离语境的情况下对举，如例⑭⑮。

(二)语义特征

1. 成分的语义性质

(1)作述语的动词多数为普通动作、状态动词以及心理感知动词。

(2)补语动词一般都带有[结果/成果]义语义特征；补语形容词为性质形容词或状态形容词。

(3)"得"是结构助词。

(4)"V 得 C"能性述补结构中的主语常常承上下文隐含，既可是施事，也可为受事。如：

⑯ 某旧来缘此不能寐，宁可呼灯来随手写了，方睡得着。(7·2492)(施事)

⑰ 盖静则心虚，道理方看得出。(1·198)(受事)

若带宾语，由于受事宾语的出现，主语基本上是施事。

(5)补语语义指向述语动作，对动作结果实现的可能性进行说明，或对动作行为造成的结果状态所能达到的程度加以评述说明。

2. 基本语义结构

由于能性述补结构补语语义的指动性特征，其语义底层不存在两次表述，它在隐层只构成一个语义动核，以例⑯为例，即：$N_{施}$(能)睡着。能性意义由语境赋予，隐层语义动核也离不开语境。隐层语义动核通过语法手段的套合就形成了显层相应的句法结构。

四 "V 得 C"结果/能性述补结构的形式和语义特征

(一)形式特征

共 90 例。肯定形式 61 例，有：V 得(个)C, 31 例；V 得 OC, 24 例；

第二节 《朱子语类》"V得C"述补结构的形式和语义特征

V得CO,6例。否定形式29例,有:V不C,24例;VO不C,5例。依类列举讨论如下:

⑱古之君臣所以事事做得成,缘是亲爱一体。(6·2284)

⑲若识得个头上有源,头下有归着,看圣贤书,便句句着实,句句为自家身己设,如此方可以讲学。(7·2759)

⑯人当放肆怠惰时,才敬,便扶策得此心起。(1·211)

⑯若事事穷得尽道理,事事占得第一义,做甚么刚方正大!(1·282)

⑯某尝说,文字不难看,只是读者心自峣崎了,看不出。(8·2929)

⑯国初下江南,一年攻城不下,是时江州亦城守三年。(8·3042)

1.充当述语的成分有及物性单、双音节动词和词组,不及物动词少见,如:说、做、看、带、住、知、识、晓、见(理解)、理会、体察、抵当、按伏、展拓、穷格、穷尽,等等。双音节用例共12例,几乎占总数的20%,内部构造形式一般都是并列式,有1例述补式。单音动词作述语的如上例⑱⑲等,双音动词和词组作述语的如上例⑯。

2.补语一般由单音动词充当,如:成、住、到、尽、来、去、出、开、下、起,等等,见上例⑱⑯—⑯等,作补语的单音动词也呈现出类型化特征。双音节动词或词组作补语的情况少见,如上例⑲,是由主谓词组构成的并列词组作补语,又如:

⑯直是用力与他理会,如做冤雠相似,理会教分晓,然后将来玩味,方尽见得意思出来。(7·2812)

⑯如《燕燕》末后一章,这不要看上文,考下章,便知得是恁地,意思自是高远,自是说得那人着。(6·2082)

有1例时间词作补语的用例,对述语动词重复次数或持续的时间长短

进行补充说明:

⑯莫要闲过日子,在此住得旬日,便做旬日工夫。(8·2979)

3.宾语基本上是单、双音节名词和名词性偏正词组,如上各相关例证。因宾语位置的不同,格式有二:V得OC、V得CO,前式出现频率高于后者,是基本形式,从内部构造而言,"V得OC"式是述补结构内部带宾语。

4."得"是联系述语和补语的结构助词,"个"也是结构助词。

5.该结构在句中基本作谓语,如上诸例,有时也作宾语,或在连谓式结构中充当后项成分,如:

⑯穷理须是穷得到底,方始是。(7·2878)

⑯"太极本无极",要去就中看得这个意出方得。(6·2367)

6.未见与"被"、"将"字句结合的情况,概因"被"、"将"字句施、受关系明确,出现的语境已然性特征明确,不易产生两可理解。

7.结果/能性述补结构是模糊语境的产物,语境预设不明晰,便带来理解的两可。在《朱子语类》中,即使是肯定、否定对举、能性意义一般较为明确的用例仍然会因语境的不明晰而产生歧义,如:

⑯只是自家已前看不到,而今方见得到。(7·2886)

这个用例所出现的语境是很清楚的,但仍有两种语义理解的可能,歧义与语境关系不大,而与述语动词的"知见"语义特征有关,这一点我们在上章已有分析。

8.否定形式未见带"得"的格式。

(二)语义特征

1.成分的语义性质

(1)述语动词有动作动词、状态动词、知见类动词等,知见义动词占有相当比例,而且,由它们作述语的用例有时在明晰语境中仍有出现歧义的可能,这与它的语义特征有关。

(2)补语以单音节状态动词为主,带有[结果/成果]语义特征,并呈现出类型化特征,常见的如"成、住、到、尽"等。

(3)"得""个"为结构助词。

(4)主语常隐含,可以是施事,也可是受事;若带宾语,因受事宾语出现,主语一般是施事。如:

⑩只是自家已前看不到,而今方见得到。(7·2886)(施事)

⑪"知止而后有定",须是事事物物都理会得尽,而后有定。(1·273)(受事)

(5)补语语义指向述语动词。若从已然状态去理解,补语就表示动作行为的实现和有结果;若从未然语境去理解,补语就是对动作结果实现的可能性进行说明。

2.基本语义结构

隐层语义动核结构与相应的结果或能性述补结构一样,可参见前文相关部分。

五 "V 得 C"程度/能性述补结构的形式和语义特征

(一)形式特征

共 109 例,肯定形式 68 例,有:V 得 C,38 例;V 得 OC,30 例。否定形式 41 例,有:NegV 得 C,1 例;V 得 ONegC,1 例;NegV 得 OC,2 例;V 不(个)C,24 例;VO 不 C,13 例。依次举例如下:

肯定形式:

⑫天下多少是伪书,开眼看得透,自无多书可读。(6·2187)

⑬要无党,须是分别得君子小人分明。(8·3180)

否定形式:

⑭今朋友着力理会文字,一日有一日工夫,然尚恐其理会得零碎,不见得周匝。(8·2923)

⑰⑤见得他不是,便有个是底在这里,所以无往非学。(8·2983)

⑰⑥若不见得自家身己道理分明,看圣贤言语,那里去捉摸!(7·2759)

⑰⑦意思如此,记不全。(7·2609)

⑰⑧若更这处打不个透,说甚么学?(8·2944)

⑰⑨前辈都理会这个不分明,如何说得诗本指!(6·2071)

1. 述语动词以及物性单音动词为主,不及物单音动词和双音动词不多,双音动词和词组约占30%。如:看、说、做、打、守、立、认、见(理解)、晓、理会、处置、分别、包括、把捉、措置、讽咏、执捉,等等。词组基本为并列式。双音成分作述语的如例⑰⑥⑰⑨,其余各例为单音动词例。

2. 补语形容词多是单音节(例⑰②⑰⑦⑰⑧),双音节用例略少,内部结构均为并列式(例⑰③⑰④⑰⑥),常见的如:大、多、彻、精、明、好、实、熟、透、破(透彻)、分晓、亲切、透彻、平稳、分明,多音节词组少见,如:

⑱⑩便是无人考得精细而不易,所以数差。(6·2213)

⑱①某今惟要诸公看得道理分明透彻,无些小蔽塞。(8·2924)

补语的语法意义包括程度和能性两方面,从已然语境预设着眼,则补语表示动作结果、状态所达到的程度,或对动作或结果所及的程度进行评价;从未然语境着眼,则表示动作行为达到某种程度的可能。

3. 宾语一般由单、双音节名词、代词(例⑰⑤、⑱①)、名词性偏正词组(例⑰⑥)和并列词组(见例⑰③)等充当,宾语的位置在"V得"和补语之间,未见"V得CO"式。

4. "得"是结构助词,有1例"V不个C"用例(例⑰⑧),"个"也是结构助词。

5. 该述补结构在句中基本作谓语。不见与"被"字句、处置式套合的情况。偶有作连谓式后项成分的情况,如例⑰②。

6.否定式以不带"得"的形式居多。否定词为"不"。宾语的位置有二,因其位置差异分别构成"V(得)O 不 C"和"不 V 得 OC"式。

(二)语义特征

1.成分的语义性质

(1)述语动词有动作动词、状态动词和知见动词。

(2)补语形容词一般为性质形容词和状态形容词。性质形容词往往带有评价义,能对动作或结果所及的程度进行评价,状态形容词则是表示人、物受动作行为的影响而呈现的状态程度。

(3)"得"是连接述语和补语的结构助词。

(4)主语时隐时现,目前所见,不带宾语的格式中,主语一般为施事,尚未发现受事用例。若带宾语,因受事宾语的出现,主语通常都是施事。如:

⑱人若读得《左传》熟,直是会趋利避害。(6·2150)(施事)

(5)由于形容词作补语时往往呈现评价性特征,所以补语语义大多指向述语动作。不过,当补语表示人或事物受动作的影响而达到某种状态程度时,补语也可以指向受事,如:

⑱某尝说佛老也自有快活得人处,是那里?只缘他打并得心下净洁。(6·2180)

2.基本语义结构

隐层语义动核结构与相应的程度、能性述补结构基本一致,不赘述。

本章小结

《朱子语类》中各类"V 得 C"述补结构的使用情况统计如下:

第五章 《朱子语类》中的"V得C"述补结构

格式＼类型	结果	程度	能性	结果/能性	程度/能性	总计
V得(个)C(在/去/之)	435	927	201	31	38	1632
V得来C	17	44				61
V个得C		1				1
V得(个)OC	138	223	70	24	30	485
V得O来C		3				3
V得CO(来)	7		15	6		28
VO得C			1			1
V得NegC	17	126				143
V得来NegC		5				5
NegV得C	20	18	11		1	50
V得ONegC		13			1	14
NegV得OC	3		7		2	17
V得NegCO	5					5
V不(个)C			227	24	24	275
VO不C			60	5	13	78
V不CO			2			2
总计	642	1365	594	90	109	2800

总的来说,《朱子语类》时期,"V得C"述补结构的形式已非常丰富,使用频率高(2800例),功能齐全(能表示结果、程度、能性、结果/能性、程度/能性等多种语法意义),已成为述补结构的重要表达形式。不同类别的"V得C"述补结构呈现出不同变化,程度述补结构高度发展,成为"V得C"述补结构的主要功能形式;能性述补结构出现了脱离语境的形式,呈现出不同于前代的重要变化;结果/能性、程度/能性述补结构的存在反映了《朱子语类》一书的特色,与其内容及

语体特点有关。具体来说,《朱子语类》"V得C"述补结构的特点主要有以下几方面:

一 "V得C"述补结构的内部构成特点

(一)述语成分以动词性成分为主,前代不见的形容词述语已经出现,虽不多(15例,0.5%),但较之前代还是有很大发展。述语成分的双音化趋势相当明显,接近20%。双音成分(包括动词、形容词和词组)的内部结构多为并列式,其次是补充式和动宾式,动结式充当述语已不乏用例,此类形式在现代消失。多音节成分也可作述语,一般为并列式。

(二)补语成分大致有三类:动词及其词组、谓词性指代词、形容词及其词组,此外还有介宾词组、数量词等。就音节言,有单、双音节动词、谓词性指代词、形容词,有多音节复杂词组。单音动词作补语时表现出明显的类型化特征,基本都是状态、结果义动词,如"动、到、着、住、尽、成、出、上、起"等,且复现频率较高。形容词补语以性质形容词为主,作补语时呈现出明显的评价性特征;状态形容词或形容词重叠式作补语,则侧重表示动作行为造成的状态程度。程度述补结构的补语形式一般不复杂,与形容词补语的限制有关;动词性成分作补语的结果述补结构,补语有复杂形式。

(三)宾语多是单、双音节名词、代词、偏正词组和并列词组。

二 各类"V得C"述补结构的使用特点

(一)结果述补结构

1."V得(个)C"和"V得(个)OC"是结果述补结构的主流形式,其中充当补语的成分有一个重要特点:当补语是单音节状态动词和趋向动词(少数是双音节复合趋向词语)时,它们形成了一个封闭的类，呈现出明显的类型化特征，而这类结果述补结构到后代又渐趋萎缩，现代汉语中已不复存在，其原因及发展规律将在下章做分析说明。作补语的成分还可以是各式词组，这类"V得C"式基本保留到现代汉语中，与单音动词作补语的形式相比，它们在表述结果时并不是简单地陈述动作结果，而反映出较为明显的状态描述性特征。也有些表达今天消失，如一些表时量的数量词、表处所的介宾词组等作补语构成的结构。

2.带宾语时表现出重要特点：以"V得OC"为主要形式，排斥宾语出现在补语后面（"V得CO"与"V得OC"的出现频率比为1∶20）。"V得OC"式到现代汉语已不存在，若是动词作补语的形式，相关意义用"VC(了)O"动结式或"把OVC(了)、N$_{受}$(被)VC(了)"等表达，若是结构作补语，则多用重动句或"把"字句安排好动词后的多个信息单位来表达，例如：

⑱昨日见温公解得《扬子》"载魄"没理会，因疑其解《老子》，亦必晓不得。(8·3265)

现代汉语则为："温公解《扬子》'载魄'解得没理会"或"温公把《扬子》'载魄'解得没理会"。

"V得C"排斥宾语出现在补语后面，这一规律一直保留到今天。现代汉语中，少数单音节结果状态动词或表结果的趋向动词如"成、见、破、完、起、开、上、下"等充当补语时，允许宾语出现在补语后面，构成"V得CO"式，但只能用于表结果实现的可能，不能表结果实现，若表结果，用"VCO"式(此式得以成立，与补语动词的语义特点及单音节形式有关)；其他成分作补语时一律不允许宾语出现在补语之后，往往用重动句或"把"字句对宾语进行重新安排来表示结果实现。"V得C"结果述补结构之所以排斥宾语出现在补语后面，与汉语句子的信息安排原则有关。汉语句子的信息安排遵循焦点在尾、动词后只安排一个重要信息单位的准则。① 动词后的信息单位一般有二：补语和宾语，当二者同时要求出现在动词后面时，汉语句子的内部机制会根据它们所负载信息的重要程度进行选择，把焦点信息安排在动词之后，由于结果补语是负载重要信息的句子焦点（表示动作的直接结果），因此，它取得了紧贴动词之后的资格，宾语就只能通过其他方式进入句子了。

3. 否定式有"NegV 得 C、V 得 NegC、NegV 得 OC、V 得 NegCO"等形式。部分形式到现代汉语也发生了变化，如：

⑱譬如对先生长者听其格言至论，却嫌他说得未尽……（7·2607）

⑱这个便见公不曾看得那物事出，谓之无眼目。（7·2756）

现代一般用不带"得"的"NegVC(O)"表示，即"他没有说尽"、"公没有看出那物事"，发生变化的"V 得 C"都是动词作补语的结构，它们在现代已不再用于表结果了。

（二）程度述补结构

1. 就各类述补结构的出现频率看，程度述补结构占绝对优势，进入了繁复丰富期，这是《朱子语类》时代"V 得 C"述补结构的一个重要发展。

2. 主要形式是"V 得 C"和"V 得 OC"，否定式为"V 得 NegC"和"V 得 ONegC"，还有少数"NegV 得 C、NegV 得 OC"式。带宾语时也排斥宾语出现在补语后面，这条规律直到现代仍然严格遵守。

3. 形容词作补语的"V 得/不 C"式在现代汉语中既可表程度，又可表能性，对其原因，有学者认为是由于该式的"不足语法化"造成的，"不足语法化的语法结构或句式往往兼表两种语法意义"。② 不过，需进一步探讨的是：为何由动词性成分作补语的"V 得/不 C"结构是充分语法

---

① 温锁林《汉语句子的信息安排及其句法后果》，第五届全国中青年语法研讨会交流论文（武汉，1996 年 10 月）。

② 吴福祥《汉语能性述补结构"V 得/不 C"的语法化》，《中国语文》2002 年第 1 期。

化的结构,而由形容词性成分构成的同形结构就不能成为充分语法化的结构？详细情况将在下章讨论。

（三）能性述补结构

1. 肯定形式主要有"V 得 C"和"V 得 OC",另有"V 得 CO"和"VO 得 C",但它们与"V 得 OC"式的用例比为 15∶1∶70,当属变体形式。补语一般由"成、到、动、住、着、尽、起、下、出"类单音节状态、结果动词充当,整个"V 得 C"结构呈现出凝固性类型化特征,这是能性述补结构宾语能出现在补语之后而不被排斥的原因,这一用法一直保留到现代汉语中。

2. 否定形式以不带"得"的"V 不 C""VO 不 C"为主,与此相关,带"得"的否定式不多见。"V 不 C"成为现代能性述补结构的基本否定形式。

3.《朱子语类》中的"V 得 C"能性述补结构对语境的依赖仍很强,不过,比前代有所发展的是,已出现脱离语境的独立定型化用例。

（四）结果/能性述补结构、程度/能性述补结构是由模糊语境而产生,其特点与对应的结果、程度、能性述补结构基本相同。

（五）另有相当数量的"V 得来（C）"述补结构,带宾语的形式为"V 得 O 来 C"和"V 得 CO 来"。该结构几乎分布于各类述补结构中,结构的性质、功能以及来源发展前文已有分析。《朱子语类》中"得来"能与结构助词"得"对举互现,可见二者功能一致。

三　与相关句式的结合情况

与被动式、处置式的结合已很常见,被动式、处置式跟述补结构的套合与其自身发展密切相关,述补结构的进入对它们的丰富发展起到了至关重要的推动作用。

四 语义特征

（一）述语以动词性成分为主，少数是形容词。各类述补结构中述语动词的语义类别差异不大，可粗分为动作动词、状态动词和心理感知动词等。

（二）补语成分大致有两类：一是动词性成分、谓词性指代词，二是形容词性成分。前者作补语是陈述动作行为的结果，后者作补语是对动作及其所造成的状态程度进行描述评价。《朱子语类》时代动词作补语时呈现出明显的类型化特征，充当补语的动词多为单音节结果状态动词。形容词补语以性质形容词为主，单音形容词作补语时带有明显的评价性语义特征，并以语义相对的形式共现。状态形容词、形容词重叠式及形容词性词组作补语时则带有较强的描述性特征。

（三）各类"V 得 C"述补结构的底层语义结构各有特点。

（四）结果、程度述补式补语语义指向述语动作、施事或受事，能性述补式补语指向述语动作。

五 与"V 得（O）"结构的消长

"V 得（O）"是"得"字述补结构的早期形式，兴起于汉末六朝，唐代丰富发展，《朱子语类》时代已蔚为大观，用例多，结构复杂，语法意义繁复，均非前代能比。不过，因结构形式的限制，在表达动作结果时呈现出简单性特征，它只能表示动作的完成和有结果，不能表述动作完成后结果状态的详细情况。为了弥补这一缺陷，"V 得 C"式产生，一经兴起就以其完善的句法语义功能成为汉语中极富表现力的述补结构，最终在语言交际中替代了"V 得（O）"式。

从文献看，南宋以前"V 得（O）"式一直是汉语"得"字述补结构的主流形式，《朱子语类》时期虽然它在数量上还占有优势，但已经显示出衰落迹象，表现在：一是式中动词已呈现出一定的复现率较高、类型化、固定化的趋势，不少动词由于复现率较高，有形成固定表达式或凝固成词的迹象，如"觉得、晓得、记得、认得、免得、难得、易得"等，此外固定搭配渐多，如"不消得、不见得、免不得"等，这种趋势进一步发展使得"V得(O)"式能产性降低，最终萎缩。二是与"V得C"式的消长关系出现了变化。我们对唐五代《敦煌变文集》和《祖堂集》进行过统计，唐五代"V得(O)"(769例)与"V得C"式(165例)的频率比为4.7∶1，而《朱子语类》时代为1.4∶1，可见"V得C"述补结构已经显示出逐步取代"V得(O)"式的强大势头。

本章参考文献

江蓝生 2000《近代汉语探索》，商务印书馆。
蒋绍愚 1994《近代汉语研究概况》，北京大学出版社。
刘坚、江蓝生、白维国、曹广顺 1992《近代汉语虚词研究》，语文出版社。
王力 1958/1980《汉语史稿》(中)，中华书局。
温锁林 1996《汉语句子的信息安排及其句法后果》，第五届全国中青年语法研讨会交流论文(武汉，1996年10月)。
吴福祥 2002《汉语能性述补结构"V得/不C"的语法化》，《中国语文》第1期。
杨建国 1959《述补结构发展试探》，《语法论集》第3集，中华书局。
杨平 1990《带"得"的述补结构的产生和发展》，《古汉语研究》第1期。
赵长才 2000《汉语述补结构的历时研究》，中国社会科学院语言研究所博士学位论文，未刊稿。
祝敏彻 1960《"得"字用法演变考》，《甘肃师范大学学报》第1期。

第六章 《朱子语类》述补结构的历时共时比较研究

　　本章将检查六朝至唐宋时期的几部重要代表文献中述补结构的使用情况,与《朱子语类》述补结构进行比较,从共时历时的角度对《朱子语类》述补结构的发展特点进行描述分析,探讨六朝至南宋时期述补结构发展演变过程中的历时变化和共时差异,并就述补结构发展演变的相关现象和问题进行讨论。

　　本章调查的历史语料是:六朝——《贤愚经》《世说新语》;唐五代——《敦煌变文集》《祖堂集》;宋代——《三朝北盟汇编》《刘知远诸宫调》。共时比较语料我们选择《三朝北盟汇编》和《刘知远诸宫调》,这两种语料是 12 世纪初期到 13 世纪上半期的文献,前者记述宋徽宗、钦宗、高宗三朝与辽金和战的始末,口语成分很多,基本代表的是宋朝辽金话;后者是金代民间的说唱形式,大致反映的是中原河北一带的方言,两种语料所反映的都是北方方言。就时间来看,《朱子语类》的成书时间大致在 12 世纪上半期到 13 世纪中后期,反映的基本是公元 1130—1270 年间的口语面貌。若把《朱子语类》语料的上、下限时间与上述两种资料做一比较,二者大约相差三四十年,两类语料的时间相差不大。就语言的地域特征来说,《朱子语类》虽然反映的是以当时中原口语为基础的通语,但就朱熹本人及语录记录者的籍贯和生活经历来看,《朱子语类》的语言应该带有南方方言特点。所以,我们把这三种语料放在一起进行比较,希望能找到历时以外的因素去解释语言的变化和差异。

第一节 《朱子语类》动结式述补结构的历时共时比较研究

一 《朱子语类》动结式述补结构的历时比较研究

我们基本同意动结式正式产生于六朝的意见[①],所以把六朝作为动结式发展的起始阶段来考察。

(一)六朝时期的动结式述补结构

六朝两种文献中共有动结式 294 例,结成(137 例,占 46.6%)、结态(156 例,占 53.1%)、结度(1 例,占 0.3%)三类动结式都已出现,但结度动结式极罕见。从结构形式看,有"VtVi、VtViO、ViVi、ViViO、VtA、VtAO、VtOVi" 7 种。

1.结成述补结构。共 137 例,结构形式有:VtVi,54 例;VtViO,49 例;VtA,12 例;VtAO,12 例;VtOVi,1 例;ViViO,9 例。依类例举如下:

①其中好柰,鹦鹉啄坏。(贤·卷9)

②时彼大臣,救活一人。(贤·卷1)

③觉有异色,乃自申明云:"向问饮为热,为冷耳。"(世·纰漏)

④四天即下,各捉宝瓶,盛满香汤,以灌其顶。(贤·卷13)

⑤今当打汝前两齿折。(贤·卷11)

⑥即时火坑变成花池。(贤·卷1)

六朝时期的结成述补结构主要有以下特点:

[①] 梅祖麟《从汉代的"动杀"、"动死"来看述补结构的发展》,《语言学论丛》第 16 辑,商务印书馆,1991;蒋绍愚《汉语动结式产生的时代》,《国学研究》第 6 卷,北京大学出版社,1999。

第一节 《朱子语类》动结式述补结构的历时共时比较研究

(1)"VtVi(O)、VtA(O)"式是主要结构形式,"ViVi/A"式在此期还没有出现,"ViViO"式仅限于"成(成为)"作补语的用例。

(2)充当补语的成分有限可数,主要有"动、坏、破、灭、折、杀、断、裂、活、去(除掉)、尽、足、明、满、熟、净"等约20个单音节不及物动词和形容词。述语动词不丰富,述补搭配较单调,如与"折"搭配的主要是"打、摧",与"成"搭配的是"化、变",与"满"搭配的是"盛、积"等,且一般是及物动词,不及物动词极少见。就目前所见,述、补语成分均为单音节。这些都显示出初期发展阶段的特点。

(3)动结式带有很多初期阶段的伴随性特征,主要有:

I.动结式有相应的"VOC"式并存,如上例⑤,这种情况在六朝文献中时能见到。对这类结构的性质认定,学术界一直有分歧,但一般都认为它是伴随着动结式的产生而出现的结构形式。这类结构的出现是"V_2"不及物化的一个重要佐证,由此可以判定相关"$V_1V_2(O)$"述补结构语法化过程的完成。我们同意蒋绍愚等先生的意见,认为它是隔开型动结式。①

II.不少后代的结成动结式还呈现出并列结构的特征,存在 AB、BA 两种形式,如"摇动—动摇、止住—住止",这说明此期动结式还处于形成过程中。

III.补语指向施事的结成动结式在这时还没有完成重新分析的过程,结构的前后项之间还能插入宾语或时间副词等成分,仍是主谓结构,如:

⑦既入其舍,次第坐定。(贤·卷1)

比较:

---

① 详见蒋绍愚《魏晋南北朝的"述宾补"式述补结构》,《国学研究》第12卷,北京大学出版社,2003。

⑧众坐已定。(贤·卷12)

⑨若复食饱,可赍持去。(贤·卷7)

比较:

⑩时有群雁,飞入海渚食啖粳米。食之既饱,衔毯翔来当王宫上失堕殿前。(贤·卷7)

Ⅳ.六朝结成动结式基本是补语语义指向受事、述语和补语之间有"使成"语义关系的使结式(128例,占93%),在目前检查的语料中,没有发现补语指向狭义施事的格式,只见到"Vi 成(O)"式(上例⑥),"成(成为)"是个只带关系宾语的特殊动词,"Vi 成 O"式补语语义指向当事,不是典型的补语指施型动结式,显示出动结式初期发展的特征。

2.结态述补结构。共156例,结构形式有:VtVi,60例;VtViO,62例;ViVi,17例;VtOVi,17例。依次举例讨论如下:

⑪化为死人,上其背上,急抱其头,尽力推却,不能令却。(贤·卷12)

⑫尔时此鸟,遇到一林。(贤·卷11)

⑬父已死了,我终不用此婆罗门以为父也。(贤·卷11)

⑭汝今割我股里肉取。(贤·卷4)

(1)述语基本为单音节及物动词,不及物动词极少见,如"看、观、睹、闻、寻、遇、施、收、夺、剥、采、择、掘、捕、割、斫、嘱、乐、系、贪、染、梦、死"等。作补语的有"及、到、见、住、着、却、取、了"8个不及物动词,根据补语动词的语义特征,可分成两类:一是"着、到、及、见、却、住",大致表示"涉及"、"接触到"、"固定"等意义,可视为广义"涉及"义动词,它们作补语时,部分或全部丧失原有动词义,表示一种较为虚化的结果义——动作达到了目的,或有了结果,独立性差,在语义和形式上都黏附于述语动词。二是补语由"完成"义动词"竟、讫、罢、已、取、了"等充当,它们的实词义开始虚化,跟在述语动词后表动作行为的完成实现,

第一节 《朱子语类》动结式述补结构的历时共时比较研究

但与仅具语法意义的动态助词不同,是一种介于虚实之间的成分,某些成分在补语位置上的进一步虚化为动态助词的形成提供了前提。

(2)从述语动词的语义特征看,六朝作补语的成分虚化程度不高。例如:"到"一般用于"V+到+处所词"结构,其前动词多是"往、来、送、追"等表示人的运动趋向或能造成事物移动的语义的动词,"涉及"义的"到"极为罕见,两部文献中仅1例(例⑫);"见"作补语时,前面动词多为"视见"义,如"望、观、看、目、睹"等;"着"则往往跟在心理动词如"贪、乐、爱、惑"等的后面,表示通过动作行为附着于某一对象;"却"作补语的例子不多,主要是用在动词"推"后,表示对象的被去除;"取"前述语动词大多是"获取"义或能造成"获取"结果的动词,如"收、摄、捕、纳、掘、采、夺、窃、择、剥"等;"成(完成)"没有用于结态补语的用例。这些都说明六朝时期的结态动结式还处于发展的初期阶段。

(3)需说明"V了"结构的用法。六朝"V了"结构不多见,"V"可以是非持续动词或持续动词,前者如上例⑬,"V$_{持续}$了"的例子在本文所检查文献中没有见到,但同时期文献中有,如:

⑮净洗了,捣杏人和猪脂涂。(齐民要术·卷6)

持续动词后面的"了"还带有"完结"实词义,非持续动词后面的"了"虚化程度要高一些,基本表示动作或状态的完成。两类"V了"结构性质不同,"V$_{持续}$了"是主谓结构,"V$_{非持续}$了"是述补结构,性质差异的原因在于:第一,六朝尚未发现"V了"用于句末的情况,也不见"V了O"式,所以,此期"V了"结构中的"了"还不是动态助词;第二,"V$_{持续}$了"结构在唐五代有大量用例,"了"前常有时间副词修饰(如"悲歌已了,更复前行(变4)"),它还带有"完结"义,在结构中是主要谓词,用于陈述说明前面动词所表示的动作行为,而且结构中还能插入宾语,这时,"VO"表述一个事件,"了"将事件作为话题来陈述(如"领吾言了便须行(变602)"、"问其事理已了(变160)"),所以唐五代"V$_{持续}$(OF)了"

结构仍是主谓结构。第三,"V_{非持续}了"结构中的"了"已无实词义,只表动作行为的完成,但因不居于句末,又不能带宾语,所以还没有完全语法化,是一种介于虚实之间的完成动词,应把它定性为表动态的补语。

其他完成动词用于动结式的有"竟、讫、罢、已",它们用在非持续动词后面,表示"完成",充当结态补语,结构形式为"VtVi"(21例)、"Vi-Vi"(16例)、"VtOVi"(16例),充当述语的非持续动词有"受、许、得、到、至、开、起、卧、觉、死"等。各举一例如下:

⑯其奴日日捕鱼为业。值时捕得吞小儿鱼,剖腹看之,得一小儿,面貌端正,得已欢喜。(贤·卷5)

⑰时摩竭鱼,一眠百岁,觉已饥渴,即便张口,海水流入,如注大河。(贤·卷4)

⑱尸利苾提,即出其家。往趣竹林,欲见世尊求出家法。到竹林已,问诸比丘……(贤·卷4)

3.结度述补结构,仅1例,结构形式为"VtAO",用例极罕见,尚处于萌芽阶段。

⑲化佛脐中,复出光明,亦分两奇,离身七仞,头有莲花,上有化佛,如是转遍大千国土。(贤·卷2)

(二)唐五代时期的动结式述补结构

唐五代是动结式的发展扩张期,种类趋多,结构形式趋于繁复。《敦煌变文集》和《祖堂集》中共有动结式939例,其中结成动结式320例(34.1%),结态动结式590例(62.8%),结度动结式29例(3.1%)。

1.结成述补结构,320例

(1)补语指向受事的结成述补结构,268例,结构形式有:VtVi,140例;VtViO,92例;VtA,19例;VtAO,14例;VtOVi,1例;还有2例"V

将去"式。依类例举如下:

⑳一志修行绝四流,网罗割断抛三界。(变531)

㉑何不存心,放汉将斫破寡人军营?(变40)

㉒有四个水碓与添满,更有院中田地,并须扫却。(变397)

㉓天子由(犹)事三老,古者养老乞言,不假妄构虚词,扰乱公府。(变368)

㉔去即打汝头破,住即亦复如然。(祖·卷19)

㉕曹山云:"要头则斫将去。"(祖·119)

(2)补语指向施事(含当事)的结成述补结构,47例,结构形式有:ViVi,17例;ViViO,10例;ViA,20例。依类例举如下:

㉖今朝死活由神断,鸟入网中难走脱。(变121)

㉗于时地卷如绵,石同尘碎,枝条迸散他方,茎干莫知所在。(变388)

㉘楚王太子,长大未有妻房。(变1)

(3)补语指向相关名词性成分的结成述补结构,5例,结构形式为"ViViO",例如:

㉙父母初闻说,悲啼哭断肠,只缘薄福德,不久见身亡。(变775)

唐五代时期的结成述补结构主要有以下特点:

A.结成动结式仍以补语指向受事、述补间有"使成"语义关系的使结式为主(84%),但补语指向狭义施事的格式已经出现,还出现了补语指向相关名词性成分的形式,比之六朝有了很大发展。

B.从结构形式和频率分布看,以"VtVi、VtViO"使结式为主要形式,又出现了前代没有的"ViVi、ViA"式以及具有不同形式和语义特征的"ViViO"式。

C.具体说来,各类结成动结式有以下发展特点:

使结式。由于使动用法进一步衰落,相关连谓式中后项动词的不及物化趋势渐趋定型,唐五代使结式的定型化程度明显高于六朝。主要表现为:一是与补语搭配的述语动词渐趋丰富,以"破(破损)"为例,六朝两部文献中只有"啮破",唐五代两部文献中"破"前动词明显增多,有"斫、骂、拆、刺、砺、击、打、揎、咬、张、踏、拨、分、劈、勘、折、冲、笑"等近20个,作补语的动词形容词的种类和数量也趋多,这说明使结式在后代经历了一个基于共同语义和句法特征的类推扩展。二是音节构造上出现了少量"双音+单音"形式,如"填压死、折损尽",未见"双音+双音"形式。三是与"被"字句套合已不少见,与处置式套合还不多见,两部典籍中只有1例,这与处置式处于初期发展阶段有关,如:

㉚遥指碧潭垂钓叟,被师呵退顿忘筌。(祖103)

㉛数数频将业剪除,时时好把心调伏。(变664)

仍存有宾语插在述语和补语之间的形式,见上例㉔。不过,六朝及唐五代使结式中的宾语构成都不复杂,以单双音节名词为多,若由词组充当,则基本上是形式简单的并列和偏正词组。

补语指向狭义施事的结成述补结构始见于唐五代,补语成分也开始丰富,出现了"死、定、倒、脱、裂、断、散、尽、大"等,与补语搭配的述语动词也较丰富。

补语指向相关名词性成分的结成述补结构,如"哭断肠、哭裂长城、笑破口"等,其结构形式为"ViViO",内部语义关系较特殊:述语动词表示施事主语发出的动作,宾语不受述语支配,但又是与述语动作相关的名词性成分,而且与补语构成陈述,是补语语义指向的对象,述、补之间有"使成"关系,表达的是"哭使肠断"的意义,多半用于夸张的修辞表达。它与使结式不同,是由"VtViO"使结式类推而来。

2.结态述补结构,590例,形式为:VtVi,172例;VtViO,367例;ViVi,43例;VtOVi,8例。依次举例如下:

第一节 《朱子语类》动结式述补结构的历时共时比较研究

㉜老去和头全换却,少年眼也拟椀(挽)将。(变762)

㉝又时把住僧云:"去则住,住则死。"(祖231)

㉞所以经云如斯养育,愿早成人,及其长成,翻为不孝。(变692)

㉟第二十祖阁夜多尊者,北天竺国人也。得鸠摩罗多法已,行化至罗阅城……(祖·卷2)

唐五代结态动结式发展的重要变化有三:

(1)出现频率增加。六朝结成动结式与结态动结式的出现频率比为1∶1.1,唐五代为1∶1.8,接近是结成动结式的两倍,这与动态助词的发展紧密相关,唐五代是动态助词的形成发展期,由动词带上半虚化的"却/着/取/了"等构成的动结式的出现频率较高。

(2)不及物动词作述语的用例增多。

(3)补语成分新出现了"就",但未见完成动词"竟、罢"作补语的用例。唐五代结态动结式发展的重要变化之一就是作补语成分的虚化程度大大提高。六朝,用于动词后的"及、到、见、住、着、取、却、了"等的实词义还相当明显,所在结构难以与连谓式完全划清界线,如"取"多用在取义动词或以获取为目的、能造成获取结果的动词后面,"着"用于能产生附着状态或是表心理活动的动词后面,"见"一般用于"视觉"义和"遭遇"义动词后面,"到"极少用于表示"涉及"性结果,"住"还不能完全排除"止"义,"了"出现在非持续动词后面的用例极罕见等等。唐五代发生变化,"取"大量出现在非取义动词后面,"着"前动词不再局限于能产生附着状态或是表心理活动的动词,"到"常用于表"涉及"性结果,"见"可以出现在非"视觉"、"遭遇"义动词后,"住"用于表示目的的达到和实现,用于非持续动词后面的"了"渐多,少数"了"出现在形容词或动结式的后面,个别"V了"结构还带上宾语,进一步语法化成动态助词。

3. 结度述补结构,29例,形式有:VtA,8例;VtAO,5例;ViA,8例;ViViO,6例;AFO,2例。依次举例如下:

㊱树神唱喏,遍历山川,寻溪渡水,应是山林树下,例皆寻遍,不见一人。(变168)

㊲在后达于本愿,欲得说破这个事。(祖89)

㊳师因见溪水云:"此水得与摩流急。"(祖242)

㊴说着来由愁煞人!(变64)

㊵师云:"苦杀人,洎错放过者个汉。"(祖99)

唐五代,结度动结式虽比六朝有所发展,但仍处于初期发展阶段,主要表现在:

(1)出现了"VtA、ViA、AFO、ViViO"四种形式,前三式是新出现的,最后一式在本文调查的六朝语料中没有见到,但同时期其他语料中有用例,如:[1]

㊶白杨多悲风,萧萧愁杀人。(古诗十九首)

(2)述语由及物或不及物性单音节动词充当,少数形容词也可充当;补语基本是形容词,不足10个,如"急、遍、迟、久、破(透)"等,有8例"V/A 杀/煞 O"格式(例㊴㊵),"杀/煞"表示达到极点、程度深,最初只出现在心理动词后面强调程度达到极点,是不及物动词,唐以后作程度副词用在形容词后面,其结构相当于现代汉语典型的程度补语"A 死(O)"结构。

(3)补语形容词的指动性及功能上对述语动作的评价性特征限制了结度述补式带宾语的功能,所以结度动结式一般不带宾语。

(4)部分结度动结式在此期才完成从主谓结构到述补结构的语

---

[1] 转引自梅祖麟《从汉代的"动杀"、"动死"来看动补结构的发展》,《语言学论丛》第16辑,商务印书馆,1991。

第一节 《朱子语类》动结式述补结构的历时共时比较研究

法化过程,以"久"为例,先秦至六朝,形容词"久"与动词组成结构时的位置有二:"久 V"和"V 久",六朝时"V 久"中间经常插有时间副词:

㊷时波婆梨,见其外甥儿,学既不久,通达诸书……(贤·卷12)

㊸世尊处世,教化已久。(贤·卷6)

唐五代,时间副词不再插入,"久"成为对动词表示的动作行为持续时间的长短进行评价的补充成分,述补结构形成。

(三)从历时比较看《朱子语类》动结式的特点

以下是六朝至南宋时期各类动结式使用情况的统计:

时代/类型			VtVi	VtViO	VtA	VtAO	ViVi	ViViO	ViA	AF	AFO	VtOVi	Vt将去
六朝 294	结成 137	受 128	54	49	12	12						1	
		施 9					9						
	结态 156		60	62		17						17	
	结度 1				1								
唐五代 939	结成 320	受 268	140	92	19	14						1	2
		施 47					17	10	20				
		名 5						5					
	结态 590		172	367		43						8	
	结度 29				8	5		6	8	2			
南宋 2692	结成 1185	受 1017	517	316	101	77							6
		施 168			48	3	84	26	7				
	结态 1250		539	492		122	10					87	
	结度 257				211	22		12	12				
总计	3925		1482	1378	399	134	283	66	47	12	2	114	8

1. 结成述补结构

总体来说,《朱子语类》结成述补结构基本是承袭前代用法,各类结构形式在唐五代已大致具备,主流结构形式从六朝到南宋也没有太大变化,都以"VtVi""VtViO"式使结式为主,但《朱子语类》时代各形式的频率分布出现了较大变化,最明显的是由形容词充当补语的"VtA(O)""ViA"式用例急遽增多,这与使结式的类推扩展有关:一方面原有使结式因后项形容词扩展而造成用例数量增多,另一方面是唐五代以后,由补语指向受事的使结式类推出了补语指向施事或当事的形式,南宋时期进一步发展,因而用例增加。此外,同一补语成分因语义引申发展出新意义的情况在《朱子语类》时代更为普遍,如"死:死亡→不灵活,绝:断绝→极、非常"等。而且结成动补搭配呈现出更为明显的多样化格局,表现为同一补语成分前的述语动词呈现出明显的多样性特征,详细情况可参见第二章附录"《朱子语类》动结式述补结构用法一览表"。

具体到各类结成述补结构,其发展变化表现为:

(1)补语指向受事的结成述补结构(使结式)。《朱子语类》使结式基本上是承继前代的用法,使结式的各类结构形式在唐五代都已经出现,主要结构形式从六朝到南宋没有太大变化,都以"VtVi"和"VtViO"式为主,变化发展主要表现在四方面:一是形容词充当补语的形式在南宋以后渐多,形容词补语的数量和种类都比前代丰富;二是使结式开始与其他补语形式如动量补语、"得"字补语、"V将补语"格式等套合,还能带助词"得来"、"了"、"着"等;三是宾语构成趋于复杂,多音节名词性偏正词组、并列词组作宾语的用例增多;四是与被动式、处置式套合的情况趋多,形式也多样化。具体情况第二章已有讨论,不细述。

(2)补语指向施事的结成述补结构。这类结成述补结构虽见于唐,

第一节 《朱子语类》动结式述补结构的历时共时比较研究

但极少见,宋代用例渐多,有了新发展,表现为:一是因使结式的类推,出现了"VtA(O)"等新形式;二是述语补语成分比前代丰富,出现了多音词组作述语的用例,形容词补语增多,出现了一些前代没有的述补搭配;三是宾语形式比前代复杂,多音节名词性偏正词组、并列词组作宾语的用例增多。

2.结态述补结构

(1)使用频率上的变化特点。六朝结成动结式与结态动结式的频率比为1:1.1,唐五代为1:1.8,南宋《朱子语类》时期为1:1.1,又回复到六朝状况。这种曲线变化与动态助词的语法化有关。唐五代是动态助词的形成发展期,由动词带上半虚化的"却/着/取/了"等构成的动结式的出现频率较高,所以此期结态动结式用例将近是结成动结式的两倍;而南宋《朱子语类》时期,虽然结态述补结构的出现频率仍然超过结成述补结构,但由于各类动态助词已基本完成各自的语法化过程,功能趋于定型,分工也趋于明确,有的如"取、却"等甚至已经退出了历史舞台,所以保留在结态动结式中的过渡发展用例自然也相应减少。

(2)结态动结式的两种结构形式"VtVi(O)"在六朝即已出现,唐五代承继,南宋时期仍是基本结构形式,"ViVi"式六朝萌芽,唐五代以后渐多,《朱子语类》中新出现了"ViViO"式。几种结构形式中,"VtVi(O)"是主流形式,占据着绝对优势。

(3)补语成分的虚化程度比前代高,呈现出过渡时期的特征,相当数量的语法助词在完成语法化之前的过渡形式都还保留在这一时期,现代汉语中由黏着性虚化成分充当补语的形式在此期已初具规模,有的还呈现出较之前代乃至现代更为丰富的特点,如"见",六朝和唐五代,"见"前动词基本上是"视觉"义动词,而《朱子语类》中,"视觉"义动词只占30%,多数是非"视觉"义动词,如"闻、照、考、寻、究、穷、讨、检、推"等,这使得南宋结态述补式形式和功能繁复,出现频率趋高。

(4)充当宾语的成分趋于复杂,有单、复音节名词、数词、动词、形容词和并列、偏正、述宾、主谓词组及复杂词组等,且形式的复杂程度超过别类动结式,这与结态动结式后项成分虚化、前后项成分间凝固性强有关。

(5)与其他结构形式如"得"字补语式、被动式等套合以及带助词"了"的情况趋多。

3.结度述补结构

结度述补结构的发展带有爆发式特点,萌芽于六朝,唐代不多见,南宋急遽增多,有了长足发展,表现在:

(1)用例数量和出现频率大大超过前代。

(2)结构形式增多,除前代已有格式外,新出现了"AF"式,"F"还出现了"杀"以外的程度副词。

(3)充当补语的形容词大为扩展,由唐五代时期不足10个的数量遽增到近70个,接近于现代汉语动结式的形制。

(4)结构形式的内部构造也有发展,除以"单音+单音"为主外,还出现了"单音+双音"和"双音+双音"的形式。

(四)六朝至南宋时期动结式发展的总特点

1.六朝至南宋,动结式述补结构的出现频率呈递增趋势,据所检查文献,各时期动结式的出现频率依次为1‰、2‰、22‰,可见南宋是动结式发展壮大的重要转折时期。研究表明,六朝是动结式产生发展的初期阶段,结构形式简单,类别不丰富;唐五代是发展扩张期,种类趋多,结构形式趋于繁复;宋代是成熟发展期,动结式在此期已经基本定型,但由于各类来源途径和产生时间的差异,动结式内部呈现出发展的不平衡性,结成述补结构已经相当成熟,结态述补结构基本定型,结度述补结构因出现稍晚,还处在进一步丰富完善的阶段。

2. 从各类动结式的频率分布看,结成、结态述补结构一直都是动结式的主要基本形式,结度述补结构到南宋才逐渐发展起来。

3. 就形式言,"VtVi(O)"一直是结成、结态述补式的主流形式。"VA(O)"式最早见于使结式,但六朝至清,使结式中的补语形容词一直不丰富;宋以后,形容词补语在补语指向施事的结成述补式和指动的结度述补式中出现繁荣,特别是结度述补式在南宋时期急遽发展,使用频率增加,补语形容词趋于丰富。由不及物动词作述语的结成(ViVi(O)、ViA(O))、结态(ViVi(O))述补式唐五代以后才发展出来,到宋代,进入格式的补语成分越来越丰富,用例数量也有所增加。此外,唐宋以后还出现了"AF(O)"式,是动结式发展过程中类推出来的少见形式。

4. 从音节构造看,六朝限于单音节成分作述语补语,这与动结式初期发展的特点有关,因为述语补语的最初黏合要受音节限制,"单+单"是最易于黏合的形式;唐五代开始出现双音节作述语或补语的形式,但数量不多,仅占总数的2%,还不见述语补语同时为双音节的用例;南宋时期"双+单"形式已经相当常见,"单+双""双+双"形式也时能见到,还出现了少量多音节成分充当述语的用例,所占比例已经超过10%。

5. 动结式与语法助词和相关结构相结合,以及与其他类型述补结构相套合的情况。宋以前,动结式与语法助词及相关结构相结合的情况不多,宋代,由于各类助词基本完成了各自的语法化过程,所以动结式带助词的情况十分普遍,与处置式被动句相结合的用例也增多,以处置式为例,唐五代与处置式结合的述补结构都是早期补语类型,以处所补语和对象补语居多,与处置式结合的动结式只见到补语指向受事的使结式结成述补结构及结态述补结构,不见补语指向狭义施事的结成述补结构和结度述补结构,宋以后,动结式进入处置式的比例比之唐五代有较大提升,各类动结式都可以与处置式结合,补语类型的丰富性和完备性以及套合形式的复杂性都超过了唐五代,还出现了动结式与其他补语同时与处置式套合的用例,诸如动结式与处所补语,动结式与介宾对象补语,动结式与动趋式,等等。就动结式与语法助词及相关结构套合的形式看,现代汉语所有的结合形式在此时都已初具规模。各类述补结构相互套合的形式,如动结式与动趋式、与"得"字述补式、结成结态结度相互套合等在宋代也已出现,有的套合形式在后代进一步发展,有的则在发展中因多种原因而消失。

二 《朱子语类》动结式述补结构的共时比较研究

(一)《三朝北盟汇编》和《刘知远诸宫调》中的动结式

《三朝北盟汇编》和《刘知远诸宫调》中共有动结式243例,其中结成述补式94例,结态述补式129例,结度述补式20例。依类讨论如下。

1.结成述补结构

共94例,有以下形式:(1)补语指向受事,86例:VtVi(40例)、VtViO(41例)、VtAO(2例)、ViViO(3例);(2)补语指向施事,8例:ViVi(7例)、ViA(1例)。否定形式有"NegVtVi"、"ViNegVi"、"VtONegVi"等形式,已归入相应肯定式中统计。依次举例如下:[①]

(1)补语指向受事

[①] 以下引例的页码均指《近代汉语语法研究资料汇编·宋代卷》页码,商务印书馆,1992。

㊹契丹煞大国土,被我杀败。(三朝80)

㊺牛驴惊跳,拽断麻绳,走得不知所在。(刘知远351)

㊻几乎不諕杀岳司公,见条八爪渗金龙,拽满三石黄桦弓。(刘知远356)

㊼一团儿颤,愁损艳态,蹙破宫眉。(刘知远364)

(2)补语指向施事

㊽是时秋霖积潦,山水适至,河暴涨,人马溺死者不知其数。(三朝83)

㊾也生二子,长大来为人不善。(刘知远344)

2.结态述补结构

共129例,结构形式有:VtVi(57例)、VtViO(67例)、ViVi(2例)、VtOVi(3例),否定形式为"VtNegVi",已归入相应肯定式中统计。依次举例如下:

㊿裹肚是三尺绯花,布衫是麁麻织就。(刘知远355)

(51)恰才撞到牛栏圈,待朵闪应难朵闪,被一人抱住刘知远。(刘知远353)

(52)闭双眸熟睡着,一事罕曾闻。(刘知远346)

(53)皇帝已定亲去收燕京,候收燕京了,却来商量。(三朝84)

3.结度述补结构

共20例,有以下结构形式:VtA(10例)、VtAO(9例)、ViA(1例)。依次举例如下:

(54)洪义生欢悦,这汉合是死,雠冤都报彻。(刘知远349)

(55)自从他化去,欺负杀俺夫妻。(刘知远352)

(56)这里许多军住久,是坏了您家人民田种。(三朝150)

两书动结式的使用情况统计如下:

结构形式 \ 结构形式	结成 指受	结成 指施	结态	结度	总计
VtVi	40		57		97
VtViO	41		67		108
VtA	2			10	12
VtAO				9	9
ViVi		7	2		9
ViViO	3				3
VtOVi			3		3
ViA		1		1	2
总计	86	8	129	20	243
	94				

归纳起来,有以下特点:

(1)结成、结态述补式是主要结构形式,结态述补式的用例超过了结成述补式,结成述补式中又以补语"指受"的使结式为主,"指施"的不多见,结度述补式的用例不算多见。具体到各结构形式,"VtVi"和"VtViO"是主要形式,其余形式都只是零星用例。

(2)形容词作补语的情况在两种文献中不多见,没有见到形容词作补语的"指施"结成述补式,补语"指受"的结成述补式中没有"VtAO"式,结度述补式也不丰富。作补语的形容词仅见到"满、久、破(透彻)、透、详、详尽"6个,除"满"用于结成式外,其余用于结度式。

(3)结态述补式补语成分的语义类别也可分为表涉及和表完成两类,有"到、及、见、着、却、就、住、取、了",与《朱子语类》一样,不见"竟、已、毕、罢、讫"作补语的用例。

(4)各动结式的内部音节构造以"单音+单音"为主,双音节作述语或补语的仅9例,所占比例不足4%,有"双音+单音"8例,"双音+双音"1例。

(二)从共时比较看《朱子语类》动结式的特点

下面是《三朝北盟汇编》《刘知远诸宫调》与《朱子语类》动结式使用情况的比较统计:

补语类型 结构形式	结成 三朝 指受	结成 三朝 指施	结成 刘知远 指受	结成 刘知远 指施	结态 三朝	结态 刘知远	结态 朱子	结度 三朝	结度 刘知远	结度 朱子	总计
VtVi	40		517		57		539				1153
VtViO	41		316		67		492				916
VtA	2		101	48				10		211	372
VtAO			77	3				9		22	111
ViVi		7	84		2		122				215
ViViO	3		26				10				39
VtOVi					3		87				90
ViA		1	7					1		12	21
AF										12	12
V将去			6								6
总计	86	8	1017	168	129		1250	20		257	2935
	94		1185								

《朱子语类》动结式的使用情况与《三朝北盟汇编》《刘知远诸宫调》大同小异,就差异而言,表现在以下方面:

1.《朱子语类》动结式结构形式的丰富性超过了《三朝北盟汇编》和《刘知远诸宫调》。

除结度述补式的各类结构形式与《三朝北盟汇编》《刘知远诸宫调》一样外,《朱子语类》中的结成、结态述补式的结构形式都比另外两部文献丰富,如:《三朝北盟汇编》和《刘知远诸宫调》中补语指施的结成述补式不多见,《朱子语类》有的"VtA(O)"、"ViViO"等形式在二书中不见,补语指受的结成述补式中又没有"VtAO"式,结态述补式中没有"ViViO"式。造成差异的原因可能是由于《朱子语类》语料稍晚于其他两种语料,也可能是由于两类语料的字数篇幅差异带来的。

2.《三朝北盟汇编》和《刘知远诸宫调》中形容词作补语的情况较少,且补语形容词很单调,总共只有6个,远远不及《朱子语类》丰富。若不计算重复出现的用例,《朱子语类》中充当补语的形容词有76个,已经在数量上大大地超过了动词补语(51个)。这些形容词补语绝大多数是出现在结度述补式中,对动作行为进行评价,而《三朝北盟汇编》和《刘知远诸宫调》中的结度述补式并不丰富。存在差异的原因可能有三:其一,语言是发展的,《朱子语类》时代形容词补语已较为丰富,而另外两种语料显示的情况略微滞后,这正好表明晚出的《朱子语类》动结式较前代有所发展。其二,《刘知远诸宫调》所反映的语言的口语化程度明显地要高于《三朝北盟汇编》,这应该是与其民间说唱文学样式及语体内容相关。由此类推,上述形容词补语差异也可能与语料语体内容的差异性有关。《三朝北盟汇编》是宋、辽、金外交和军事活动的记录,受内容限制,其语言正式、规范,叙述性特征较强,描写夸张的成分相对要少,这也许是造成其形容词补语少见的一个原因。其三,语言发展的历史表明,动乱时期和民族融合时期的语言变革远远超过和平稳定时期,以上语言差异是否会与社会的变革发展、语言的地域差异等因素有关系还有待于进一步考察。

3.《三朝北盟汇编》《刘知远诸宫调》中补语指受的结成述补式中有一种结构形式在《朱子语类》中没有见到,即:"ViViO"式,见上例㊼,这类结构最早见于唐五代,如"哭断肠/笑破口",前文已有分析,它应该是在相同的语义基础上,由"VtViO"式使结式类推而来的。有变化的是,宋代这类结构开始带有“指实”性特征，而不一定用于夸张。现代汉语中这类结构形式还经常使用，如“哭坏了眼睛/跑断了腿”等，“指实”与夸张并存。

三 相关问题的讨论

本小节中，我们拟对动结式带宾语问题作一简单讨论。

(一)各类动结式所带宾语的性质

1. 结成述补结构

(1)补语语义指向受事的结成动结式(使结式)

使结式的述语表示施事所发出的动作行为，补语说明因施事动作行为的实施而使受事得到某种结果或处于某种状态，述语补语之间有“使成”语义关系，补语语义指向受事。述语动词都是动作义极强的及物性外向动词，即：施事发出的动作行为不由自己承担，而是作用于受事，给受事带来某种结果或状态，如“斫、摧、啄、抓、食、舐、唤、挽、诛、蹋、煮、打、看、掘、射”等，补语是带有“内向”性“自足”特征的不及物动词或形容词，如“动、坏、破、灭、折、杀、断、裂、活、伏、尽、明、满、彻、大”等。基于以上句法语义特征，使结式都能带宾语，所带宾语为受事宾语(动作行为所直接及于的事物或对象)。例如：

(57)何不存心，放汉将斫破寡人军营？(变 40)

(2)补语指向施事(含当事)的结成动结式

在发展初期，补语指向施事(当事)的结成述补结构的述语动词一般是不及物动词，表示施事(当事)的动作行为或状态，具有“[+状态(+持续)]+[+内向]”语义特征，如“睡、冲、迸、饿、醉、走、仰、渗、落、坐、长(生长)、消散”等，这种状态性动作行为的持续导致施事(当事)获得某种结果或处于某种状态，所以初期的补语指向施事(当事)的结成动结式较少带宾语，六朝文献中只有“成(成为)”作补语的“ViViO”式

带宾语,所带宾语是"成"的关系宾语,如:

㊽即时火坑变成花池。(贤·卷1)

唐五代情况与六朝大致相同,不同的是出现了带处所宾语的用例,如:

㊾于时地卷如绵,石同尘碎,枝条迸散他方,茎干莫知所在。(变388)

宋代以后出现了带有"[＋状态(＋持续)]+[＋外向]"语义特征的及物动词带形容词补语的格式,补语补充说明施事(当事)动作给其自身所造成的结果或状态,例如:

⑥既做错此事,他时更遇此事,或与此事相类,便须惩戒,不可再做错了。(1·243)

宋以后还出现了少数带广义施事宾语(宾语是动作或活动的发出者或当事者)的情况,例如:

㉑今都蹉过,不能转去做,只据而今当地头立定脚做去……(1·125)

㉒九泉干死食毒客,深闺笑杀一金莲。(金瓶梅·9回)

㉓玉烛滴干凤里泪,晶帘隔破月中痕。(红楼梦·37回)

清代又新产生了述语补语都是及物动词的形式(下例㉔),宾语语义也趋于复杂,例如:

㉔才学着办事,倒先学会了这把戏。(红楼梦·16回)

㉕彼时赵嬷嬷已听呆了话,平儿忙笑推他,他才醒悟过来……(红楼梦·16回)

㉖谁知自从在此住了不上一月的光景,贾宅族中凡有的子侄,俱已认熟了一半……(红楼梦·4回)

例㉔的宾语受述语动作支配,但与补语有关,例㉕的宾语受述语动作支配,但与补语无关,二者区别可从底层语义关系看出:"学会了这把戏→N_施学这把戏＋N_施会了这把戏","听呆了话→N_施听话＋N_施呆了";例⑥⑥中的宾语是数量宾语,指示说明述语动作所支配对象的数量。

(3)补语指向相关名词性成分的结成动结式

在这类结成动结式中充当述语补语的成分与补语指向施事(当事)的结成动结式大体一致。

唐五代至宋代,这类动结式基本为"哭裂长城"类"ViViO"式,例如:

⑥⑦父母初闻说,悲啼哭断肠,只缘薄福德,不久见身亡。(变775)前文已有分析,这类结成动结式的内部语义关系较特殊,即:述语动词表示施事主语发出的动作,宾语不受述语支配,但又是与述语动作相关的名词性成分,而且与补语构成陈述,是补语语义指向的对象,述、补之间有"使成"关系,表达的是"哭使长城裂"的意义,多半是一种夸张的修辞表达方式。

元明以后,补语指向相关名词性成分的结成动结式补语的语义指向以及与宾语间的语义关系趋于复杂,据我们调查,有以下几类:一是补语指向动作工具,所带宾语为工具宾语;二是补语指向对工具宾语进行修饰限定的成分;三是补语指向与当事有领属关系的名词性成分;四是补语指向动作处所,所带宾语为处所宾语。依类举例如下:

⑥⑧捱到黄昏月上小窗明,泪眼通宵揾湿鸳鸯枕,晓来时懒对孤鸾镜。(近代汉语语法资料汇编·元明卷155)

⑥⑨那日把席上椅子坐折了两张。(金瓶梅·12回)

⑦⑩那讲主见那达达跌破鼻子,叫将跟前来说……(近代汉语语法资料汇编·元明卷328)

⑦①仔细站脏了我这地,靠脏了我的门!(红楼梦·9回)

绝大多数结成动结式宾语的位置都在述语补语之后,但在发展初期,有个别宾语插在述语与补语之间的形式,即"打头破"类隔开型结成动结式,见前例⑤。

2.结态述补结构

所带宾语主要有两类:受事宾语和施事宾语。宾语的语义类别与述语动词的性质往往有关:当述语动词是及物动词时,宾语一般都是受事宾语,若是不及物动词,则往往带施事宾语。例如:

⑫王孝伯罢秘书丞在坐,谢言及此事……(世·排调)

⑬这个人被叉杆打在头上,便立住了脚待要发作时,回过脸来看,却不想是个美貌妖娆的妇人。(金瓶梅·2回)

宾语的结构形式比结成、结度动结式复杂,除有单、复音节名词、数词、动词、形容词和并列、偏正、述宾、主谓词组外,还有复杂词组,这与结态动结式后项成分虚化、前后项成分凝固性强有关。

就位置而言,大多数结态动结式的宾语都在述语补语之后,但在发展初期,有一些宾语插入述语与补语之间的形式(见前例⑭),这类格式由"打头破"类隔开型结成动结式类推而来。

3.结度述补结构

结度动结式的述语动词表示施事的动作行为,补语形容词说明述语动作所达到的程度,对其量度加以评价,带有评价性特征,包括对动作行为的量、速度快慢、时间早晚、结果状态等的评价,即对动作行为造成的结果状态所达到的程度的评价说明。这种句法语义特征(即补语形容词的指动性及功能上对述语动作的评价性特征)限制了结度动结式带宾语的功能,所以,现代汉语结度动结式一般不能带宾语,近代汉语时期的情况大致相仿。宾语类型主要是受事宾语(见下例⑭⑮),偶有处所宾语(例⑯)、数量宾语(例⑰),真正表程度的"AFO、VtViO、ViViO"格式则以带施事(当事)宾语为主(例⑱⑲⑳)。

分类举例如下:

⑭每一次看透一件,便觉意思长进。(7·2616)

⑮如今我想,我已经快五十岁的人,通共剩了他一个,他又长的单弱,况且老太太宝贝似的,若管紧了他,倘或再有个好歹……(红楼梦·34回)

⑯化佛脐中,复出光明,亦分两奇,离身七仞,头有莲花,上有化佛,如是转遍大千国土。(贤·卷2)

⑰因后边吃饭,来迟了一步,不想他先来见了,所以不曾赶上。(金瓶梅·18回)

⑱说着来由愁煞人!(变64)

⑲苦杀人,泪错放过者个汉。(祖99)

⑳亲嫂子,等死我了。(红楼梦·12回)

结度动结式带受事宾语是有条件的,即:一般带宾语用例往往由及物动词充任述语,其补语语义虽然指向动作,但说明的是动作与受事之间的情况,如某些及物动词与部分形容词如"紧、准、透、破(透)、多"构成的动结式可以带受事宾语,如"量准尺寸、看准了这英莲、管紧了他、吃多了酒"等,这类用例南宋已见,清代数量有所增加,并保留到现代汉语中,如"抓紧时间/打准目标/摸透情况/认清形势"等①。结度动结式带宾语应该是受到它类动结式带宾语格式的类化。

(二)六朝至南宋动结式带宾语的情况

我们对六朝至南宋时期动结式带宾语和不带宾语的情况进行了统计,如下表:

---

① 此用例转引自李小荣《对述结式带宾语功能的考察》,《汉语学习》1994年第5期。

300 第六章 《朱子语类》述补结构的历时共时比较研究

带宾语情况：

格式\类型	六朝 结成	六朝 结态	六朝 结度	唐五代 结成	唐五代 结态	唐五代 结度	南宋 结成	南宋 结态	南宋 结度	总计
VtViO	49	62		92	367		316	492		1378
VtAO	12		1	14		5	80		22	134
ViViO	9			15		6	26	10		66
AFO						2				2
VtOVi	1	17		1	8			87		92
总计	71	79	1	122	375	13	422	589	22	1694
		151			510			1033		

不带宾语情况：

格式\类型	六朝 结成	六朝 结态	六朝 结度	唐五代 结成	唐五代 结态	唐五代 结度	南宋 结成	南宋 结态	南宋 结度	总计
VtVi	54	60		140	172		517	539		1456
VtA	12			19		8	149		211	399
ViVi		17		17	43		84	122		267
ViA				20		8	7		12	47
AF									12	12
Vt将去					2			6		8
总计	66	77		198	215	16	763	661	235	2231
		143			429			1659		

数据显示：

1. 动结式以不带宾语为多，带宾语与不带宾语的频率比为 1∶1.3，各时期又有不同特点：六朝和唐五代以带宾语为常，带宾语与不带宾语的频率比为1.1∶1、1.2∶1,而南宋为1∶1.6,以不带宾语为常,据我们对元明清时期动结式的考察,带宾语的情况与南宋一致。① 六朝、唐五代动结式以带宾语为常,反映了动结式发展初期刚从连谓式脱胎而来的特点。南宋以后,动结式多不带宾语,原因可能有三:一是当动结式定型化以后,已有动结式的句法规则会对有相同语义特征的语法形式产生类推,由于动结式的主要语法意义在于表示动作及其结果,而动作作用的对象是居第二位的,所以类推发生时,原有动结式的语法意义——"表示动作及其结果"便成为范式原则首先被类推扩展,而是否带宾语就不一定重要了,所以经类推出现的形式未必都带宾语。二是南宋以后动结式有了新发展,早期带宾语的使结式不再是唯一形式,出现了不带或少带宾语的形式,就大类言主要是结度述补式,它在南宋以后蓬勃发展,因其语义特点,基本上不带宾语;就具体形式言,又如唐五代以后,由使结式类推出了补语指向施事的"VtVi/A、ViVi"式,它们在宋以后有很大发展,也以不带宾语为常。三是唐宋以后,被动式、处置式等进一步发展,在南宋时期多与动结式套合,由于宾语被提前或以受事主语形式出现,动结式后面也是不带宾语的。

2. 具体说来,六朝结成述补式带宾语的数量(占52%)略多于结态述补式(51%),这是初期动结式特点的反映。唐宋以后,带宾语的动结式都以结态述补为多(唐:64%;宋:47%),这与结态述补式在唐五代以后的蓬勃发展密切相关。结成述补式带宾语又以补语指向受事的使结式为主,指向施事的较少带宾语。结态述补式中"涉及"类结构带宾语很普遍,"完成"类带与不带两可。结度述补式绝大多

---

① 见刘子瑜《动结式述补结构带宾语功能的历时考察》,《长江学术》第7辑,武汉大学出版社,2005。

数不带宾语。

(三)对动结式带宾语有影响的几个因素

1.各类动结式的来源发展途径

据刘子瑜(2003)研究[①],补语指向受事的使结式产生最早,来源主要有三:一是从"Vt_1Vt_2O"连谓结构语法化而来;二是由"VtVi"连谓结构带上宾语语法化而来;三是由"打头破"类隔开型述补式前移后项动词发展而来。由上述三条途径发展而来的使结式必然带宾语,然后有一个向不带宾语形式扩展的过程。补语指向施事(含当事)的结成动结式是在使结式的感染下从连谓结构类推发展而来,补语语义指向相关名词性成分的结成动结式也是由使结式类推发展而来,前文已述,在发展的后期,当动结式定型化以后,原有动结式的语法意义——表示动作及其结果便成为范式原则首先被类推扩展,而是否带宾语就不一定重要了,所以,经类推出现的形式未必都带有宾语。

结态动结式的形式主要有"VtVi(O)、ViVi(O)",来源发展途径主要有二:一是从"Vt_1Vt_2O"连谓结构语法化而来,以"见、取、却"等为代表;二是从主谓结构语法化而来,如"了"。由第一条途径发展而来的动结式当然是带宾语的,由第二条途径发展而来的动结式则不带。至于"ViVi(O)"式,是由"VtVi(O)"式类推而来。

结度述补结构是由相关"VA"主谓结构语法化而来,早期是不带宾语的,后来带宾语的形式是受他类动结式类化而来。

2.补语的语义指向

补语指向受事的使结式原则上都能带宾语,所以带宾语较为普遍,

---

① 关于动结式来源发展的详细情况可参见刘子瑜《汉语动结式述补结构的历史发展》,《语言学论丛》第30辑,商务印书馆,2005。

指向施事的一般不带或少带宾语,原因是这类动结式的补语主要说明施事自身运动变化的结果。能带宾语的补语指向施事的结成动结式主要限于补语由"熟、厌、惯"等表示施事心理感受的词语充当的动结式。补语指向述语动作的结态动结式是否带宾语,与补语成分的语义类别及语法化途径有关:表示"涉及性结果"的"到、及、见、住、着"等充任补语时一般都有涉及对象,因此带宾语普遍;表完成的"了、取、成"等则有的带,有的不带,与其语法化途径有关。补语指动的结度动结式一般不带宾语,这是因为补语指向述语动作,说明动作行为本身的情况,一般不涉及名词性成分。

3. 动结式前后项动词的性质

除结度动结式一般不带宾语外,述语为及物动词的动结式一般都能带宾语,宾语为受事宾语;述语为不及物动词的动结式以不带宾语为常,少数带宾语的结构各有特点,主要有关系宾语、施事宾语、工具宾语、处所宾语、数量宾语及与动作相关的名词性成分宾语,等等。

4. 动结式内部的音节构成

"单音+单音"的动结式带宾语相当自由,"双音+单音"形式可以带宾语,但数量不多,"单音+双音"形式不能带宾语。原因大致有二:一是述补结构的重心在述语动词,若补语音节超过一个,又再带上宾语,就会造成音节结构重心失调,即所谓"尾大不掉",不符合汉语的音节构成规律及表述习惯;二是"单音+单音"形式述语补语的黏合度最强,往往能起到一个双音动词的作用,所以带宾语十分自由,一旦述语或补语出现双音节或多音节,其黏合度就会下降,这样的多音节结构形式不能起到双音动词的作用,带宾语自然就不自由。

5. 述语与补语的共现频率及其黏合程度

动结式带宾语的几率还与动结式述语补语的共现频率及其黏合程度密切相关,这个问题后文将进一步讨论。大体规律是:凡结构前后项成分共现频率高的,都有相应的带宾语的形式,动结式带宾语的频率基本上与其前后项成分的共现率成正比,即前后项成分的共现率越高,它们发生语法化融合成述补结构的几率就越大,黏合度及语法化程度也越高,带宾语的几率也高。

事实上,动结式带宾语与词化有很大关系。一般说来,不少汉语新结构的产生发展都经历了以下语法化过程:两成分共现频率高→融合成结构→词化,词化是结构语法化的更高阶段。动结式发展亦然。述语补语的高频共现推动了动结式的语法化过程,在发展后期,这种高频共现进一步推动了述语补语的密切融合,现代汉语中不少补充式复合词就是由此形成的,也就是说,动结式在发展后期,会因述语补语的高频共现而发生词化。从近代文献动结式带宾语的情况看,"单音+单音"式融合程度高,表现为带宾语的频率高,而"双音+单音"、"单音+双音"式则不易融合,表现为前者带宾语频率低,后者不能带宾语。所以,词化的发生与动结式的音节构造关系密切。汉语的词汇单位以双音节为基本形式,动结式也以双音节形式为主,二者基本形式一致,因此,实际语用中,动结式与双音节词汇单位在节律上并没有区别,基本上是被作为双音节动词来使用,也就是说,无论动结式前后项成分融合与否,它在音节或韵律单位上都相当于一个双音节词,因此,就节律而言,动结式带宾语没有障碍,这种语用环境促进了动结式前后项成分的融合。融合程度越高,词化的可能性就越大,带宾语的频率也就越高。而究竟什么样的组合融合程度高,则与述语补语的共现频率直接相关,共现频率高的,被词化的可能性就大,词化程度也高,带宾语的频率也高。

第二节 《朱子语类》动趋式述补结构的历时共时比较研究

一 《朱子语类》动趋式述补结构的历时比较研究

(一)动趋式的产生时间

学界对于动趋式的产生时间历来有不同看法：一种意见认为动趋式产生于先秦[①]，一种认为动趋式出现于汉代[②]，产生分歧的主要原因在于早期"VV$_{趋}$"结构带有同形异构性特征，大家面对同一语料采取了不同的定性标准。

在动趋式中作补语的趋向动词有"上、下、入/进、出、还/回、起、过、开、来、去"等，不过，在上古汉语中，"上、入/进、还/回、起、过、开"等都是动作义较强的动作行为动词，它们很少用于"VV$_{趋}$"结构，能进入"VV$_{趋}$"结构的几个动词主要有"下、来、去、出"四个，所以，认定动趋式产生于先秦的学者所举例证一般也都与它们有关。下面以向熹(1993)《简明汉语史》(下)所举例证为例做一分析。

向先生认为动趋式"春秋开始出现，两汉渐多"，以下是他所举例证：[③]

㉛日之夕矣，羊牛下来。(诗·王风·君子于役)

[①] 周迟明《汉语的连谓式复式动词》，《语言研究》1957年第2期；杨建国《补语式发展试探》，《语法论集》第3集，商务印书馆，1959；潘允中《汉语动补结构的发展》，《中国语文》1980年第1期，又《汉语语法史概要》，中州书画社，1982；向熹《简明汉语史》(下)，高等教育出版社，1993。

[②] 王力《汉语史稿》(中)，中华书局，1980；祝敏彻《先秦两汉时期的动词补语》，《语言学论丛》第2辑，新知识出版社，1958。

[③] 向熹《简明汉语史》(下)，第132页，高等教育出版社，1993。

㉝后缗方娠,逃出自窦,归于有仍。(左传·哀公元年)
㉝楼缓闻之,逃去。(战国策·赵策三)
㉞攻下睢阳外黄十七城。(汉书·高帝纪)

例㉛"下来"是说牛羊下山坡回来,进了圈栏,"来"有"回来"义,是表实义的位移动作动词;例㉜"逃出"是"逃而出",例㉝"逃去"是"逃而离开",两例中的"出"、"去"都是实义位移动作动词;例㉞的"攻下"与动趋式无关,即便发展成了述补结构,也是动结式。所以,以上用例都不是动趋式。

我们查验了"下、来、去、出"在先秦代表文献《左传》中的用法,情况显示:

1. "来"在《左传》中基本不进入"V 来"结构,它与动词结合时一般都出现在前,春秋经文中有 1 例"逃来"是"逃而来到"的意思,其中的"来"是实义动词。

2. "下"、"去"在《左传》中都单独使用,不进入"V 下/去"结构,是实义动词,如"去"在《左传》中一般表示"去除"、"离开"、"距离"的意思。

3. "出"多用于"出+O"式,表示"驱逐出去、赶出去"的意思,出现在动词前的有 5 例,其中"走出"4 例,"逃出"1 例,都是连谓式。有意思的是《僖公二十八年》的一个例子:

㉟獒犬走出,公使杀之。元咺出奔晋。

《公羊传》在记述同一事件时,用的是"走而出",可见其连谓结构的性质。

当然,用上面这种"解剖麻雀"的方式来说明问题难免会挂一漏万,但从持"先秦说"各家所举例证以及对代表文献中各成分的主要语法和语义特征的检查来看,基本上可以断定先秦还没有出现动趋式。

不过,要断言某一语法形式的产生最终还是需要结合形式和意义两方面的标准来判断,动趋式亦然。我们认为以下两点可以作为判定

动趋式的标准:

第一,"VV趋"结构中,"V"与"V趋"不能是共承同一主语的平列关系,"V趋"必须是补充说明"V"的。

第二,"VV趋"结构中的后项动词不能是具体位移动作动词,语义应由具体的位移动作义向较为抽象的方向义转移,并进一步向表结果、状态义虚化。

根据以上标准来检验,可以断定动趋式在汉代已经出现了。所以,我们基本同意王力(1958)和祝敏彻(1958)先生的意见,认为动趋式产生于汉代。

(二)两汉时期的动趋式述补结构

就前辈学者所举动趋式例证来看,多数用例还是连谓结构,真正语法化成述补结构的不多,少数可以肯定是述补结构的用例都是表方向义的趋方动趋式,略举两例如下:①

⑧君为我呼入,吾得兄事之。(史记·项羽本纪)

⑧时时著书,人又取去,即空居。(史记·司马相如列传)

从形式来看,早期动趋式的结构形式主要是"VV趋"式,述语和补语之间也有类似使结式结成述补结构所具备的"使成"语义关系,如上例⑧,"呼"与"入"之间有"使成"关系,意即:"呼之,使之入"。

就出现频率来说,汉代动趋式的出现频率还不高,是动趋式的萌芽阶段。

(三)六朝时期的动趋式述补结构

我们考察了《世说新语》和《贤愚经》中的动趋式,两部文献所反映出来的六朝动趋式的特点主要有以下几个方面:

---

① 以下各例转引自祝敏彻《先秦两汉时期的动词补语》,《语言学论丛》第2辑,第27—28页,新知识出版社,1958。

1. 六朝动趋式均表方向义,未见表结果、动态义的用例。结构形式有三:VC、VCO、VOC。就目前所调查的文献看,进入动趋式后项的趋向动词有"上、下、来、去、出、入、还、起"8个,还出现了前项动词为趋向动词的"V趋V趋"式,有"出去、出来、过去、还去、还来、进入"6种搭配形式。举例如下:

VC:

⑧见有一人,从上投下,刀戟剑稍,坏刺其身。(贤·卷4)

⑧孔雀飞来,啄食其蛇。(贤·卷8)

⑨车骑大怒,催使持去。(世·贤媛)

⑨时摩竭鱼,一眠百岁,觉已饥渴,即便张口,海水流入,如注大河。(贤·卷4)

⑨籍时在袁孝尼家,宿醉扶起,书札为之,无所点定,乃写付使。(世·文学)

⑨左右数人,不肯出去。(贤·卷7)

⑨众人贪宝,取之过度。太子还到,其船已满。放船还来,船便沉没。(贤·卷9)

⑨王以怖故,即从师子。成欲事已,师子还去。(贤·卷11)

VCO:

⑨时有应真,登上山巅,放脚轻疾。(贤·卷13)

⑨未久之间,象没于地,踊出门外。(贤·卷12)

⑨尔时彼天及五百天子,远尘离垢,得法眼净,飞还天宫。(贤·卷5)

VOC:

⑨此人借我牛去,我从索牛,不肯偿我。(贤·卷11)

⑩转前到田,见诸耕者,垦地虫出。(贤·卷9)

2. 与汉代比较,六朝动趋式结构的定型性增强,出现频率增高,结构形式也更丰富,出现了一些前代所没有的形式。具体来说,六朝动趋式的发展变化主要表现在：

(1)汉代文献中出现的动趋式往往还带有连谓结构的特点,很多用例介于连谓式与动趋式之间,没有完全定型化,如祝敏彻(1958)所举用例不少都带有这种特点,例如：①

⑩瞽叟从下纵火焚廪,舜乃以两笠自扞而下去,得不死……舜既入深,瞽叟与象共下土实井,舜从匿空出去。(史记·五帝本纪)

⑩欲授弟季札,季札让逃去。(史记·吴太伯世家)②

⑩有一人从桥下走出,乘舆马惊。(史记·张释之冯唐列传)

⑩燕飞来,啄皇孙,皇孙死,燕啄矢。(汉书·李广苏建传)

前二例中的"下去"、"出去"、"逃去"都是连谓式,"下去"是"下而去","出去"是"出而去","逃去"是"逃而去","去"都带有"离开"实词义,表示的是具体位移动作,而不重在表方向。例⑩在中华书局1959年版的《史记》标点本中的断句为：

瞽叟从下纵火焚廪。舜乃以两笠自扞而下,去,得不死……舜既入深,瞽叟与象共下土实井,舜从匿空出,去。

可见其连谓结构的性质。例⑩⑩则介于连谓式与动趋式之间,没有完全定型化。

六朝时期,随着"V+来/去/上/下/出/入/还"结构中后项动词位移义减弱,方向义增强,上述动词性结构已经语法化成动趋式述补结构了,而且还出现了少数表示某种领属关系或占有关系的转移的动趋式,如上例⑩,这种用法介于方向义和结果义之间,是方向义进一步虚化的结果。领属关系或占有关系的变化实际上涉及到对象由一方向另一方

---

① 见祝敏彻《先秦两汉时期的动词补语》,《语言学论丛》第2辑,第27—28页,新知识出版社,1958。

② 原文引例断句不妥,据中华书局1959年版《史记》标点本,应改为："四年,王余眛卒,欲授弟季札。季札让,逃去。"

的转移,可以看成是趋方述补式的一种灵活使用。这种用例的出现说明六朝时期动趋式已经开始由方向义向结果义发展了。

(2)出现频率明显增高。

我们对《世说新语》和《贤愚经》中动趋式的使用情况进行了统计,如下:①

格式 文献	VC VV趋	VC V趋V趋	VCO	VOC	总计
世说新语	27		6	6	39
贤愚经	98	27	27	12	164
总计	125	27	33	18	203
	152				

从情况看,《世说新语》和《贤愚经》两部文献约20万字,但动趋式就出现了二百余例,比之汉代《史记》《汉书》中动趋式零星可数的情况来,出现频率要高得多。二书动趋式每千字的出现频率分别为0.65和1.3,《贤愚经》动趋式用例的数量及形式的丰富性都超过了《世说新语》。众所周知,述补结构的出现是汉语表达手段日益丰富完善的一个重要标志,也是汉语摆脱旧有文言表述方式的重要开端,由此也可见佛经文献的口语化程度的确要高于中土文献。

(3)出现了两类新形式:V趋 V趋,VOC。

以往研究者认为汉代就已经有了"V趋 V趋"式,但所举用例大都不可靠,②如上面祝文所举例⑩类例,可靠的"V趋 V趋"式用例是六朝才出

---

① 《世说新语》的数据是根据李平《〈世说新语〉和〈百喻经〉中的动补结构》(《语言学论丛》第14辑,商务印书馆,1984)一文中统计数字汇总整理而成。

② 参见祝敏彻《先秦两汉时期的动词补语》,《语言学论丛》第2辑,第27—28页,新知识出版社,1958;李平《〈世说新语〉和〈百喻经〉中的动补结构》,《语言学论丛》第14辑,第145—146页,商务印书馆,1984。

现的。"VOC"式亦然。有些学者如祝敏彻、向熹等认为汉代已经有了"VOC"式,但所举用例也都还有商榷的余地,诸如"王使人持其头来(史记·范雎列传)"之类,[①]都不能排除连谓式的嫌疑。之所以这些用例都没有摆脱连谓式性质,原因就在于其中的后项动词"来、去"等都还与前项动词共承一个主语,且语义上还没有完成由表位移动作向表位移方向的转变。六朝文献中的动趋式则能同时满足上述两个条件,因而也就是定型化的动趋式了。

(4)带宾语的情况。六朝动趋式以不带宾语的"VC"式为主,"VCO"和"VOC"居于劣势,两类用例的出现频率比几近3:1。带宾语形式少见与早期动趋式以表人、物自身运动趋向的形式居多有关。即使带宾语,也多是处所宾语,如"踊出门外、飞还山中、排入户内"等,例⑲类带受事宾语的情况少见。

(四)唐五代时期的动趋式述补结构

《敦煌变文集》和《祖堂集》中的动趋式有三类:趋方动趋式、趋成动趋式、趋态动趋式。结构形式有以下几种:VC、VCO、VOC、V(O)将C、VC$_1$C$_2$。依类各举数例:

1. 趋方动趋式

VC:

⑮慈母只今何在?君王不见追来。(变102)

⑯金银钱物,一任分将,底(邸)店庄园,不能将去。(变180)

⑰大臣走出,申奏王知。(变336)

⑱舜子是有道君王,感得地神拥起,逐(遂)不烧,毫毛不损。(变132)

---

① 见祝敏彻《先秦两汉时期的动词补语》,《语言学论丛》第2辑,第29页,新知识出版社,1958;向熹《简明汉语史》(下),第132页,高等教育出版社,1993。

⑩⑨我不要,却将回,不愿笙歌乱意怀。(变632)
⑩⑩䟆源便出去,良久回来。(祖58)
⑪⑪是你怨(冤)家有言,不得使我银钱;若用我银钱者,出来报官。(变132)
⑪⑫小儿选(旋)即下来,天下所有问者,皆得知之,三才俱晓。(变884)

VCO:

⑪⑬送出走迎,引入厅共坐。(变875)
⑪⑭舜子恐大命不存,权把二个笠子为翅,腾空飞下仓舍。(变875)
⑪⑮语讫,遂飞上天。(变887)
⑪⑯使君得对,趋过萧墙,拜舞叫呼万岁。(变198)
⑪⑰师临迁化时上堂升座,良久展开左手。(祖188)

VOC:

⑪⑱皇帝又夜梦见一神人,送龙肝来。(变222)
⑪⑲夫子乘马入山去,登山蓦领(岭)甚分方。(变234)

V(O)将C:

⑫⑳黑绳系项牢将去,地狱里还交度奈河。(变294)
⑫㉑与我寺内寺外,处处搜寻,若也捉得师僧,速领将来见我。(变172)
⑫㉒不然,缘我当时掳许你将来,一为不得钱物,二为手下无人,所得恶发,掳你将来。(变175)

VC_1C_2:

⑫㉓寺中有甚钱帛衣物,速须搬运出来!(变172)
⑫㉔送回来,男女闹,为分财物不停怀愕(懊)恼……(变668)

(1)作补语的简单趋向动词有"上、下、来、去、起、出、入、回、过、开"10个,它们都可以用在普通动作行为动词后面表趋向,例见上⑩⑤—⑩⑨、

⑬—⑱。结构形式有"VC"、"VCO"和"VOC"三种,"来""去"还可以出现在"V(O)将C"式中,见例⑳㉑㉒。

(2)二书中的"V趋V趋"式有以下组合形式:上来、下来、起来、起去、出来、出去、回来、回去、还来、还去、入来,出现在"VC"式中,如例⑩⑪⑫;若带宾语,宾语插在述语动词和补语之间(如例⑲),未见"VCO"式。

(3)由复合趋向词语充当补语的形式都不带宾语,如例㉓㉔。

(4)在"V(O)将C"式中作补语的趋向动词为"来""去"(例⑳㉑㉒)。

2.趋成动趋式

VC:

㉕孩童才始睡着,未得觉来,伏乞尊仙,莫生疲圈(倦)。(变323)

㉖迦陵形,孔雀颈,尽是你弥陀佛化起,不似阎浮禽鸟声,声声尽道真空理。(变670)

VCO:

㉗单于亲领万众兵马,到大夫人城,趁上李陵。(变85)

㉘绣成盘凤,对芙蓉而争不嚬羞;刺出鸳鸯,并芍药而岂无惭耻。(变628)

VC_1C_2:

㉙青黄赤白数多般,端政珍奇颜色别,不是鸟身受业报,并是弥陀化出来。(变480)

趋成动趋式用例不多,有如上三种结构形式。作补语的成分以简单趋向动词为主,如例㉕—㉘,复合趋向词语作补语的情况少见,见例㉙。

3.趋态动趋式

VC:

㉚耶娘年老惛迷去,寄他夫子两车草。(变234)

VOC：

⑬立室内，邈禅台，为汝宣扬法义开。（变632）

V将C：

⑬我今付汝，努力将去。（祖345）

⑬〔欲问若有如此事，〕经题名目唱将来。（变345）

趋态动趋式的用例最少，表动态的VC、VOC结构在唐五代极罕见，"V将C"式是此期趋态动趋式的主要结构形式。

总的来说，唐五代时期，动趋式发展出现了质的飞跃，表现为：

(1)趋方、趋成、趋态三类动趋式在此期都已经出现，类型基本齐全，功能渐趋繁复。动趋式在表方向意义的基础上发展出了表结果和动态的功能，这是一个长足的进步，在动趋式发展过程中有着里程碑式的意义。三类动趋式的频率分布吴福祥(1996)曾做过统计：[①]

文献\格式/语义	格式				语义		
	VC	VCO	VOC	V(O)将C	趋向	结果	状态
变文	258	146	48	100	391	74	87
祖堂集	247	185	61	15	436	64	8
总计	505	331	109	115	827	138	95

表中统计数据显示，趋向、结果、动态三类动趋式的出现频率分别是827、138和95，趋向与结果的频率比为6∶1，与动态的频率比为9∶1，可见，表方向的趋方动趋式是此期动趋式的主流形式，但结果、动态义动趋式已不少见，不过，趋态动趋式的主要结构形式是"V(O)将来/去"格式，以变文中用例更为集中，95例中，有87例出自变文，而这87例中，几乎98%的用例是"唱将来"的重复使用，这种高复现率与变文里

---

① 见吴福祥《敦煌变文语法研究》，第391、398页，岳麓书社，1996，表中数据据吴文统计数字归纳得出，复合趋向补语式"VC_1C_2"计入"VC"式中。

面讲经文的表述内容和格式有密切关系,也表明,唐五代时期真正用"VC(O)"形式来表示动态意义的趋态动趋式还极罕见。

(2)结构形式开始丰富,简单形式和复合形式都已经出现。复合趋向补语出现于初唐,晚唐五代时期已经使用开来,用例增多,组合形式也更为丰富,两书中共有"上来、下来、起来、起去、出来、出去、过来、过去、回来、入来"10个词语能进入复合动趋式,这标志着动趋式在结构形式和语义表达上的日趋繁复和精密化。

有学者认为复合趋向补语在汉代就已经出现了,我们不同意这种看法。理由如下:

I. 从其所举用例来看,基本上都不能排除连谓式的可能。以下是"汉代说"学者所举用例:[①]

⑬汉王四年,楚围汉王,荥阳急,汉王遁出去,而使周苛守荥阳城。(史记·张丞相列传)

⑭征和二年春,涿郡铁官铸铁,铁销,皆飞上去,此火为变使之然也。(汉书·五行志)

II. 这类结构形式在汉至唐之间出现了几百年的语法空格。据目前初步考察,六朝文献中还没有发现相应用例,比较可靠的例子见于初唐《王梵志诗》中:[②]

⑮事当好衣裳,得便走出去。(家中渐渐贫)

⑯驱便见明府,打脊趁回来。(贫穷田舍汉)

若认为复合动趋式出现于汉代的话,也就意味着从汉到唐有三四百年的语法空格,空格出现的原因和机制难以得到圆满解释。

III. 两汉时期,最简单的"VV趋"式动趋式还处于重新分析的定型

---

① 见祝敏彻《先秦两汉时期的动词补语》,《语言学论丛》第2辑,第28页,新知识出版社,1958;向熹《简明汉语史》(下),第132页,高等教育出版社,1993。
② 以下用例转引自吴福祥《敦煌变文语法研究》,第394页,岳麓书社,1996。

化过程中,复合动趋式显然是更为复杂的结构形式,很难想象,当某种语法形式的简单形式还未定型时,复杂形式就已经出现了。

基于以上考虑,我们认为这类形式的出现时间不会很早,唐以后出现的说法是可信的。

(五)从历时比较看《朱子语类》动趋式的特点

在第三章中我们曾对《朱子语类》动趋式的使用情况做过统计,现将统计数据复列如下:

结构形式	补语类型	趋方 普通动作动词作述语	趋方 趋向动词作述语	趋成	趋态	总计	
简单趋向补语	VC	597	219	372	171	1359	2139
	特殊"V来"			209		209	
	VCO	173	5	211	6	395	
	VOC	137	28	11		176	
复合趋向补语	VC_1C_2	102		188	12	302	373
	VOC_1C_2	7		14		21	
	VC_1OC_2	23		27		50	
总计		1039	252	1032	189	2512	
		1291					
V+将+V趋		38		2	181	221	
V+介宾+V趋		63				63	
总计		1392		1034	370	2796	

与汉代至唐五代动趋式相比,《朱子语类》时期的动趋式有以下几个显著特点:

1. 趋方、趋成、趋态三类动趋式已经形成三足鼎立之势,三者用例比为 1392∶1034∶370,趋成动趋式的出现频率已接近于趋方动趋式,趋态动趋式的使用频率也大大提高,趋成、趋态与趋方的频率比分别为

1∶1.4、1∶3.8,这表明,《朱子语类》时代,表结果和动态已经成为动趋式的基本语法功能,动趋式已经完全摆脱了汉魏六朝至唐五代以来的趋方述补式占绝对优势、趋成述补式不多见、趋态述补式极其少见的局面,大大地前进了一步。

2. 在继承前代已有形式的基础上,又发展出一些新形式,结构形式更为丰富。新形式主要包括复合动趋式带宾语的"VOC_1C_2"和"VC_1OC_2"两种形式,以及部分特色型结构形式如"V+介宾+$V_趋$"等。

3. 复合动趋式有了很大发展,表现为:

(1)出现频率增高。唐五代《敦煌变文集》和《祖堂集》中,复合形式与简单形式的频率比分别为 1∶46 和 1∶39,《朱子语类》已经达到 1∶5.7。

(2)结构形式更为繁复。唐五代复合动趋式不见带宾语的用例,《朱子语类》时代,复合动趋式带宾语已较为普遍,达 19%。

4. 简单动趋式带宾语的格式出现了前代所没有的规律性变化,即:随着动趋式语法意义的虚化(从表示方向→结果→动态),简单动趋式带宾语的频率呈现出递减变化趋势,直至"VOC"式最终在趋态动趋式中消失。具体情况和原因第三章中已有分析说明。

二 《朱子语类》动趋式述补结构的共时比较研究

(一)《三朝北盟汇编》《刘知远诸宫调》中动趋式的基本情况

1. 趋方动趋式

共 162 例,根据补语成分的不同,可以分为简单形式和复合形式两种,分别为 149 例和 13 例,具体结构形式有:VC、VCO、VOC、V 将(O)C。依类举例如下:

(1)简单动趋式

一类是由普通动词作述语所构成的简单动趋式的基本结构形式,

充当补语的趋向动词有"来、去、上、下、入、起、回、出、开、过"10个。举例如下：

VC,72例：

⑬又出玉束带玉篦刀子及马一匹,付三宝奴献上。（三朝152）

⑬低头扶起观身分,笼月之下把敛儿认。（刘知远349）

⑭贵颜变得如紫玉,凤眼争开似朗星。（刘知远373）

VCO,40例：

⑭调下个折针也闻声。（刘知远350）

⑭而乃以一介之使,驰入不测之房,是犹以羊喂虎,至则靡尔,何功之有？（三朝172）

⑭元帅遣回使人,江南必再遣使来,乞一期限。（三朝197）

⑭只是有变更姓名,或在远地,或闻得根取,因而逃窜,或藏匿山谷,或走过山西,如此之类,如何决要取足？（三朝94）

⑭复取出文字三封……（三朝85）

VOC,16例：

⑭你家地土却须割取些来方可,是省过也。（三朝129）

⑭更有萧庆,高庆裔,先令王伦作手书送信物去。（三朝168）

V将(O)C,2例：

⑭当年里雪降天寒,也是您洪义毒害,蚕连卷毛袋带,并州内送将来。（刘知远360）

⑭今大兵已到此,却又教韩世忠前来掩袭,捉将我人去,又却遣使求和,意是如何？（三朝196）

二类是由趋向动词作述语的简单动趋式,共19例,有"VC"和"VOC"两种形式,作补语的趋向动词为"来、去",具体组合形式有：出来、回来、回去、入来、入去、过来、过去。例如：

VC,16例：

第二节 《朱子语类》动趋式述补结构的历时共时比较研究

⑮适得何灌奏言,金人已到城北,朝廷且遣使人出来劳军,却恐有商量。(三朝147)

⑯彼怀张觉之憾,恐粘军回来,不测作过。(三朝127)

⑰请使副回去……(三朝88)

⑱元帅国相若怕贵朝事力时,却不敢便入来也。(三朝131)

⑲若只为犒军金银,此已别差一番使人入去,便不须相见。(三朝152)

⑳先你过来,待倒回来厮打么?(三朝179)

㉑珠玉煞不少,尽在宣和殿,可同过去看。(三朝153)

VOC,3例:

㉒我们过河去后,不止要这些物。(三朝197)

(2)复合动趋式

用例不多,仅13例,结构形式为:VC_1C_2、VOC_1C_2、VC_1OC_2,作补语的复合趋向词语有"入来、回去、过来、过去、起来"。例如:

VC_1C_2,5例:

㉓元帅有指挥,令奉使即今起发回去。(三朝196)

㉔马扩答以"郭药师、董庞儿系是契丹时投降过来,即干贵朝甚事?……"(三朝94)

VOC_1C_2,1例:

㉕若将他亲王过去,万一感风露之疾不起,以人情言之,在贵朝亦不得不悔,不成更要一亲王去也?(三朝149)

VC_1OC_2,7例:

㉖逐旋抬过珠玉来,耶律忠云:"皇子郎君教逐件估出价钱。"(三朝153)

㉗和议正要情通,先纳过书去亦何害。(三朝159)

㉘知远闻言,欠起身来,骇然惊恐。(刘知远374)

2. 趋成动趋式

共 31 例,结构形式有"VC"(8 例)和"VCO"(20 例)两类,以带宾语的形式更为常见,另有特殊"V 来"式 3 例。充当补语的趋向动词有"来、出、起、上、过、下";特殊"V 来"结构主要用于表示推测、估计,这与《朱子语类》中的同类结构是一样的,进入格式的述语动词除有"看"以外,还有"算""想"。举例如下:

VC,8 例:

⑯等得潜龙觉来,两手度与。(刘知远 346)

⑯上件幹离不语,俱是译出。(三朝 149)

VCO,20 例:

⑯关上重门,窗眼里探头试望,见三娘。(刘知远 354)

⑯闹中朵过器械,扯得兜毛侧,挞得战袍偏,手拈玉束带,提离嵌花鞍。(刘知远 369)

⑯结下雠冤,怎肯成亲?(刘知远 347)

特殊"V 来",3 例:

⑯看来贵朝听狂悖之言,却把本朝作破坏契丹看待,但恐后来自被祸患不小耳。(三朝 131)

3. 趋态动趋式

趋态动趋式极其少见,共 7 例,结构形式有"VC"(6 例)和"VCO"(1 例)两类。例如:

VC,6 例:

⑰知远惊来,魂魄俱离壳。(刘知远 361)

⑰李洪信李洪义绑定潜龙帝,一布地高叫起,只是无要底。(刘知远 350)

VCO,1 例:

⑰厅前火大烧起柴火,若天明。(三朝 153)

第二节 《朱子语类》动趋式述补结构的历时共时比较研究

以下是《三朝北盟汇编》《刘知远诸宫调》中动趋式使用情况的统计：

结构形式 \ 补语类型		趋方		趋成	趋态	总计
		普通动词作述语	趋向动词作述语			
简单趋向补语	VC	72	16	8	6	102
	VCO	40		20	1	61
	VOC	16	3			19
	特殊"V来"			3		3
复合趋向补语	VC₁C₂	5				5
	VOC₁C₂	1				1
	VC₁OC₂	7				7
V将(O)V趋		2				2
总计		143	19	31	7	200
		162				

两部文献中动趋式的主要特点表现在三个方面：

1.总的来说，二书中动趋式的形制规模与唐五代比较接近，即：以趋方动趋式为主要形式，又发展出了表结果和动态的趋成、趋态动趋式，但趋成动趋式的用例不算丰富，趋态动趋式更是少见。

2.比之唐五代，二书中的复合动趋式还是有所发展，带宾语的形式已经出现，这是前代所没有的情况。

3.值得关注的是，《三朝北盟汇编》有动趋式152例，《刘知远诸宫调》有48例，《三朝北盟汇编》动趋式每千字的出现频率为2.4，《刘知远诸宫调》是1.8，前者动趋式的使用频率明显地高于后者，这种现象的出现原因应该与文体有一定关系，《三朝北盟汇编》是叙述性文字，《刘知远诸宫调》是民间说唱形式，句式表达受限制，兼有韵文特点，述补结构少见是合情合理的。

(二)从共时比较看《朱子语类》动趋式的特点

1. 三类动趋式的频率分布特点。《三朝北盟汇编》和《刘知远诸宫调》中的动趋式仍以表方向的趋方动趋式为主要形式,表结果的趋成动趋式不多见,表动态的趋态动趋式极少见,趋成、趋态与趋方的频率比分别为：1∶5.3、1∶23,而《朱子语类》中的同类频率比分别是1∶1.4和1∶3.8,可见,前两部文献中动趋式的虚化程度还不算高,发展情况更接近于唐五代动趋式的面貌,而《朱子语类》动趋式的发展速度则大大超前于这两部文献,这应该还是与时间因素有关系,《朱子语类》毕竟是晚出的文献,几十年的时差有时也会造成语言发展面貌的很大差异。

2. 结构形式上的特点。就基本结构形式来说,《朱子语类》动趋式与两部文献的情况大体相同,但各结构形式的频率分布却有着很大的不同,表现在两方面：

一是《朱子语类》时期趋向动词作述语的动趋式已经相当丰富完善,"来、去"已经可以和所有的其他趋向动词搭配组合,这是前代历时文献以及同时期共时文献都没有的现象;该格式的出现频率也大大提高,《三朝北盟汇编》和《刘知远诸宫调》中趋向动词作述语与普通动词作述语的频率比为1∶8,而《朱子语类》为1∶4。

二是《朱子语类》时期复合动趋式有了较大发展。结构形式虽然没有大的变化,但频率已经大幅提高,《三朝北盟汇编》和《刘知远诸宫调》中简单动趋式与复合动趋式的频率比是11∶1,而《朱子语类》则不到6∶1,复合形式的频率分布已经大大上升了。

此外,《朱子语类》中还出现了一些特色型结构形式,如"V＋介宾＋V$_趋$"式(走从小路去、倒从这边来、看向后去),就目前所见来看,共时语料中不见这类结构的踪影,在现代汉语方言语料中也难觅其踪迹,是否与某一历史时期之内的方言特征有关,还有待于进一步考察。

3. 语义特点。与形式特点相适应,《朱子语类》时代动趋式语义表达的总格局也发生了变化。表结果、动态义的动趋式数量大大增多,方向、结果、动态三类意义基本上已经形成了三足鼎立的态势,甚至在复合动趋式中,结果义用例还超过了方向义用例(二者出现频率比为1.7∶1)。

此外,具体小类也有特色。如《朱子语类》中有表示抽象位移的趋方动趋式:

⑰大凡为学有两样:一者是自下面做上去,一者是自上面做下来。(7·2762)

这类结构的特点是:述语动词不带有"移动"特征,不表示人或事物位移的起、终点,而是提示出动作行为的起始点。显然,这种用法是从表示具体空间位移的趋方动趋式发展出来的。《朱子语类》中,这种抽象位移义的动趋式已经普遍使用开了,既可以出现在简单动趋式中,也可以出现在复合动趋式中,在"V 将 C"以及"V+介宾+V$_趋$"式中都能找到它的踪影,这是《朱子语类》趋方动趋式的一大特色。

第三节 《朱子语类》"V 得(O)"述补结构的历时共时比较研究

一 《朱子语类》"V 得(O)"述补结构的历时比较研究

(一)六朝时期的"V 得(O)"述补结构

"V 得(O)"述补结构是由相关连谓结构语法化而来的。当"得"前动词由取义动词(包括能造成"获得"结果的动词)扩展为非取义动词时,"V 得(O)"式语法化为述补结构。就目前考察看,非取义动词进入"V 得(O)"式的可靠用例出现在六朝,所以,可以认为"V 得(O)"述补结构的产生时间是六朝。①

《世说新语》和《贤愚经》中共有"V 得(O)"结果述补结构 35 例,包括:V 得,9 例;V 得 O,26 例。动态述补结构,3 例,结构形式是"V 得 O"。例如:

⑭公报姑云:"已觅得婿处,门地粗可,婿身名宦,尽不减峤。"(世·假谲)

⑮时捕鱼人,网得一大鱼。(贤·卷 10)

⑯值祥私起,空斫得被。(世·德行)

⑰此人前世,已种得度因缘。(贤·卷 4)

六朝时期的"V 得(O)"式有两个重要特点:

1. "得"字述补结构刚刚萌芽,只有少量"V 得(O)"式述补结构,"V 得 C"式还没有产生。

2. 多数用例为"V$_{取义}$得(O)"结果述补结构,"V$_{非取义}$得(O)"动态述补结构用例极少见,未见能性述补结构用例。

(二)唐五代时期的"V 得(O)"述补结构

《敦煌变文集》和《祖堂集》中共有"V 得(O)"述补结构 769 例,其中《敦煌变文集》294 例,《祖堂集》475 例。具体情况是:

1. 结果述补结构,164 例,肯定式 140 例:V 得,39 例;V 得(个)O,101 例。否定式 24 例:VNeg 得,14 例;V(个)ONeg 得,8 例;VNeg 得

---

① 有学者(杨平 1989、曹广顺 1995、吴福祥 1999)认为东汉已经出现了"V 得(O)"述补结构,所举例证是《论衡》中的"射/遭得 O",对此,蒋绍愚(1999)、赵长才(2000)二先生曾作过辨析,认为其中的"得"有"及"或"遭逢"义,都还不是述补结构,我们同意他们的意见。见杨平《"动词+得+宾语"结构的产生和发展》,《中国语文》1989 年第 2 期;曹广顺《近代汉语助词》,语文出版社,1995;吴福祥《试论现代汉语述补结构的来源》,《汉语现状与历史的研究》,中国社会科学出版社,1999;蒋绍愚《汉语动结式产生的时代》,《国学研究》第 6 卷,北京大学出版社,1999;赵长才《汉语述补结构的历时研究》,中国社会科学院语言研究所 2000 年博士论文。

第三节 《朱子语类》"V得(O)"述补结构的历时共时比较研究

O,2例。

2.动态述补结构,266例,肯定式252例:V得,63例;V得(个)O,179例;VO得,10例。否定式14例:NegV得,6例;VNeg得,2例;NegV得O,4例;VONeg得,2例。

3.能性述补结构,339例,肯定式201例:V得,115例;V得O,86例。否定式138例:NegV得,12例;VNeg得,93例;VONeg得,31例;NegV得O,2例。

讨论如下。

1.结果述补结构,164例,依类举例如下:

⑰用却百金忙买得,不曾子细问根由。(变64)

⑲朕昨来河南,取得一个宝珠,无人著价。(祖383)

⑱凡人斫营,捉得个知更官健,斩为三段,唤作厌兵之法;若捉他知更官健不得,火急出营,莫洛(落)他楚家奸。(变38)

⑱其时捉获不得,遂遣太使占之,奏曰:"刘家太子今乃身死,在三尺土底,口中蛆出,眼里竹生。"(变161)

⑱子胥寻觅父兄骸不得,立树乃作父兄,于今见在亳州境内东南一百廿里有余,后世莫知,今城父悬(县)是也。(变21)

⑱学人自到和尚此间,觅个出身处不得。乞和尚指示个出身路。(祖158)

⑱后经一年,云地下太山主簿崩,阎罗王六十日选择不得好人。(变874)

2.动态述补结构,266例,依类举例如下:

⑱院主云:"适来可怜念得,因什摩道未会?"(祖117)

⑱二将听得此事,放过楚军,到峡路山,鞋却马脚。(变37)

⑱心如工技儿,意如和技者,争解讲得经论在?(祖263)

⑱李万卷问:"大藏教明得个什摩边事?"(祖290)

⑱师云:"教我分咐阿谁得?"(祖 165)
⑲⓪生死尚未过得,学什摩佛法。(祖 78)
⑲①发言相问,是某体患生脑疼,检尽药方,医疗不得。(变 196)
⑲②老僧未解得菩萨之位,作摩生嫌他这个事?(祖 262)
⑲③师云:"未解讲得经论在。"(祖 263)
⑲④父王劝谏太子不得,无计思量……(变 338)

3. 能性述补结构,339 例,依次举例如下:

⑲⑤昨者母亲下世,只有姊,独自无人看侍,争抛得?(祖 70)
⑲⑥良禾不立米,如何济得万人饥?(祖 200)
⑲⑦客中主尚不弁得,作摩生弁得主中主?(祖 120)
⑲⑧但衾虎三杖在身,拜跪不得,乞将军不怪。(变 201)
⑲⑨自世尊种种方便,教化难陀不得。(变 395)
⑳⓪杨坚举目忽见皇后,心口思量:"是我今日莫逃得此难。"(变 198)

以下是唐五代"V 得(O)"述补结构使用情况的统计:

格式\类型	结果	动态	能性	总计
V 得	39	63	115	217
V 得(个)O	101	179	86	366
VO 得		10		10
NegV 得		6	12	18
VNeg 得	14	2	93	109
NegV 得 O		4	2	6
VNeg 得 O	2			2
V(个)ONeg 得	8	2	31	41
总计	164	266	339	769

唐五代时期的"V 得(O)"述补结构有以下重要特点:

第三节 《朱子语类》"V得(O)"述补结构的历时共时比较研究

1.用例数量急增,结构形式繁复,语法意义丰富。六朝,"V得(O)"述补结构尚不多见,每千字出现频率为0.2,唐五代急遽增多,达到2‰,结构形式以及格式所表达的语法意义也趋于完善齐备,已经进入了丰富发展阶段。

2.还保留有初期阶段的特点。唐五代"V得(O)"述补结构所表示的语法意义已经很完善,有结果、动态和能性三种,三类用例频率比为1∶1.6∶2.1,能性述补结构用例最多,其次是动态,再次是结果。不过,由取义动词充当述语的"V得(O)"结果述补结构在宋代已进入萎缩期,但唐五代它的出现频率还很高,与动态述补结构的频率比为1∶1.6,远远高于宋以后的出现频率,这说明唐五代的"V得(O)"述补结构还保留有初期阶段的特点。

3.具体来说,各类"V得(O)"述补结构的主要特点表现为以下几个方面:

(1)结果述补结构

Ⅰ.虽然"V得(O)"动态述补结构已经占据了主流位置,但由取义动词充当述语的"V得(O)"结果述补结构在唐五代还相当多见,反映了初期"V得(O)"述补结构的特点。

Ⅱ.就结构形式来说,结果述补结构以带宾语的"V得(个)O"为主(101例),不带宾语的"V得"式略少(39例)。对应的否定形式有"VNeg得"、"V(个)ONeg得"和"VNeg得O",与《朱子语类》同类形式中的"个"一样,式中的"个"是结构助词,但"V(个)ONeg得"式在《朱子语类》中没有见到(见例⑱)。

(2)动态述补结构

Ⅰ.唐五代,动态述补结构的出现频率已经超过了结果述补结构而成为主流形式。

Ⅱ.结构形式已经相当丰富完善,以带宾语的形式为主(189例),不带宾语的略少(63例),因宾语位置不同,构成的格式有二:"V得(个)O"和"VO得"式。对应的否定形式有"NegV得"、"VNeg得"、"NegV得O"和"VONeg得"。"V得O"的后面可以带"在",构成"V得(个)O在"、"NegV得O在"等形式,如例⑱⑲,"在"的性质与《朱子语类》同类格式相同。

III. 由动态述补结构进一步发展,唐五代时期已经出现了表示动态完成实现或动作持续貌的动态助词"得","得"出现的语法环境与《朱子语类》同类形式相同。不过,用例还不多见。例如:

㉑远公出得寺门,约行百步以来,忽然腾空而去,莫知所在。(变192)

㉒师亦代云:"与摩则大众一时散去得也。"(祖201)

㉓蛮奴领得战残兵士,便入城来。(变202)

㉔两脚若子大,担得二硕,从独大桥上过,亦不教伊倒地,且是什摩物?(祖316)

前二例中的"得"是表示动作完成的动态助词,后二例中的"得"是表示动作持续的动态助词。

(3)能性述补结构

I. 能性述补结构的结构形式有"V得"、"V得O"、"NegV得"、"VNeg得"、"VONeg得"和"NegV得O"。若与动态述补结构的结构形式做一对比,会发现,除个别非基本形式("VO得"式)外,它们的主要基本结构形式一样,所不同的只是语境的已、未然状态,在已然语境中,是动态述补结构,未然语境中,是能性述补结构。以下是能性述补式与动态述补式结构形式的对比情况:

	肯定形式	否定形式
动态述补结构:	V得	NegV得、VNeg得
	V得O、VO得	VONeg得、NegV得O

第三节 《朱子语类》"V 得(O)"述补结构的历时共时比较研究

能性述补结构： V 得　　　　　　NegV 得、VNeg 得
　　　　　　　V 得 O　　　　　　VONeg 得、NegV 得 O

可见,能性述补结构是动态述补结构在未然语境中的语境变体,唐五代的能性述补结构还不能脱离语境的管辖。

II. 也有个别脱离语境的"V 得"能性述补结构,不见带宾语的形式,如：

⑳问："如何是无情说法?"师指东边露柱云："这个师僧说得。"(祖 324)

（三）从历时比较看《朱子语类》"V 得(O)"述补结构的特点

下面是六朝、唐五代与《朱子语类》时代"V 得(O)"述补结构使用情况的对比统计：

格式＼类型	六朝 结果	六朝 动态	六朝 能性	唐五代 结果	唐五代 动态	唐五代 能性	南宋 结果	南宋 动态	南宋 能性	动态/能性	总计
V 得	9			39	63	115	20	304	324	131	1005
V 得(个)O	26	3		101	179	86	123	1209	485	205	2417
VO 得					10			5	16		31
VNeg 得				14	2	93	7	33	396	17	562
NegV 得					6	12	4	115	43	20	200
NegV 得 V 得									1		1
V 得 Neg									1		1
NegV 得(个)O					4	2	2	99	44	5	156
VNeg 得 O				2			1	2	13		18
V(个)ONeg 得				8	2	31		6	146	3	196
NegVO 得								1	3		4
总计	35	3		164	266	339	157	1776	1470	381	4591
		38			769			3784			

从历时比较看,《朱子语类》中的"V 得(O)"述补结构主要有以下

特点:

1."V得(O)"述补结构的基本形制规模在唐五代已经定型,各类"V得(O)"述补结构的基本结构形式也已经形成并完善齐备,《朱子语类》时期只是在前代基础上进一步发展。

2.与前代相比,《朱子语类》时期"V得(O)"述补结构的重要发展变化表现在以下几个方面:

(1)六朝和唐五代,结果述补结构是"V得(O)"述补结构的重要语义类型,出现频率相当高,分别为92%和21%,南宋《朱子语类》时期,比例下降到4%,而动态述补结构数量上升,与结果述补结构的频率比为11∶1,占据了绝对主导地位。这一发展表明,在"V得(O)"结构的发展过程中,充当"V"的动词有一个从取义动词向非取义动词扩展的过程,伴随着这一过程,"V得(O)"结构也经历了一个从连谓结构向述补结构,从语法化程度较低的述补结构(结果述补结构)向语法化程度较高的述补结构(动态述补结构),并进一步向语法化程度更高的语法形式(即"V得(O)"中的"得"语法化成动态助词并被"V得C"述补结构所取代)发展的逐步递变过程。这一过程开始于六朝,南宋《朱子语类》时期基本完成。

(2)就"V得(O)"述补结构的语义类型来说,唐五代与《朱子语类》时期大致相同,所不同的是《朱子语类》中存在着动态/能性述补结构,这是因《朱子语类》一书的内容和语体特点而产生的一种特殊述补类型。

(3)从具体结构形式来看,《朱子语类》中出现了三种前代没有的形式:NegVO得、不曾V得、V得不曾。后两种形式在《朱子语类》中用例极少,属例外变例形式。"NegVO得"式,用于动态和能性述补结构的否定,是"V得O"和"VO得"式的否定形式,不过,从唐五代到《朱子语类》时期,"V得O"和"VO得"式所对应的基本否定形式是"VONeg得"和"NegV得O"式,此外还有"VNeg得O"式,这三种形式与"Neg-

VO 得"式的出现频率比为 49∶39∶5∶1,可见"NegVO 得"式是不常见的否定式。

(4)统计数据显示,唐五代至南宋时期,结果、动态述补结构的基本否定形式是"NegV 得"和"NegV 得 O",能性述补结构的基本否定形式是"VNeg 得"和"VONeg 得"式,但从使用情况看,这几种结构形式还有混用的情况。

(5)与"V 得 C"式相比较看"V 得(O)"式的消长变化。《朱子语类》时代的"V 得(O)"式虽然使用频率高,功能全,结构形式很丰富,但已经显露出衰落迹象,表现为:部分"V 得(O)"式中的动词呈现出一定的高复现率、类型化、固定化趋势,不少动词由于复现率较高,有形成固定表达式或凝固成词的迹象,这种趋势使得"V 得(O)"式能产性降低,为它的萎缩衰落提供了基础。《朱子语类》时期"V 得(O)"与"V 得 C"的消长关系也出现了变化。唐五代有"V 得 C"165 例,与"V 得(O)"的频率比为 1∶4.7,《朱子语类》时期频率比为 1∶1.4,可见《朱子语类》时期"V 得(O)"式已经出现衰落迹象,而"V 得 C"述补结构则显示出取代"V 得(O)"的强劲势头。

二 《朱子语类》"V 得(O)"述补结构的共时比较研究

《三朝北盟汇编》和《刘知远诸宫调》中共有"V 得(O)"述补结构 122 例,其中《三朝北盟汇编》85 例,《刘知远诸宫调》37 例。具体情况是:

(一)结果述补结构 19 例,肯定式:V 得,7 例;V 得 O,10 例。否定式:NegV 得,1 例;NegV 得 O,1 例。

(二)动态述补结构 61 例,肯定式:V 得,14 例;V 得 O,43 例。否定式:NegV 得,3 例;NegV 得 O,1 例。

(三)能性述补结构 42 例,肯定式:V 得,19 例;V 得 O,9 例。否定式：VNeg 得,7 例；NegV 得,2 例；VONeg 得,3 例；VNeg 得 O,2 例。依类讨论如下：

(一)结果述补结构,19 例

㉖我从生来不会说脱空,今日既将燕京许与南朝,便如我自取得,亦与南朝。(三朝 80)

㉗只是军人厮杀夺得西京不易,请特与个赏设,数目多少。(三朝 91)

㉘契丹旧酋元未曾捉得,亦未杀了。(三朝 81)

㉙若不割得三镇土地人民,决不可和。(三朝 161)

(二)动态述补结构,61 例

㉚我这里说得底话,望你们到皇帝处一一说。(三朝 185)

㉛豪家变得贫贱,穷汉却番作荣富。(刘知远 340)

㉜这底只是我怕你们不知,又怕皇帝位高职大后不记得也。(三朝 185)

㉝在扬州,来时却住镇江去,不见得有多少军马。(三朝 179)

(三)能性述补结构,42 例

㉞即探怀取所付书履,作色云："宣赞却如何归得？"(三朝 109)

㉟使人说得是与不是、实与不实,如何瞒得国相元帅？(三朝 159)

㊱今来山后地土已是许了,到头翻悔不得。(三朝 126)

㊲不惟在别人不知金人情伪,不能补得,兼不得使别人补了。(三朝 132)

㊳及至江口,据本处巡检申,风色暴猛,渡江不得。(三朝 178)

㊴唤即荣贵来临乡临廊,身褴褛,说不得万千寂寞。(刘知远 366)

以下是《三朝北盟汇编》《刘知远诸宫调》与《朱子语类》"V 得(O)"

述补结构使用情况的统计：

格式\类型	三朝北盟汇编、刘知远诸宫调			朱子语类				总计
	结果	动态	能性	结果	动态	能性	动态/能性	
V得	7	14	19	20	304	324	131	819
V得(个)O	10	43	9	123	1209	485	205	2084
VO得					5	16		21
VNeg得		3	7	7	33	396	17	463
NegV得	1		2	4	115	43	20	185
NegV得V得					1			1
V得Neg						1		1
NegV得(个)O	1	1	2	2	99	44	5	154
VNeg得O				1	2	13		16
VONeg得			3		6	146	3	158
NegVO得						3		4
总计	19	61	42	157	1776	1470	381	3906
	122			3784				

与《朱子语类》相比，《三朝北盟汇编》《刘知远诸宫调》中的"V得(O)"述补结构主要有以下不同：

1."V得(O)"述补结构明显地还处于较前期的发展阶段，主要表现在：一是"V得(O)"结果述补结构还较多，与动态述补结构的频率比为1∶3，而《朱子语类》频率比是1∶11，可见《三朝北盟汇编》、《刘知远诸宫调》中的"V得(O)"述补结构的语法化程度不及《朱子语类》高。二是"V得(O)"能性述补结构的发展也还处于前期阶段，表现为：肯定式"V得(O)"能性述补结构都需依赖于语境（推测、假设、疑问语境），靠语境赋予能性意义，除少数否定式外，没有发现脱离语境的肯定式"V得(O)"能性述补式的用例，与《朱子语类》中的同类结构存在着相当差距。造成以上情况的原因可能有二：一是由于两类文献毕竟还存在着几十年的历时时差，另一原因也许是来自于地域差异，但尚需进一步考证。

2. 就具体结构形式来说，《朱子语类》中有几种结构形式在另外两部文献中没有，包括：VO 得、NegVO 得、VNeg 得 O、NegV 得 V 得、V 得 Neg，最后两类结构形式是变例形式，另外三种形式在《朱子语类》中的用例也不算多，都是从基本结构形式类推出来的非主流形式，所以二书中没有见到是可以理解的，不过，这也表明二书"V 得（O）"述补结构形式的丰富性不及《朱子语类》。

3. 动态/能性述补结构是《朱子语类》特殊内容和语体性质的产物，《三朝北盟汇编》和《刘知远诸宫调》中没有这一类型结构。

4. 在《三朝北盟汇编》和《刘知远诸宫调》中没有发现插入有"个"、"了"、"在"等的结构形式，也许是由于这些格式本来就不多见的原因使然。

三 相关问题的讨论

本小节拟对唐宋时期各形式"V 得（O）"述补结构的类推发展关系问题做一简单讨论。

我们把唐宋时期结果、动态、能性述补结构的各类肯定、否定形式归纳列举如下：

	肯定形式	否定形式
结果述补结构：	V 得	VNeg 得、NegV 得
	V 得 O	VONeg 得、VNeg 得 O、NegV 得 O
动态述补结构：	V 得	NegV 得、VNeg 得
	V 得 O、VO 得	VONeg 得、NegV 得 O、VNeg 得 O、NegVO 得

能性述补结构：V 得　　　　　NegV 得、VNeg 得
　　　　　　　V 得 O、VO 得　　VONeg 得、NegV 得 O、
　　　　　　　　　　　　　　　VNeg 得 O、NegVO 得

（一）结果述补结构

　　肯定式结果述补结构的基本形式有二：V 得、V 得 O，对应否定式的基本格式是"VNeg 得"、"VONeg 得"，其余结构均是不常见形式。"V 得"、"V 得 O"、"VNeg 得"和"VONeg 得"都是从各自的同形连谓式重新分析而来，当述语动词由取义动词扩展为非取义动词时，结构发生重新分析，这一过程始于六朝，唐五代完成。结果述补结构否定式的基本形式为"VNeg 得"和"VONeg 得"，这与早期结果述补结构是由同形连谓式重新分析而来的语法化途径直接相关。至于"NegV 得"式，是由肯定式"V 得"类推而来。"NegV 得 O"和"VNeg 得 O"是由"V 得 O"类推而来。

（二）动态述补结构

　　肯定式动态述补结构的基本结构形式有二：V 得、V 得 O，对应否定式的基本格式是"NegV 得"、"NegV 得 O"，其余都是不常见形式。与结果述补结构不同，"VNeg 得"和"VONeg 得"式不再是动态述补结构否定式的基本结构形式，取而代之的是"NegV 得"和"NegV 得 O"式，造成这一局面的原因在于：当述语动词扩展为非取义动词时，"得"的及物性下降，意义开始虚化，"获得"意义消失，而成为表示完成实现意义的半虚化性成分，这使得"得"与述语动词的黏合度加强，所以否定词的插入就不普遍了。"NegV 得(O)"式是由肯定形式"V 得(O)"类推而来。其他不常见形式的发展情况是："VO 得"式由"V 得 O"式类推变形出来，否定式"NegVO 得"则由相应的肯定形式"VO 得"类推而来，这类形式不可能多见，生命力也不强，原因如上面分析，即：当"得"进一步虚化后，述语动词对"得"的吸附力加强，"得"前的宾语成为障碍。至于"VNeg 得(O)"，与

结果述补结构一样,仍是由"V得(O)"类推而来。

就结果、动态述补结构来说,它们在现代汉语中发生了相当大的变化,除个别"V得"式残留了下来(一般用于口语,书面语中基本不用,使用时还得带上"了")外,近代汉语时期的肯定和否定形式几乎都已经消失,造成这种局面的原因我们认为有以下几个方面:

1. "V得O"式自身的发展。六朝至南宋,"V得O"式经历了从表"结果→动态"义的发展,"得"经历了从"结果补语→动态补语→动态助词"的发展。伴随着这一过程的完成,述补结构"V得O"能产性下降,渐趋萎缩衰落,这一迹象在《朱子语类》时代已显露出来,如部分"V得O"述补式有凝固成词或形成固定搭配之势,这限制了它的进一步发展,到现代汉语,只在口语中遗存下来部分"V得"式,句末还得带上"了",如"文章写得了",但已经不具有能产性了。

2. 宋以后,"V得O"主要用于动态述补结构,"得"一般跟在"涉及"义或"成果"义述语动词后面,成为一种半虚化性动态补语,能用半虚化的"到、住、完、成"等替换。随着"V得(O)"述补式能产性下降,实际语用中"V到/住/完/成(O)"结构与"V得(O)"结构大致表示相同的语法意义,可以互换,这加速了"V得(O)"述补结构的衰落。现代汉语中,同样的语法意义一般用上述"VC(O)"结构来表示。

3. 动态助词系统的归并整合。"得"作为动态助词,功能有二:一是表动作行为的完成实现,相当于动态助词"了",二是表动作持续,相当于"着"。《朱子语类》时代是"得"从动态补语向动态助词发展的重要阶段,语料显示,"得"在语义虚化、向动态助词发展的过程中,大多还是以动态补语的身份出现,南宋时期用作动态助词的"得"并不多,而此时"了""着"作为动态助词已经在系统中取得了稳固地位,所以,系统归并整合的结果就是动态助词"得"在还没有站稳脚跟之际就被"了""着"取代并淘汰掉了。

(三)能性述补结构

肯定式能性述补结构的基本结构形式有二：V得、V得O，与之相对的否定式的基本格式是"VNeg得"、"VONeg得"，其余结构形式均是不常见形式。《朱子语类》时代，能性"V得"与"V不得"相对称的格局已基本定型，语料中常有对举的情况。带宾语的能性述补结构的肯定、否定式仍呈不对称格局，与"V得O"相对的三类否定式出现频率为："VONeg得"146例，占70%，"NegV得O"44例，占21.4%，"VNeg得O"13例，占6.3%，另有少量变体"NegVO得"式(3例)。在后来的发展中，由于"V得O"与"V不得O"这一对肯定否定格式在形式语义上有整齐划一的优势，这使得它们逐步取代了其他格式，而成为能性述补结构肯定、否定形式的主要格式。《朱子语类》中"VNeg得O"式虽还不多见，但已显示出发展并替代"VONeg得"式的苗头，"V得O"与"V不得O"对举的用例时有出现。

肯定形式能性"V得"和"V得O"是未然语境中的动态述补结构的语境变体，所以，它们的发展过程是：从"连谓结构→已然语境中的动态述补结构→未然语境中的能性语义变体"。

否定形式的来源与肯定形式不同步，不具有平行发展的特征，对此蒋绍愚师(1994)曾有过分析说明，即："VO不得"中的"得"是由能愿动词后置而来的，其他表可能格式中的"得"都是由"获得→达成→可能"发展而来。[①] 也有不同意见，如赵长才(2000)认为能性述补结构"VO不得"与肯定形式"V得(O)"的发展是平行的，都是从"连谓式"到"表实现、有结果的述补结构"，再"进一步虚化"成为能性述补结构，其中的"得"具有相同的来源。[②] 不过，从赵先生的例证看，他未对结果述补结

---

① 蒋绍愚《近代汉语研究概况》，第196—197页，北京大学出版社，1994。
② 赵长才《汉语述补结构的历时研究》，第76—81页，中国社会科学院语言研究所2000年博士学位论文。

构的源头的动词性并列式与能性述补结构源头的并列式进行区分,所以由此得出的结论还有商榷之处。事实上,历史上有两类动词性并列式"VO不得",以下是赵文引例:

⑳如是处处,求水不得。(三国吴支谦译《撰集百缘经》卷九 P246下,《大正藏》No.200)

㉑其妇怀妊,于其中路,值产甚难,求死不得。(三国吴支谦译《撰集百缘经》卷九 P247下,《大正藏》No.200)

赵文把前例看作是连谓结构,把后例看作是重新分析来的结果述补结构。实际上,两例都还是动词性并列式,前例中的"得"是"获得"义,"得"的逻辑语义宾语是"水",后例中"得"是"能"义,"得"的宾语是"死",动词"死"作能愿动词"得"的宾语;"求水不得"意即"求水而没有得到水","求死不得"意即"求死而不能死"(不过,"求死不得"有重新分析的可能,下文会做分析)。所以,以上两例表层结构相同,但"得"的语义不同,充当"得"的宾语的成分的性质也不同,整个结构所表示的意义也有差异。由于有差异,所以,两类并列式语法化后所产生的结果也不同:前例是结果述补结构的源头,进一步语法化的结果就产生了"VO不得"式结果述补结构,后例是能性述补结构的来源,语法化的结果产生出"VO不得"式能性述补结构。

对于能性述补结构"VO不得"式的来源,我们同意蒋绍愚师的意见,认为是由能愿动词后置而来。蒋绍愚师认为能性"V(O)不得"述补结构来自先秦两汉时期的下列格式:[1]

㉒欲罢不能。(论语·子罕)

㉓主父欲出不得。(史记·赵世家)

由能愿动词后置而来只是一个大概的说法,对于从上述结构如何

---

[1] 以下例转引自蒋绍愚《近代汉语研究概况》,第196页,北京大学出版社,1994。

发展出能性"V(O)不得"述补结构,蒋绍愚师在文中没有做详细分析,现就其具体过程做一补充说明。

历时语料显示,先秦两汉有"欲罢不能/欲出不得"类例,东汉和六朝又出现了"求出不得"、"求死不得"例,它们的性质大致相同,从结构性质来说都是动词性并列结构"欲出而不得出/求死而不得死"的省略式。具体递变发展的线索大致如下:

A. 欲出(宫)而不得出(宫)→B. 欲出(宫)不得(出宫)、欲出(宫)不得/欲出不得(按:"宫"是据文意补充出来的宾语)→C. 求出不得/求死不得→D. 摇手不得(述补结构)

上述各阶段中,B、C是重要阶段,从 B 到 C,结构经历了词汇的更替和重新分析的语法化过程,对其具体过程,我们的推测是:首先,西汉《史记》中的"欲出不得"到东汉《汉书》和六朝时期变成了"求出不得/求死不得",其间经历了一个词汇替换过程,从能愿动词"欲"到取义动词"求",这一词汇替换有相似的语义基础,即"求取"义在一定程度上就是能愿意义的表示,只不过从语义上比"欲"所表达的能愿义程度更高。其次,"求出不得/求死不得"结构语义有歧义,存在着重新分析的可能:一方面可以看成动词性并列结构,表示"求出而不得出、求死而不得死"("得"是"能"义),另一方面可以视作能性述补结构,表示"求出不能、求死不能",相当于"摇手不得"(今壹受诏如此,且使妾摇手不得(汉书·孝成许皇后传)[①]。这类结构之所以存在重新分析的可能,原因有二:其一,"VO不得"中的"O"是动词,这使得它可以接受能愿动词"得"的支配;其二,"V"是取义动词"求",所以能带动词宾语。一旦"V"向非取义动词扩展,"O"的位置又由名词性成分占据,不再由动词充当时,重新分析即告完成,"摇手不得"式能性述补结构就产生了。文献显示,"V(O)不得"能性述补

[①] 蒋师认为此例已经是能性述补结构,我们同意此看法。

结构的出现是在东汉以后,"摇手不得"即其例证,"V 不得"式如:

㉔田为王田,卖买不得。(后汉书·隗嚣传)

上述发展过程,文献中都有例证为证,现按各阶段发展过程列举如下:

㉕欲战则不得,攻城则力不能,老弱转粮千里之外;楚兵至荥阳、成皋,汉坚守而不动,进则不得攻,退则不得解。(史记·黥布列传)(阶段 A)

㉖乃令骑留灌夫。灌夫欲出不得。(史记·魏其武安侯列传)(阶段 B)

㉗姑句数以牛羊赇吏,求出不得。(汉书·西域传)/其妇怀妊,于其中路,值产甚难,求死不得。(三国吴支谦译《撰集百缘经》卷九 P247 下,《大正藏》No.200)(阶段 C)

㉘今壹受诏如此,且使妾摇手不得。(汉书·孝成许皇后传)/田为王田,卖买不得。(后汉书·隗嚣传)(述补结构)

此外,上述重新分析可能还有一种发展途径,与"欲、求"动词的语义特征有关,即:由于它们都是表示意愿意义的动词,在"欲出不得/求出不得"结构中语义处于非焦点地位,所以,有可能脱落,从而导致重新分析的发生。

其他不常见形式的来源发展情况大致是:"NegV 得"由"V 得"类推出来,用例少见,原因有二:一是"VNeg 得"格式占据了能性述补结构的主流位置;二是当述语动词向非取义动词扩展后,"NegV 得"式成为动态述补结构的基本否定形式,为动态述补结构所占用。"VO 得"式吴福祥(1996)认为是由"VONeg 得"式类推出来的,[①]"VONeg 得"式产生在先,汉代即已出现,所以这种类推是可能存在的。关于"VNeg 得 O"能性述补式的产生,蒋绍愚师(1994)认为是由"V 得 O"式类推

[①] 吴福祥《敦煌变文语法研究》,第 411 页,岳麓书社,1996。

的,我们同意这一看法。[①] 至于"NegV得O",也由"V得O"类推出来,"NegVO得"是与"VO得"对应的否定形式,当由其类推而来。

就能性述补结构来说,现代汉语也发生了变化,主要是带宾语的形式,重要变化在于:现代汉语中不再以"V得O"和"VONeg得"构成对应的肯定和否定形式,而是以"V得O"与"VNeg得O"相对应构成肯定、否定对应格局。这种肯定、否定的对称格局在《朱子语类》时代还没有形成,不过已经显示出发展的端倪。基本情况是:唐五代"VNeg得O"式还极罕见(《敦煌变文集》和《祖堂集》中仅2例),用于结果述补结构的否定,南宋以后逐渐多见,主要用于能性述补结构的否定,虽然在数量上远不及"VONeg得"式,但已经显示出发展并替代"VONeg得"式的苗头,《朱子语类》中时有"V得O"与"V不得O"对举的能性用例出现:

㉙他那清明,也只管得做圣贤,却管不得那富贵。(1·79)

"得"虚化后,与述语动词的黏合度增强,所以插有宾语的"VONeg得"式渐失优势地位,而意义上对立的结构也要求句法形式上的平行对称,这样,"V得O"与"VNeg得O"便以其优势渐渐取代了原有的"V得O"与"VONeg得"的对称格局。

第四节 《朱子语类》"V得C"述补结构的历时共时比较研究

一 《朱子语类》"V得C"述补结构的历时比较研究

(一)"V得C"述补结构的产生时间

关于"V得C"述补结构的产生时代,学界有两种看法:一是认为产

---

① 蒋绍愚《近代汉语研究概况》,第197页,北京大学出版社,1994。

生于南北朝(潘允中(1980)、岳俊发(1984)),一是认为产生于唐代(王力(1958)、杨建国(1959)、杨平(1990)、蒋绍愚(1994)、吴福祥(2002))。① 前者的主要例证"平子饶力,争(挣)得脱,逾窗而走。(世说新语·规箴)"已为学者们所辩驳(杨平1990、蒋绍愚1994),②所以"V得C"述补结构的产生时代应该在唐代。我们同意这种看法。

(二)唐五代时期的"V得C"述补结构

《敦煌变文集》和《祖堂集》中共有"V得C"述补结构165例,其中《敦煌变文集》52例,《祖堂集》113例,具体情况是:

1.结果述补结构,84例,有:V得C,53例;VO得C,1例;V得OC,28例;NegV得C,2例。

2.程度述补结构,16例,有:V得C,13例;V得OC,3例。

3.能性述补结构,65例,有:V得C,10例;V得OC,1例;VNegC,47例;VONegC,7例。

分类举例如下:

1.结果述补结构,84例

V得C,53例(含形容词述语2例):

㉚莫从天台采得来不?(祖133)

㉛化生者,北(比)入寺中听法,得一句妙法,分别得无量无边……(变183)

㉜铁砲砲来身粉碎,铁叉叉得血汪汪。(变757)

---

① 潘允中《汉语动补结构的发展》,《中国语文》1980年第1期;岳俊发《"得"字句的产生和演变》,《语言研究》1984年第2期;王力《汉语史稿》(中),中华书局,1980;杨建国《补语式发展试探》,《语法论集》第3集,商务印书馆,1959;杨平《带"得"的述补结构的产生和发展》,《古汉语研究》1990年第1期;蒋绍愚《近代汉语研究概况》,北京大学出版社,1994;吴福祥《汉语能性述补结构"V得/不C"的语法化》,《中国语文》2002年第1期。

② 杨平《带"得"的述补结构的产生和发展》,《古汉语研究》1990年第1期;蒋绍愚《近代汉语研究概况》,北京大学出版社,1994。

第四节 《朱子语类》"V 得 C"述补结构的历时共时比较研究 343

㉝从门入者非宝,直饶说得石点头,亦不干自己事。(祖 101)

㉞用处妙理不换机,问来答得不思议。(祖 191)

㉟从此後从容得数日,後升座,便有人问:"未审和尚承嗣什摩人?"(祖 85)

VO 得 C,1 例:

㊱念经得几年?(祖 54)

V 得 OC,28 例:

㊲织得锦成便截下,揲将来,便入箱。(变 111)

㊳师曰:"将得何物来?"(祖 56)

㊴尊师救得妻子再活,恩重岳山,未委将何酬答?(变 218)

㊵二将当时夜半越对,諕得皇帝洽背汗流。(变 36)

不 V 得 C,2 例:

㊶师曰:"还将得游山杖来不?"对曰:"不将得来。"(祖 94)

2. 程度述补结构,16 例

V 得 C,13 例:

㊷骏马雕鞍穿锁甲,旗下依依认得真。(变 53)

㊸直饶剥得彻底,也只是成得个了,你不可便将当纳衣下事。(祖 178)

㊹山声朴直人难见,此中会得处处全。(祖 192)

V 得 OC,3 例:

㊺何者名为四生十类,及三等之人耳,与我子细说看,令我心开悟,解得佛法分明。(变 182)

3. 能性述补结构,65 例

V 得 C,10 例:

㊻师曰:"见即见,若不见,纵说得出亦不得见。"(祖 61)

㊼若有人弹得破,莫来;若也无人弹得破,却还老僧。(祖 135)

㊽启尊师:若化救得再活,煞身乃不敢有违……(变 217)

㉙先师有声前一句,汝还解举得全也无?(祖240)

V得OC,1例:

㉚我儿若修得仓全,岂不是儿于家了事。(变131)

VNegC,47例:

㉛讲多时,言有据,日色偏斜留不住,高声念佛且须归,只向阶前领偈去。(变659)

㉜大庚岭头趁得及,为什摩提不起?(祖112)

VONegC,7例:

㉝其时凶(匈)奴落节,输汉便宜,直至黄昏,收兵不了。(变85)

㉞蒲麻作针,割布袋不入。(祖136)

(三)唐五代"V得C"述补结构与《朱子语类》"V得C"述补结构的不同特点

以下是唐五代及南宋《朱子语类》"V得C"述补结构的使用统计:

格式\类型	唐五代			南宋					总计
	结果	程度	能性	结果	程度	能性	结果/能性	程度/能性	
V得(个)C	53	13	10	435	927	201	31	38	1708
V得来C				17	44				61
V个得C					1				1
V得(个)OC	28	3	1	138	223	70	24	30	517
V得O来C					3				3
V得CO				7		15	6		28
VO得C	1				1				2
V得NegC				17	126				143
V得来NegC					5				5
NegV得C	2			20	18	11		1	52

V 得 ONegC				13			1	14
NegV 得 OC				3	5	7	2	17
V 得 NegCO				5				5
VNeg(个)C			47		227	24	24	322
VONegC			7		60	5	13	85
VNegCO					2			2
总 计	84	16	65	642	1365	594	90	109	2965
		165				2800		

1. "V 得 C"式与"V 得(O)"式的消长特点有异

唐五代,"V 得 C"述补结构处于发展的初期阶段,用例不多,形式也不够丰富,与"V 得(O)"式相比,二者的频率比为 1 : 4.7,在数量和出现频率上还处于明显劣势。《朱子语类》时期,"V 得(O)"式已经出现衰落迹象,"V 得 C"述补结构则显示出取代"V 得(O)"式的强劲势头,它与"V 得(O)"式的频率比为 1 : 1.4,可见,南宋《朱子语类》时期"V 得 C"述补结构已经进入了蓬勃发展时期。

2. 结果、程度、能性三类述补结构的用例分布特点有异

唐五代,结果述补结构占据着主流位置,即:由动词或动词性成分充当补语的"V 得 C"式是此期的主要类型,而由形容词性成分充任补语的程度述补结构还不丰富,程度述补结构与结果述补结构的频率比为 1 : 5。《朱子语类》时代,情况发生了变化,二者频率比为 2 : 1,程度述补结构不仅数量上远远超过了结果述补结构,而且结构形式也相当丰富。

3. 具体到各类"V 得 C"述补结构,有以下特点值得关注

(1)具体结构形式的不同特点

唐五代时期,各类"V 得 C"述补结构的结构形式还不丰富,若与《朱子语类》做一比较,不少形式是唐五代所没有的,如:V 得来 C、V 得

O 来 C、V 得 CO(来)、V 得 NegC、V 得来 NegC、V 得 ONegC、NegV 得 OC、V 得 NegCO。"V 得(O)C"中间插入"得来"的用例在唐五代还没有出现,《祖堂集》中有十余例"V 得来"式,其中的"来"用作表示移动趋向或动作结果的补语,还没有语法化成助词,"得来"用作结构助词是在宋代以后。带宾语时,唐五代和《朱子语类》时代都以"V 得 OC"为基本形式,少数情况下可以"VO 得 C"式出现。此外,《朱子语类》中还有"V 得 CO"式,唐五代没有。否定形式在唐五代只见到表结果否定的"NegV 得 C"式,以及能性否定式"VNegC"和"VONegC"式,而《朱子语类》中出现的"V 得 NegC"、"V 得来 NegC"、"V 得 ONegC"、"NegV 得 OC"、"V 得 NegCO"等式均未见到。《朱子语类》中还有能性"VNegCO"式,这一形式在王重民本《敦煌变文集》中没有,但潘重规《敦煌变文集新书》有 1 例,如:

㉕此是遮月前,火坑烧不煞羅□之子。(悉达太子修道因缘)

由以上可见,《朱子语类》时代,"V 得 C"述补结构已经成为结构形式繁复多样的成熟型述补形式。

(2)充当述语和补语成分的不同特点

唐五代时期的"V 得 C"述补结构虽然还处于发展的初期阶段,但各类述补结构的基本类型和主要结构形式已经出现,进入格式充当述语、补语及宾语的成分已经较为丰富,不过,比之《朱子语类》时期则还差得较远。例如:作述语的成分基本上都是动词,形容词极少见(仅 2 例),述语动词的双音化比例还不高,等等。就补语来看,唐五代在结果义"V 得(O)C"等式中充当补语的有动词和各式词组,如偏正、主谓、并列词组等,用例可见上例㉚—㉔,不过,动词种类以及词组类型等均不及《朱子语类》时期丰富,《朱子语类》中充当补语的动词种类和数量大大超过了唐五代,而且,谓词性指代词也能作补语,特别是各种词组的复杂套合形式已经非常丰富,但这些成分在唐五代还不见或不多见。

至于形容词作补语的程度述补结构,《朱子语类》时代已经相当丰富,作补语的有单、双音节形容词和多音节形容词性词组以及形容词重叠式等,而唐五代时期的形容词补语数量则很有限,远远不及《朱子语类》丰富。

(3)各类"V得C"述补结构在唐宋时期以及后续发展的主要特点

若从整个近代汉语时期"V得C"述补结构的发展来看,唐五代是该结构的发展初期,南宋《朱子语类》时期是蓬勃发展期,从这一时期往后发展,各类"V得C"述补结构的结构形式和语法意义都经历了一个归并定型的继续发展过程,反映在各类"V得C"述补结构上,情况也有差异。可以简单概括如下:

就结果述补结构来说,由单、双音节动词充当补语的结构在《朱子语类》时期还很常见,不过,充当补语的动词已经是一个封闭的类,这种形式到后代逐渐消失,现代汉语中不再用于表结果,只能表能性。至于由各类词组充当补语的结果述补结构在《朱子语类》时代已经基本定型,元明清时期只是一个进一步定型化的过程,《朱子语类》时代的这些结构形式到现代汉语中则继续保留,变化不大。

程度述补结构在唐五代还不多,《朱子语类》时期则急遽膨胀发展,作补语的形容词不仅数量种类多,而且形式繁复,可以说,现代汉语的同类结构形式在这个时期已经初具规模,所不同的只是某些表述方式有些差异,如表程度时,《朱子语类》中补语形容词的前面可以出现副词性成分来强调程度的高低等级,这一语序在《朱子语类》时代很有特点,与现代汉语有很大的不同(详细情况第五章已有分析),又如《朱子语类》中还没有出现"好得很、热得要命、闷得要死、好得不得了"之类真正表程度意义的程度述补结构,如此等等,这些结构形式在后代都还要经历一个逐步定型完善的发展过程。

能性述补结构在唐五代还受制于语境,《朱子语类》时期虽有部分用例脱离了语境义,能够独立表示能性意义,但不普遍。此外,近代汉语时期,由动词、动词性词组或形容词、形容词性词组充当补语的"V得C"结构都能表示能性意义,到现代汉语中,前者已经消失,只有形容词作补语的还可以表能性。所以,无论是表达意义的手段还是结构形式,能性述补结构在后代也还有一个继续发展和定型化的过程。

另外,就语义类型看,唐宋时期"V得C"述补结构的基本类型是一致的,不过,结果/能性、程度/能性述补结构唐五代没有,现代汉语中也基本不存在(形容词作补语的"V得C"会有歧义),它们是《朱子语类》因文体和内容特点而出现的特殊类型。

二 《朱子语类》"V得C"述补结构的共时比较研究

《三朝北盟汇编》和《刘知远诸宫调》中共有"V得C"述补结构63例,其中《三朝北盟汇编》21例,《刘知远诸宫调》42例。具体情况是:

(一)结果述补结构,34例,有:V得C,26例;V得OC,6例;V得O来C,1例;V得NegC,1例。

(二)程度述补结构,17例,有:V得(来)C,12例;V得(个)OC,3例;V得O来C,1例;NegV得C,1例。

(三)能性述补结构,12例,有:V得C,2例;VNegC,10例。

分类举例如下:

(一)结果述补结构,34例

V得C,26例:

㉕如便更添得来,折当些小物,必做难易,不若都休,更无商量。(三朝88)

㉗老儿諕得七魄三魂荡,想料郎君也性刚,料不识此个凶徒,你如今却待侵傍。(刘知远342)

㉘牛驴惊跳,拽断麻绳,走得不知所在。(刘知远351)

V 得 OC,6 例：

㉟药师在旁云："侍郎不须如此说，且送得七八分来。"（三朝 152）

V 得 O 来 C,1 例：

㉠灭良削薄得人来怎敢喘气。（刘知远 352）

V 得 NegC,1 例：

㉑走向前，喜满腮，接得不着且休怪，倒玉柱金山纳头拜。（刘知远 371）

(二)程度述补结构,17 例

V 得(来)C,12 例：

㉒射得煞好，南朝射者尽若是乎？（三朝 105）

㉓陌厅高呼如雷响，见一人走得荒忙。（刘知远 362）

㉔一个唤彦威，一个史洪肇，着两条檐打得来笃磨，妻儿伤中身偃卧，俺逃命走无那。（刘知远 366）

V 得(个)OC,3 例：

㉕我今日只办两两眼随你们，成得功大，与你填大底官诰；立得功小，填小底官诰。（三朝 208）

㉖此行良遽，恐不得如契丹旧礼，只图得个花宴甚好。（三朝 91）

V 得 O 来 C,1 例：

㉗一双眼争得环来大，扁檐鬼手中搭。（刘知远 366）

NegV 得 C,1 例：

㉘亦未甚记得仔细也。（三朝 158）

(三)能性述补结构,12 例

V 得 C,2 例：

㉙皇子郎君以主上圣德，务要讲和，实宗庙社稷之福，何可应付得足？（三朝 152）

㉚恁地后，怎生整顿得起？（三朝 154）

VNegC,10例:

㉑红光紫雾罩其身,那些福气说不尽。(刘知远346)

《三朝北盟汇编》《刘知远诸宫调》与《朱子语类》中"V得C"述补结构使用情况的对比统计如下:

格式＼类型	三朝北盟汇编、刘知远诸宫调			朱子语类					总计
	结果	程度	能性	结果	程度	能性	结果/能性	程度/能性	
V得(个)C	26	11		435	927	201	31	38	1669
V得来C		1	2	17	44				64
V个得C					1				1
V得(个)OC	6	3		138	223	70	24	30	494
V得O来C	1	1			3				5
V得CO(来)				7		15	6		28
VO得C					1				1
V得NegC	1			17	126				144
V得来NegC					5				5
NegV得C		1		20	18	11		1	51
V得ONegC					13			1	14
NegV得OC				3	5	7		2	17
V得NegCO				5					5
VNeg(个)C			10			227	24	24	285
VONegC						60	5	13	78
VNegCO						2			2
总计	34	17	12	642	1365	594	90	109	2863
	63			2800					

《三朝北盟汇编》《刘知远诸宫调》与《朱子语类》中的"V得C"述补结构有以下几个不同特点：

1.《三朝北盟汇编》和《刘知远诸宫调》中的"V得C"述补结构以结果述补结构用例最多，34例，程度述补结构有17例，与结果述补结构频率比为1∶2，但《朱子语类》中程度述补结构超过了结果述补结构，二者频率比为2∶1。《三朝北盟汇编》和《刘知远诸宫调》中由形容词性成分充任补语的程度述补结构少于由动词性成分充当补语的结果述补结构应该是有原因的。其实，不仅"V得C"式有这种情况，动结式中也出现了类似情况，即《三朝北盟汇编》《刘知远诸宫调》中由形容词性成分充任补语的结度动结式在数量和补语的丰富性上都远远不及《朱子语类》，其原因前面有过分析。"V得C"述补结构出现这种情况的原因，与结度动结式大体相似，不复论述。

2.就各类"V得C"述补式结构形式的丰富性来说，《朱子语类》明显超过了其他两部文献，以下结构形式是《朱子语类》有，而《三朝北盟汇编》和《刘知远诸宫调》没有的，如：V得CO(来)、VO得C、V得来NegC、V得ONegC、NegV得OC、V得NegCO、VONegC、VNegCO，等等。

3.从各结构形式中补语成分的丰富和复杂性来看，《三朝北盟汇编》和《刘知远诸宫调》不及《朱子语类》，这应该与语料自身的卷帙规模以及《朱子语类》是晚出文献等因素有关。

4.就"V得C"述补结构的语义类型看，两类文献中的基本类型是一致的，不过，《三朝北盟汇编》和《刘知远诸宫调》没有结果/能性、程度/能性述补结构，它们是《朱子语类》因文体和内容特点而出现的特殊类型。

三 相关问题的讨论

本小节拟讨论三个问题：(一)唐宋时期各类"V得C"述补结构的

发展类推关系;(二)"V得C"述补结构中"得"的来源及"V得C"述补结构的形成;(三)近代汉语"V得C"结果、程度述补结构在现代汉语中的发展变化及其原因剖析。

(一)唐宋时期各类"V得C"述补结构的发展类推关系

1.结果述补结构

从所调查的文献看,唐宋时期结果述补结构的结构形式有:

肯定形式:V得C、V得OC、V得CO、VO得C

否定形式:V得NegC、NegV得C、NegV得OC、V得NegCO

(1)从出现频率来看,"V得C"、"V得OC"、"NegV得C"和"V得NegC"是结果述补结构的基本结构形式,前三种结构形式唐五代已经出现,"V得NegC"见于南宋《朱子语类》。

(2)若带宾语,根据宾语位置的不同,有三种形式:V得OC、V得CO、VO得C,三式频率比为166∶7∶1,后两种形式出现频率极低,是由"V得OC"式类推出来的非常规形式。

与现代汉语相比,结果义"V得OC"式在现代汉语中已经不存在,相同的意义往往用"把OVC(了)"、"NP(被)VC(了)"或重动句等形式来表示。就所调查的语料看,"V得CO"限于"C"为单音节动词"到、成"做补语的形式,又以"到"为主,宾语之所以能出现在"V得C"的后面,与补语动词"成""到"的单音节性质及语义特征都有关系,"到"在近代汉语和现代汉语中往往都要求带上涉及性宾语意义才完整,"成"的后面也常常可以带上成果性宾语。这种结构形式元明以后还能见到,但用例极少,如:

⑫那众船才拨得转头,未曾行动,只见背后那三只船又引着十数只船,都只是这三五个人,把红旗摇着,口里吹着胡哨,飞也似赶来。(水浒传·第20回)

可见它是近代汉语时期结果义述补结构的特色型句式。至于"VO得

C"式,只在唐五代文献中出现了 1 例,《朱子语类》中没有见到。

(3)否定形式以"NegV 得 C"和"V 得 NegC"为常见形式,若带宾语,则为"NegV 得 OC"和"V 得 NegCO"。"NegV 得 OC"应是由"V 得 OC"扩展类推而来,"V 得 NegCO"式则是受"V 得 C"与"V 得 NegC"对应的类化,由肯定形式"V 得 CO"类推扩展出来。

2. 程度述补结构

唐宋时期程度述补结构的结构形式有:

肯定形式:V 得 C,V 得 OC

否定形式:V 得 NegC、NegV 得 C、V 得 ONegC、NegV 得 OC

不带宾语的"V 得 C"和"V 得 NegC"是常见基本形式,若带有宾语,则以"V 得 OC"和"V 得 ONegC"为常见基本形式。至于"NegV 得 C"式,它与"V 得 NegC"的频率比为 1∶7.3,是不常见形式,与此相应,带宾语的否定形式"NegV 得 OC"也是不常见形式。

3. 能性述补结构

唐宋时期能性述补结构的结构形式有:

肯定形式:V 得 C、V 得 OC、V 得 CO、VO 得 C

否定形式:NegV 得 C、NegV 得 OC、VNegC、VONegC、VNegCO

(1)能性述补结构的常见基本肯定形式是"V 得 C"和"V 得 OC",由宾语位置的不同还能构成"V 得 CO"和"VO 得 C","V 得 OC"式与它们的频率比为 70∶15∶1,可见后二式是由"V 得 OC"类推出来的变体形式。

(2)否定形式以不带"得"的"VNegC"、"VONegC"为主,带"得"的"NegV 得 C"和"NegV 得 OC"也有一些用例。带"得"的否定式能性述补结构不多见,与"VNegC"和"VONegC"式的大量存在有关。"VNegC"成为现代汉语能性述补结构的基本否定形式。

(二)"V 得 C"述补结构中"得"的来源及"V 得 C"述补结构的形成

关于"V 得 C"述补结构中"得"的来源以及"V 得 C"述补结构的形成,学术界有不同看法,分歧大体有三:

1. 杨建国(1959)、祝敏彻(1960)、岳俊发(1984)等认为"V 得 C"状态述补结构与同形能性述补结构中的"得"来源不一,前者从表完成的"V 得"结构中的"得"虚化而来,后者由表可能的"V 得"结构的"得"虚化而来。①

2. 王力(1958)、杨平(1990)、蒋绍愚(1994)、吴福祥(2002)等认为状态、能性述补结构中"得"的来源是同一的,"都是由原来的'获得'意义转化为'达成',由'达成'的意义更进一步的虚化,而成为动词的词尾。"即:结构助词"得"的来源是由"获得"转化为"达成",再由"达成"进一步语法化而成。而"当'动词+得'后面不是带体词性的宾语而是带谓词性成分的补语时,就产生了带'得'的述补结构"。②

3. 赵长才(2002)认为"V 得 C"的来源有二:一是源于"达到、达成"义"得"的语法化,二是源于"致使"义"得"的进一步语法化。③

前两种意见都是从"达成"义"得"的语法化来解释"V 得 C"结构的来源,不同之处在于对能性述补结构中"得"的来源看法有分歧。对于能性述补结构中"得"的来源,蒋绍愚师(1994)曾做过精当的分析,论证了能性述补结构与状态述补结构中"得"的同源性,所以,第一种意见对于能性述补结构的来源看法不能成立。我们同意第二种意见。值得讨

---

① 杨建国《补语式发展试探》,《语法论集》第 3 集,商务印书馆,1959;祝敏彻《"得"字用法演变考》,《甘肃师范大学学报》1960 年第 1 期;岳俊发《"得"字句的产生和演变》,《语言研究》1984 年第 2 期。

② 王力《汉语史稿》(中),中华书局,1980;杨平《带"得"的述补结构的产生和发展》,《古汉语研究》1990 年第 1 期;蒋绍愚《近代汉语研究概况》,北京大学出版社,1994;吴福祥《汉语能性述补结构"V 得/不 C"的语法化》,《中国语文》2002 年第 1 期。

③ 赵长才《结构助词"得"的来源与"V 得 C"述补结构的形成》,《中国语文》2002 年第 2 期。

第四节 《朱子语类》"V 得 C"述补结构的历时共时比较研究

论的是第三种意见。

赵长才先生先生认为"V 得 C"的来源有二:除由"达成"义"得"语法化而来外,另一条重要途径就是由"致使"义"得"语法化而来,即:"魏晋六朝时期,'得'具有'使、令'义用法和功能,唐代'得'以'致使'义动词的身份进入到两个谓词性成分之间的句法位置,形成'V 得 VP'格式。之后,'得'在该句法位置上进一步虚化成结构助词,原为连谓结构的'V 得 VP'也就演变为述补结构'V 得 C'。"①这种看法对"V 得 C"述补结构的形成提出了新的解释和分析思路,有启发意义。

不过,从赵文的论证情况来看,其论据似嫌不够充分,某些例证的理解还值得推敲,由此得出的结论也还有商榷之处。下面从几个方面来谈谈这个问题。

1. 赵文的一个主要观点是:"得"与使役动词"使、令、教(交)"在"致使"意义上相通相近,这使得它们在句法功能上有平行表现。"使、令、教(交)"在六朝以后的一个重要功能是用于两个谓词性成分之间,起使令标记作用,"表示其前面的动作行为致使(导致)出现某种结果或达到某种目的。"下面是赵文中的部分引例:

㉓菩萨为然大智慧灯,汝今云何欲吹令灭?(刘宋·求那跋陀罗译《过去现在因果经》卷三 P641 上,《大正藏》No.189)

㉔然后细剉,令如枣栗,曝使极干。(齐民要术·造神麯并酒第六十四)

㉕愁应暮雨留教住,春被残莺唤遣归。(全唐诗·白居易·闲居春尽)

赵文认为,"这些用于两个谓词性成分之间的'使、令、教'等,为

---

① 见赵长才《结构助词"得"的来源与"V 得 C"述补结构的形成》,《中国语文》2002 年第 2 期。

'得'进入相同的格式提供了合适的句法位置。因此,唐代有些'得'最初可能是以'致使'义动词的身份进入这一格式的,它所起的作用也和'使、令、教(交)'等相近,作使令标记。""使、令、教(交)"等是"强式使令标记","得"是"弱式使令标记"。由于"得"是"弱式使令标记动词",所以它的"语法功能就有进一步虚化的可能和趋势",虚化的结果就是"原为连谓结构的'V 得 VP'也就演变为述补结构'V 得 C'"。

不过,从赵文所举相关"得"字例证来看,却难以证明"得"与"使、令、教(交)"等在句法功能上有平行表现,并具有相同的使令标记功能。以下是他的例证:

㊅忽见陌头杨柳色,悔教夫婿觅封侯。(全唐诗·王昌龄·闺怨)
㊆早知落处随疏雨,悔得开时顺暖风。(全唐诗·孟宾于·句)
㊇诗名占得风流在,酒兴催教运祚亡。(全唐诗·徐振·雷塘)
㊈地脉尚能缩得短,人年岂不展教长。(全唐诗·吕岩·七言)
㊉人间医药实难量,先且寻求要好方,奉佛永交增福利,献僧长得灭灾殃。(敦煌变文集·妙法莲华经讲经文)

赵文认为例㊅㊆中"教""得"的意义和功能都相同,事实上,例㊆中的"得"并没有"使令"义;后三例是他举的互文例,仔细分析,其中的"教""得"也有本质不同:例㊇中的"得"是完成动词作补语,例㊈中的"得"是连接述语和补语的结构助词,而两例中的"教"都是使令动词;若从韵律结构来看,两例分别为:"诗名占得//风流在,酒兴催//教运祚亡"和"地脉尚能缩得//短,人年岂不展//教长",也不相同。至于例㊉,"交"是使令动词,"得"却是表"能"义。可见,"V+使令动词+VP"与"V+得+VP"结构中的"教""得"的意义和功能都不同一,前者是连谓性使役结构,后者是述补结构。

2. 按赵文的观点,如果"唐代有些'得'最初可能是以'致使'义动词的身份进入"连谓结构"V 得 VP",那么历时文献中应该存有大量这种连谓性"V 得 VP"结构,但语言事实显示,这类结构基本不存在。

从赵文所举例证看,"致使"义"得"所出现的句法环境有三:一是"得+NP+VP",二是"VP+得+NP+V",三是"致得、直得、感得"。分别略举数例如下,以下用例取自赵文:

㉛能共牡丹争几许,得人嫌处只缘多。(全唐诗·陈标·蜀葵)
㉜姜女自雹哭黄天,只恨贤夫亡太早。妇人决列(烈)感山河,大哭即得长城倒。(敦煌变文集·孟姜女变文)
㉝悔嫁风流婿,风流无准凭。攀花折柳得人憎,夜夜归来沉醉,千声唤不应。(敦煌曲子词集·南歌子)
㉞致得仙禽无去意,花间舞罢洞中酒。(全唐诗·姚合·崔少卿鹤)
㉟李陵闻诮,直得身皮骨解。(敦煌变文集·苏武李陵执别词)
㊱治国四年,感得景龙应瑞,赤雀咸(衔)书,芝草并生,嘉和(禾)合秀。(敦煌变文集·伍子胥变文)

例㉛是一类例,㉜㉝是二类例,㉞㉟㊱是三类例。从情况看,一、三类例多见,二类少见,就赵文所举,只有此二例。就结构性质来说,一类结构是连谓式,式中的"NP"既是"得"的宾语,又是后面动作行为的发出者,这种结构形式即通常所说的典型的"兼语式"使令句,这种句法环境中,"得"是主要动词,不可能发生重新分析;二类"VP+得+NP+V"结构是有因果语义关系的并列结构,并列结构的右枝是"得+NP+V"式使令句,"得"前"VP"本身结构复杂,音节数目多,有时它与"得"之间还有连接性成分(如例㉜),在这种句法环境中"得"也难以发生重新分析;至于三类"致得、直得、感得"等,在唐宋之际已经是词化了的成分。而赵文所说的"V 得 VP"结构,从其所举例证看,一般都是"V 得 C"式述补结构,如上例㉙,或是理解有误的情况(如上例㉚)。既然"致使"义

"得"所出现的几种句法环境都不提供语法化的前提,那么,"V 得 C"述补结构是否是从"致使"义发展而来就值得商榷了。

3. 退一步说,若认为赵文"两条途径"说成立,那么理应在历史文献中能找到相关不同来源的"V 得 C"述补结构的用例作为印证,赵文也试图这么做了,但所举例证却往往分不清,即:难以确定哪些是从"达成"发展来的,哪些是从"致使"发展来的。之所以分不清,原因就在于它们本来是同源的,都是从"达成"发展而来。以下是赵文举例:

㉘⁷别来老大苦修道,炼得离心成死灰。(全唐诗·白居易·晚春欲携酒寻沈四著作先以六韵寄之)

㉘⁸芳情香思知多少,恼得山僧悔出家。(全唐诗·白居易·题灵隐寺)

前例是赵文举作来源于"达到、达成"义的"V 得 C",后例是他举作来源于"致使"义的"V 得 C"。但仔细推敲,却难以发现二者有何本质差别,事实上,两例都是"V 得 C"述补结构,"得"后成分都是用来说明述语动作发生后所造成的结果的,是由主谓结构充当补语的"V 得 C"述补结构。

概括以上,我们认为:"得"在六朝以来的文献中有"致使"义,这本来是不错的,也是客观存在的,但这一义项与"V 得 C"述补结构中结构助词"得"的来源以及"V 得 C"述补结构的来源没有关联,"V 得 C"述补结构中的"得"来源于"达成"义"得"的进一步语法化,"V 得 C"述补结构也是由此形成的。

(三)近代汉语"V 得 C"结果、程度述补结构在现代汉语中的发展变化及其原因剖析

以《朱子语类》为参照系,我们把近代汉语"V 得 C"述补结构与现代汉语"V 得 C"述补结构的功能类别系统做一比较,如下:

第四节 《朱子语类》"V得C"述补结构的历时共时比较研究

	近代汉语（《朱子语类》）	现代汉语
结果述补结构	→V得C（C为单音节动词及双音节复合趋向词语）	－
	↘V得C（C为动词性结构）	＋
程度述补结构	→V得C（C为形容词、形容词重叠式及形容词性结构）	＋
能性述补结构	→V得C（C为动词及动词性结构）	＋
	↘V得C（C为形容词及形容词性结构）	＋

比较发现，由单、双音节动词作补语的"V得C"结果述补结构在现代汉语中留下了一个空格，这是近代汉语与现代汉语"V得C"述补结构功能类别系统的最大差异。

"V得C"结构在近代汉语中既可表结果、程度，又能表能性，到现代汉语中却发生了分化：由动词性成分作补语的"V得C"结构的能性功能保了下来，结果功能则消失（不含C为动词性词组的"V得C"），而形容词性成分作补语的"V得C"结构的能性和程度功能都保存了下来。其间的原因何在？本文试做一分析。

1. 动词性成分作补语的"V得C"结构

作补语的动词性成分大体有两类：一是单音节动词及部分双音节复合趋向词语作补语，如"写得成、寻讨得出来"，二是多音节动词性结构作补语，如"看得他眼睛都疼"。《朱子语类》时代，单音节动词及部分双音节复合趋向词语作补语的"V得C"可表结果，一定语境中还能表能性；多音节动词性结构作补语的"V得C"只能表结果。现代汉语中，单音节动词及双音节复合趋向词语作补语的"V得C"只能表能性，表结果的功能消失；动词性结构作补语"V得C"仍然用于表结果。上述变化发生的原因我们认为有以下几方面：

（1）近代时期，与"写得成、寻讨得出来"类结果述补结构同时存在的同义性述补结构还有"写成、寻讨出来"，二者在表示结果意义上完全等义,形式上的差异只在于前者的述语和补语之间插入了结构助词"得"。这种完全同义性使得二者在语言交际中出现语法意义的重合,不符合以单一语法形式表示语法意义的经济原则,而且"V 得 C"(C 为动词)结构除表结果外,还能表能性,同一语法形式又兼有不同语法意义,这也与语义表达的明晰性要求相违背,所以,在语言系统进行归并整合时,必有一种语法形式会被兼并或淘汰。到底哪种形式会被淘汰还取决于语法形式表达语法意义时功能的单一和稳固性,竞争的结果是表结果的"V 得 C"(C 单音节动词及双音节复合趋向词语)类被淘汰掉了,原因是该类结构在表结果的同时,还能在未然语境中表能性,功能的兼职性特点影响语义表达的明晰性。

(2)在"V 得 C"(C 为单音节动词及双音节复合趋向词语)述补结构中,结果意义主要由补语来承担,"得"由原来结果意义的主要负载者转变为只起联系述语动词和补语作用的结构助词,而补语动词多为单音节,双音节少见,这种单音节特征使得述语和补语的黏合度加强,连接性成分"得"便成为一种可有可无的形式,成为一种语法标记甚至是助音节的成分,这使得"得"在"V 得 C"(C 为单音节动词及双音节复合趋向词语)中的位置可以是一种零形式,"得"可能弱化脱落,或在表达同样语法意义时采取不带"得"的"VC"式,唐宋文献中已经出现了这类用例,如:

㉘师曰:"还将得游山杖来不?"对曰:"不将得来。"师曰:"若不将来,空来何益?"(祖 94)

当"V 得 C"(C 为单音节动词及双音节复合趋向词语)中"得"的脱落成为可能,则其被"VC"动结式兼并也成为必然趋势。

(3)语音变化。在近代后期,结果述补结构中的"得"可以用"的"来替换,例不胜举。"得"、"的"在上古和中古本不同音:"得"在上古是端母职部字,《广韵》时代是端母德部字,而"的"上古是端母药部字,中古为端母锡部字,但二字在上、中古的读音相近,声母相同,主要元音相近("得"为央元音ə,"的"为前元音 e);到近代,入声消失,浊音清化,二字读音变得相同,《中原音韵》时代都是端母齐微韵字,这为二字的换用提供了语音基础。而"的"的语音在后代又呈现出弱化趋势,这从某种程度上对"V 得 C"(C 为单音节动词及双音节复合趋向词语)结果述补结构"得"的弱化脱落起到促进作用。

所以,我们认为部分"V 得 C"(C 为单音节动词及双音节复合趋向词语)结果述补结构中的"得"因为上述原因可能发生了脱落现象,而成为"VC"式结果述补结构,有的则直接被"VC"动结式所兼并,这又从某种程度上为"VC"动结式提供了新来源。

至于多音节动词性结构作补语的"V 得 C"结构表结果的功能为何一直保留到现代汉语中且未发生任何变化,则是与补语的多音节形式及表达的语法意义有关。这类补语音节大都很长,语义上带有描述性特征,这使得联系述语动词和补语成分的"得"成为必要的助结构成分(指语法和语音(音节)两方面)而不能丢掉,故一直保留至今。

2. 形容词性成分作补语的"V 得 C"结构

补语为形容词性成分的"V 得 C"式在现代汉语中仍是一形兼二任,既可表程度,又能表能性(未然语境中),演变结果表现出与动词性成分作补语的"V 得 C"式的不同步性,原因何在?

吴福祥(2002)用"不足语法化"来解释以上语法现象,认为"不足语法化的语法结构或句式往往兼表两种语法意义"。[①]"不足语法化"的论断本身没有问题,但问题的关键在于要找到造成这种"不足语法化"现象的原因,并对此做出解释。

其实,近代汉语时期的"V 得 C"(C 为形容词性成分)述补结构与

---

① 见吴福祥《汉语能性述补结构"V 得/不 C"的语法化》,《中国语文》2002 年第 1 期。

"VC"(C为形容词性成分)动结式所表示的语法意义不完全等同。

如上章所述,从《朱子语类》来看,"V得C"(C为形容词性成分)述补结构所表示的意义有二:一是表示对动作或动作所造成的结果状态的评价(简称评价义),二是表示人或事物受动作的影响而达到的状态程度,即动作行为给人或事物带来某种变化和结果,使人或事物因受动作影响而出现某种客观情状等(简称结果义)。

对于一类评价义而言,部分"V得C"所表示的语法意义与"VC"相同,如:

⑳须是磨以岁月,读得多,自然有用处。(7·2850)

㉑书只贵读,读多自然晓。(1·170)

不过,一旦有程度词语修饰时,二者就不同一了,如下面结构形式在《朱子语类》中很常见(可参见第五章"'V得C'程度述补结构的形式特征"部分):

A.说得好—— B.说得最好—— C.最说得好—— D.说得好甚

后三种有程度副词修饰的结构形式所表达的语法意义是"VC"式所不能承载的,这种差异一直保留到现代汉语中。

评价义"V得C"因与"VC"所表示的意义不完全相同,所以只是其中不用程度副词等修饰的"V得C"与"VC"可以互换使用,但终因意义的不完全相同而成为与"VC"相对独立的句法形式存在于语言系统中。

事实上,《朱子语类》时代,一旦"V得C"(C为形容词性成分)式中加入了程度性修饰语,则结构大多都是语法意义明确的表已然程度评价或结果的句法形式,也就是说,程度性修饰语能比较有效地消除该结构的歧义,到现代汉语中,这一规律则无一例外,如:

㉒这件衣服洗得干净。

若脱离具体语境,上例是歧义句,要想分化歧义句式,可以在补语形容词前面加上表程度的副词,加入程度副词后,歧义就消失了。例

第四节 《朱子语类》"V得C"述补结构的历时共时比较研究

如：

㉓这件衣服洗得很干净。（对动作结果及其状态程度的描述评价）

对于二类结果义来说，"V得C"与"VC"所表示的意义相同，所以《朱子语类》中可以同时用两种形式来表达相同的意义，如：

㉔若只记得字义训释，或其中有一两字漏落，便是那腔子不曾填得满，如一个物事欠了尖角处相似。(7·2805)

㉕他只见圣人有个六经，便欲别做一本六经，将圣人腔子填满里面。(8·3257)

由于表结果的"V得C"与"VC"意义相同，所以，到现代汉语中"V得C"为"VC"兼并，现代汉语如果表示结果意义，不再用"V得C"式，而只能用"VC(了)"式。

带宾语的形式"V得OC"在《朱子语类》中也能表示结果义，如：

㉖譬如他人做得饭熟，盛在碗里，自是好吃，不解毒人，是定。(7·2819)

这类结构在现代汉语中也被淘汰，而只能用"做熟了饭"或"饭做熟了"等形式表示。

综合以上，我们认为"V得C"（C为形容词性成分）述补结构的发展变化有不同情况，即：

(1)结果义"V得C"因所表达的意义与"VC"（C为形容词性成分）动结式相同，同时又兼表能性，所以在发展过程中最终被"VC"式所兼并，到现代汉语中，这类结构不再表结果，而只能表能性，这一变化与动词作补语的结果义"V得C"结构一样。

(2)评价义"V得(F)C"（F为程度副词等成分）与"VC"动结式所表示的语法意义不完全等同，所以，不等同的两种结构形式就以不同的结构形式同时存在于语言系统中而没有发生兼并；对于"读多"、"读得多"类意义相同的两类形式，现代汉语中仍然存在，可以互换使用,而且,这类没有程度副词等修饰的"V 得 C"结构同时兼有已然程度和未然能性两种语法意义,这主要是由于该格式有分化歧义的有效手段(如添加程度副词),但这种手段在一定程度上限制了该语法形式的语法化程度,所以,它在后来的发展过程中成为一种"不足语法化"的语法结构。

本章参考文献

曹广顺 1995《近代汉语助词》,语文出版社。
程湘清 1992《〈论衡〉复音词研究》,载《两汉汉语研究》,山东教育出版社。
何乐士 1992《〈史记〉语法特点研究》,载《两汉汉语研究》,山东教育出版社。
蒋绍愚 1994《近代汉语研究概况》,北京大学出版社。
—— 1999《汉语动结式产生的时代》,《国学研究》第 6 卷,北京大学出版社。
—— 2003《魏晋南北朝的"述宾补"式述补结构》,《国学研究》第 12 卷,北京大学出版社。
李小荣 1994《对述结式带宾语功能的考察》,《汉语学习》第 5 期。
梁银峰 2001《先秦汉语的新兼语式》,《中国语文》第 4 期。
刘子瑜 2005《动结式述补结构带宾语功能的历时考察》,《长江学术》第 7 辑,武汉大学出版社。
—— 2005《汉语动结式述补结构的历史发展》,《语言学论丛》第 30 辑,商务印书馆。
梅祖麟 1991《从汉代的"动杀"、"动死"来看动补结构的发展》,《语言学论丛》第 16 辑,商务印书馆。
潘允中 1980《汉语动补结构的发展》,《中国语文》第 1 期。
—— 1982《汉语语法史概要》,中州书画社。
宋绍年 1994《汉语结果补语式的起源再探讨》,《古汉语研究》第 2 期。
王力 1958/1980《汉语史稿》(中),中华书局。
—— 1985《汉语语音史》,中国社会科学出版社。
吴福祥 1996《敦煌变文语法研究》,岳麓书社。
—— 1999《试论现代汉语述补结构的来源》,《汉语现状与历史的研究》,中国社会科学出版社。
—— 2002《汉语能性述补结构"V 得/不 C"的语法化》,《中国语文》第 1 期。
向熹 1993《简明汉语史》(下),高等教育出版社。

杨建国 1959《补语式发展试探》,《语法论集》第 3 集,商务印书馆。
杨平 1989《"动词＋得＋宾语"结构的产生和发展》,《中国语文》第 2 期。
—— 1990《带"得"的述补结构的产生和发展》,《古汉语研究》第 1 期。
岳俊发 1984《"得"字句的产生和演变》,《语言研究》第 2 期。
赵长才 2000《汉语述补结构的历时研究》,中国社会科学院语言研究所博士学位
　　　论文,未刊稿。
—— 2002《结构助词"得"的来源与"V 得 C"述补结构的形成》,《中国语文》第 2
　　　期。
周迟明 1957《汉语的连谓式复式动词》,《语言研究》第 2 期。
祝敏彻 1958《先秦两汉时期的动词补语》,《语言学论丛》第 2 辑,新知识出版社。

尾论　动结式述补结构的语法化机制

第一节　各类动结式述补结构的来源

一　结成述补结构

(一)补语语义指向受事的结成述补结构(使结式)

来源有三：1.从"$Vt_1 Vt_2 O$"连谓结构语法化而来；2.由"$VtVi$"连谓结构语法化而来；3.由"打头破"类隔开型述补式前移后项动词发展而来。分述如下。

1.从"$Vt_1 Vt_2 O$"连谓结构语法化而来。即：连谓结构"$Vt_1 Vt_2 O$"因"Vt_2"不及物化而语法化成述补结构，这是动结式产生的一条重要途径，变化的发生与六朝时期使动用法的衰微、及物动词的不及物化、"隔开型"述补结构的产生等因素紧密相关，不少学者对此已有讨论。[①] 不过，具体细节还需进一步研究。我们认为这一过程的发生与结构变化、语义变化以及相关结构的类化等因素紧密相关。

使结式的产生与使动用法的衰落有关。在动结式产生之前，汉语用使动用法来表达大致相同的语义，但使动用法不能指示出造成某一结果的具体方式手段，语义表达存在缺陷，这使得语言内部的句法结构

[①] 梅祖麟《从汉代的"动杀"、"动死"来看述补结构的发展》，《语言学论丛》第16辑，商务印书馆，1991；蒋绍愚《汉语动结式产生的时代》，《国学研究》第6卷，北京大学出版社，1999；吴福祥《试论现代汉语述补结构的来源》，《汉语现状与历史的研究》，中国社会科学出版社，1999。

和表达方式自发调整;汉代,使动结构前面出现了其他动作动词,形成"VtVi－tO"(Vi－t:用于使动的不及物动词)连谓结构,原来由"Vi－t"所表示的动作义转而由"Vt"承担,于是"Vi－t"的意义弱化——由具体动作义向抽象结果状态义转化,不再表示具体动作,而表示"Vt"动作发生后所造成的结果状态,即:使动用法在语义表述上的缺陷导致了"VtVi－tO"连谓结构的出现,该结构的进一步发展使得原来带使动宾语的不及物动词不再带宾语,完全不及物化,连谓式"VtVi－tO"的后项为不及物结果状态动词所占据,整个结构语法化为述补结构。以动词"破"为例说明。"破"在先秦至六朝经历了以下结构和语义变化:

① VO,破之 → ② V而破之 → ③ V破之 ↗ ④ V破O

　　　　　　　　　　　　　　　　　　　　　　↘ ④'V破

　　　　　　　　　V_1O,V_2之 → VO破(并存)

相关例证如下:

①燕因使乐毅大起兵伐齐,破之。(战国策·卷30)
②亚父受玉斗,置之地,拔剑撞而破之……(史记·项羽本纪)
③庆舍发甲围庆封宫,四家徒共击破之。(史记·齐太公世家)
④以梨打破头喻。(百喻经·以梨打破头喻)/鸡子于地圆转未止,
　仍下地以屐齿蹍之,又不得,瞋甚,复于地取内口中,啮破即吐
　之。(世说新语·忿狷)
⑤以梨打我头破乃尔。(百喻经·以梨打破头喻)

　　阶段①,"破"是使动词,兼有两种语义:具体动作+动作结果;阶段②,动作义由"破"前动词承担,"破"虽用作使动,但语义出现弱化,不再带有具体动作义,只表示使动性动作结果,这种用其他动词表示具体动作的方式为使动用法的衰落提供了前提;阶段③,"破"仍作使动,但与前面动词之间因不再插入"而"而变得紧密,这为连谓结构向述补结构

的语法化创造了条件;阶段④,由于使动用法衰落,同时"破"的语义又出现弱化——只表示动作结果,所以"破"不及物化,"V 破 O"结构发生从连谓结构到述补结构的重新分析,在这一过程中,同期又出现了"VO 破"隔开型述补式,其中的"破"是不及物动词,只表示动作造成的结果状态,这类结构中"破"的不及物化对"V 破 O"结构的重新分析起到类化和推动作用,加速了"V 破 O"式的重新分析进程,合力作用的结果是"V 破 O"述补结构产生。当"VCO"述补形式定型化后,"VCO"句法槽中的填充成分有一个扩展过程,即句法槽不变,充填成分有改变,这使得述补搭配逐渐丰富。

上述语法化过程发生并完成于六朝,不过也不排除汉代即已开始的可能,但因缺乏形式验证,无法确认。因为从动趋式的发展情况看,汉代已有少数用例,如:"君为我呼入,吾得兄事之(史记·项羽本纪)",这类用例的述语补语间也有"使成"语义关系,广义上说,动趋式是动结式的一部分,因此,这可以算是动结式在汉代萌芽的一个佐证。所以,我们认为使结式起源最早,大约汉代萌芽,六朝正式产生,唐宋以后已经是相当成熟的动结式了。

2. 由"VtVi"连谓结构带上宾语语法化而来。汉语中有少数动词自古以来就是不及物动词,可分为两类:一类根本不用于使动,二类虽有使动用法,但不及物用法远远超过了使动用法,因此仍是典型的不及物动词。梁银峰(2001)曾对先秦六部典籍《尚书》《论语》《左传》《韩非子》《孟子》《荀子》进行过检查,找到 8 个"自动用法的次数超过使动用法的次数的"动词:乱、精、沸、熟、止、通、毕、厚,其中"精、沸"是一类根本不用于使动的不及物动词,其他属二类动词。以"沸"为例,据梁文调查,"沸"在上古文献中出现于三种句法环境:A. 煎之沸,B. 煮之,令沸,C. 煮沸,[①]值得

[①] 参见梁银峰《先秦汉语的新兼语式》,《中国语文》2001 年第 4 期。

注意的是 C 类,它虽然还不能排除连谓式性质,但已经具备向述补结构语法化的条件(梁文称之为"准动补结构")。六朝以后,这类"VtVi"结构带上宾语,就完成了向述补结构的语法化过程。例如:

⑥是邻家老黄狗,乃打死之。(幽明录)

"死"在先秦两汉极少用于使动,[①]基本上是用作不带使动宾语的不及物动词,属上述二类动词。例⑥的可靠性虽还值得考证,但六朝时期已经出现了大量"V 杀(=死)O"述补结构,由此推断"V 死 O"结构在此期出现也是可能的。[②] 宋代已有可靠用例,但它出现应该不会这么晚,如:

⑦计岸上之死三千七百余人,射死万户一人,生获千户五人,女真三百余人,余皆正军健者。(三朝 209)

3. 由"打头破"类隔开型述补式前移后项动词发展而来。前移的语义基础来自动作结果要求贴近动作行为规律(即汉语句子的信息安排原则)的制约,同时,当"V 破 O"述补结构定型化后,它会对"VO 破"结构起到类化作用,在语义和"V 破 O"类化的双重作用下,"破"前移,形成"V 破 O"述补结构。就文献看,在"打头破"类结构中出现的"V_2"是有限可数的,主要有"破、折、落、杀、尽"等,这说明本途径只是结成动结式来源发展的支流,多数结成动结式是由"$Vt_1 Vt_2 O$"连谓结构语法化而来。

(二)补语指向施事(含当事)的结成述补结构

补语指向施事(含当事)的结成述补结构有"VtVi/A(O)、ViVi/A(O)、VtVt(O)、AVi(O)"等形式,各形式的产生时代有异:

1. 由不及物动词充当述语的形式最早见于唐,是在使结式的感染下从连谓结构语法化而来,类推的深层语义基础在于这类连谓结构的

[①] 见宋绍年《汉语结果补语式的起源再探讨》,《古汉语研究》1994 年第 2 期。

[②] 见蒋绍愚《近代汉语研究概况》,北京大学出版社,1994。

前后项之间有动作和结果类因果语义关系,以"饿死"为例,先秦即有,但中间能插入连接词,是连谓结构:

⑧二子北至于首阳之山,遂饿而死焉。(庄子·让王)
⑨古有伯夷叔齐者,武王让以天下而弗受,二人饿死首阳之陵。(韩非子·奸劫弑臣)

上述连谓结构的后项是内向性动词,不与宾语发生关系,也不用于使动,要判定它是不是动结式,产生于何时,从形式上难以验证,可行的办法是以相应否定式类推印证,因为新语法形式的出现,肯定形式往往先行,否定式在后。目前所见,较早的用例见于唐代:

⑩予惟饿不死,得非道之福。(皮日休《吴中苦雨因书一百韵寄鲁望》)

因此,可以认为"饿死"至少在唐代已经是动结式了。由此类推,我们认为唐五代时期前后项间有动作和结果类因果语义关系,同时又能用"得/不"扩展的同形结构都是动结式。[①] 有学者认为这类形式不是动结式[②],但语言事实表明,这类动结式在历时发展中确实存在,是由使结式类推出来的新形式,并进一步发展保留到现代汉语中,若将其排除在述补结构之外,则现代汉语中大量同形动结式的来源就无法解释。

2.及物动词作述语的形式在六朝还不是述补结构,它是在使结式的感染下,由连谓式类推发展而来,较早用"不"扩展的形式在唐人所编六朝史书中见到:

⑪曾祖母王氏,盛冬思堇而不言,食不饱者一旬矣。(晋书)

所以"食饱"在唐代已经是动结式了。补语是不及物动词以及带宾

[①] 动结式可以插入"得/不"扩展,吕叔湘《现代汉语八百词》,商务印书馆,1980)、朱德熙《语法讲义》,商务印书馆,1982)都有说明,这可以作为检验动结式成立的一条重要标准。

[②] 王力《汉语史稿》(中),中华书局,1980;梅祖麟《从汉代的"动杀"、"动死"来看述补结构的发展》,《语言学论丛》第16辑,商务印书馆,1991。

语的形式南宋以后才见到。

3. 形容词作述语的形式见于元明,述语补语均为及物动词的格式见于清代,概由早期形式类推而来。

二 结态述补结构

结态述补结构的主要形式有:VtVi(O)、ViVi(O),有两种情况:(一)从"Vt₁Vt₂O"连谓结构语法化而来,以"见、得、取、却"等为代表;(二)从主谓结构语法化而来,如"了"。"ViVi(O)"式是由"VtVi(O)"式类推而来。

(一) 从"Vt₁Vt₂O"连谓结构语法化而来

以"见"为例。

"见"作补语,王力(1943、1944)早有说明。王先生(1943)在《中国现代语法》中指出,"'见'字放在'看'或'遇'的后面,也是末品补语。'看'的结果是'见';'遇'的结果也是'见'。至于'听见',那是受'看见'的同化而成的,所以也可认为使成式。"所举例证是《红楼梦》中的例子。在《中国语法理论》(1944)中又举出"寻见"等用例。[①] 王先生所论述的语法现象属近代汉语晚期或是早期现代汉语,在现代汉语中,"见"可以用作结果补语已成定论,如《现代汉语规范字典》(1998)"见"字条:"见"可以用在"某些动词后面(多同视觉、听觉、嗅觉等有关)后面表示结果,中间可插入'得''不'",如"看~、碰得~、听不~、闻~、梦~"。[②] 不过,探其源头,"见"到底从什么时候开始用作补语,如何认定它的补语资格,需要进一步研究。

近代文献中,"见"一般用于两类动词后面:一是感知动词如"看、

---

① 王力《中国现代语法》,《王力文集》第2卷,第119-120页,山东教育出版社,1985;又《中国语法理论》,《王力文集》第1卷,第116页,山东教育出版社,1984。
② 吕叔湘顾问、李行健主编《现代汉语规范字典》,第239页,语文出版社,1998。

窥、望、瞥、闻、梦、觉、察"等,二是非感知义动作动词如"考、讨、检、寻、推、窃"等,前类"见"已经部分丧失实词义,由及物动词转为不及物动词,表示某种"涉及"性结果,"看见"犹言"看到",是补语指向动作的结态述补结构,二类"见"也表"涉及"性结果,但意义更虚,是一类进一步虚化的结果。现代汉语中只有一类结构,赵元任(1979)把这类"见"视作"动相补语"(相:phase),并指出其特点:"用'·见'的一个条件是动词必须是表示'主动者'遇到的动作而不是他主动去做的动作。因此,'摸见'之类是没有的。"①正是由于以上特点,所以"见"表示的是涉及性结果,是"到"义,而非主动性动作行为义。从文献看,"摸见"类在近代汉语时期存在,后代消失。

历时地看,可以从两方面判定"V见(O)"结构是否语法化成述补结构:

1. 考察"见"语义的发展虚化。"V$_{感知}$见(O)"结构先秦即有,但只能出现在"视觉"义动词后表示"看"的结果,又有"V而见"形式共存,所以是连谓式,如:

⑫阖以瓶水沃廷,郑子望见之,怒。(左传·定公三年)

⑬梦天压己,弗胜,顾而见人……(左传·昭公四年)

东汉"见"的语义发生变化,可以出现在"遭逢"义动词后面,隋代还可出现在"闻听"义动词后面,如"遇/逢/闻见"等,但已有研究者指出,"见"有"遭遇"义,六朝以后又发展出"闻听"义,因此上述语义变化不足以成为判定"V见"结构是述补结构的标准,②我们同意这种看法。就历时语料看,至少在南宋,"见"与非"感知"义、"遭逢"义动词的结合已经相当自由,如"考、寻、照、讨、检、推、窃"等,这些动词后面的"见"显然已经

---

① 赵元任《汉语口语语法》,第208—209页,商务印书馆,1979。

② 赵长才《汉语述补结构的历时研究》,第31—32页,中国社会科学院语言研究所2000年博士学位论文。

丧失了实词义,而仅表示动作有了结果,或达到了目的的语法意义,"V见(O)"已是述补结构。不过,若据此认定"V见(O)"结构要到南宋才语法化成述补式显然太晚,这时可以借助另一标准。

2. 用相应否定形式交互印证。六朝文献中出现了"V见"格式相关否定式的用例:①

⑭楼高望不见。(玉台新咏)

所以可以肯定,六朝时期的"V见"结构已经由连谓式语法化成述补结构了。

"V见(O)"结构的语法化表明:当"Vt₁Vt₂O"连谓结构的后项动词因前项动词语义特征的改变而发生意义虚化时,它在结构中的语法地位也相应发生变化,由原来连谓式后项的实义动词变成半虚化性"涉及"义或"完成"义动词,不再对后面宾语构成支配,宾语成为整个结构的支配对象,这时,原有连谓结构发生语法化,述补结构产生。

(二) 从主谓结构语法化而来

以"了"为例。

学术界在研究"了"的语法化时已经注意到"了"前动词的语义特征对其语法化的影响。梅祖麟(1994)把"动作动词"后面的"了"看成"状态补语",把"成就动词"后面的"了"视作"完成貌词尾";蒋绍愚(2001)认为持续动词和非持续动词后面的"了"都是动相补语,前者表完结,后者表完成,语义都指向动作;吴福祥(1998)把持续动词和非持续动词后面的"了"分别视作"结果补语"和"动相补语"。② 各家所用术语不同,

---

① 此例转引自蒋绍愚《汉语动结式产生的时代》,《国学研究》第 6 卷,北京大学出版社,1999。

② 参见梅祖麟《唐代、宋代共同语的语法和现代方言的语法》,《中国境内语言暨语言学》第二辑;蒋绍愚《〈世说新语〉、〈齐民要术〉、〈洛阳伽蓝记〉、〈贤愚经〉、〈百喻经〉中的"已"、"竟"、"讫"、"毕"》,《语言研究》2001 年第 1 期;吴福祥《敦煌变文语法研究》,岳麓书社,1996;《重谈"动+了+宾"格式的来源和完成体助词"了"的产生》,《中国语文》1998 年第 6 期。

但在判定动态助词"了"上有共识,即:"了"用于持续动词和非持续动词后面时虚化程度不同,后者的虚化程度高于前者;但各家对两类格式中"了"的虚化程度的认定和归类上分歧。

我们认为,考察"了"的语法化要结合其历时演变情况。"了"在六朝至唐五代主要用于两类结构:V$_{持续}$(OF)了、V$_{非持续}$了,前式"V""了"间可插入宾语和时间副词,是主谓结构,后式是结态述补结构。两类结构形似而质不同,究其原因,要联系唐五代"V 了"结构的使用情况来说明。唐五代,"了"可以出现在"VO 了"和"V 了"结构中,若"了"前动词是持续动词,"了"前可以用时间副词修饰,构成"VOF 了""VF 了"结构,如《敦煌变文集》"答语已了/祭之已了,哭已了/抄录已了";若是非持续动词,时间副词只能出现在动词前面。"V$_{持续}$(OF)了"结构中的"了"有"完结"实词义,是主要谓词成分,整个结构是主谓结构;"V$_{非持续}$了"结构中,"了"开始虚化,"完结"义基本丧失,而且直到唐五代,"V 了"后面基本不带宾语,又不居句末,所以"了"还是一种半实半虚成分,用在动词后面表示动作行为的完成,没有完全语法化成表示动态或事态完成的助词,所在结构是述补结构。南宋,"V 了"结构有了变化:一是无论"了"前动词是持续动词还是非持续动词,时间副词都不再插入,这说明"V$_{持续}$了"结构也语法化成结态述补结构,这种变化是在"V$_{非持续}$了"述补结构的感染下发生的;二是"V$_{非持续/持续}$了"结构常常出现在句末,"了"进一步语法化,说明动作行为的完成或成为现实,或对动作行为或状态变化的现实性加以肯定,"了"成为动态助词兼事态助词;三是"V 了"后面往往带有宾语,形成"V 了 O"结构,"了"成为动态助词。

"V 了"结构的语法化过程:"了"最初用在持续动词后构成"V$_{持续}$O(F)了""V$_{持续}$(F)了"主谓结构,既而扩展,用于非持续动词后面,结构发生语法化,成为"V$_{非持续}$了"述补结构。六朝时已有"V$_{持续}$了""V$_{非持续}$了"结构,前者是主谓结构,后者是结态述补结构,唐五代承继这一语法分布,有发展的是极少数"了"开始语法化成动态助词,出现在"V 了 O"结构中;①宋代,"V$_{持续}$了"中不再插入时间副词,受"V$_{非持续}$了"述补结构类化,由主谓结构语法化成述补结构,进一步语法化,"V$_{非持续/持续}$了"结构出现在句末,"了"成为动态助词兼事态助词,有的则带上宾语,"了"为纯粹表动态的动态助词。据研究,《朱子语类》中的"V 了 O"约有三千例,占用例的五分之三,②可见南宋时期"了"作为动态助词已经相当成熟稳定了。

三 结度述补结构

结度述补结构是由"VA"主谓结构语法化而来,六朝萌芽,唐代不多见,宋以后数量遽增并使用开来。结度述补结构的来源与下面结构形式有关:

⑮去已久矣,不可复及。(世·假谲)

⑯既移久,王遂在范后。(世·排调)

两例都是主谓结构,结构主语为动词,谓语为形容词。前例主谓间插有时间副词,只要有这种形式并存,后类结构就不能认定为述补结构。不过例⑯表明,六朝时期时间副词已经可以出现在主谓结构前面,相同的表层结构为此类结构完成向同形述补结构的重新分析提供了句法基础;而主谓式"VA"与述补式"VA"在语义上也有相似性,主谓结构中的谓语形容词是对主语动作进行说明,如"V 久","久"是对"V"动作发生或持续时间的长短进行陈述性解释说明,而述补结构"V 久",补语是对述语动作发生或持续时间的长短进行补充性说明或评估;句法和语义上的相似最终导致"VA"主谓结构发生重新分析,语法化成述补结

---

① 蒋绍愚(1994)指出,唐五代时期确定无疑的动态助词"了"的用例只有 5 例,见《近代汉语研究概况》第 151—158 页。

② 木霁弘《〈朱子语类〉中的时态助词"了"》,《中国语文》1986 年第 4 期。

构。此外，已有使结式及结态述补式对结度述补式的产生也起到类化作用，是推动其语法化的外在动因。结度述补式一旦产生，又在已有句法框架中，经由词汇扩张和自由代入而得以进一步发展。概括如下：

VFA("看已久",主谓结构)↘

　　　　　　　　　VA("看久",主谓结构/述补结构)

　　　　　　　　　（重新分析）→ 述补结构

VA("看久",主谓结构)　↗

对各类动结式的产生时间做一总结：补语指向受事的使结式结成述补结构出现最早，汉代萌芽，六朝正式产生，唐宋成熟。补语指向施事的结成述补结构萌芽于唐五代，宋以后才真正发展起来。结态述补结构产生于六朝，唐五代发展壮大。结度述补结构萌芽于六朝，唐五代渐多，真正发展起来是在南宋。概言之，动结式述补结构萌芽于汉，正式产生于六朝，普遍应用于唐宋，元明以后丰富发展。

第二节　动结式述补结构的语法化机制

一　结构变化在动结式述补结构语法化过程中的作用

与动结式语法化关系密切的结构有两类：连谓结构和主谓结构。

（一）连谓结构

从连谓结构语法化而来的动结式有结成述补结构和结态述补结构。

1. 补语指向受事的结成述补结构（使结式）。使结式的语法化过程表明：结构变化是基底，是主导动因，它引起结构中后项动词意义的变化，动词意义变化反过来又推动结构的语法化进程。

2. 补语指向施事的结成述补结构。此类语法化的主要动因来自于相类结构——使结式的类推。

3. 结态述补结构。部分结态述补结构诸如"V见/却/取(O)"等是从连谓结构语法化而来,推动语法化的主要动因是语义,即:由于相关连谓式前项动词语义特征的改变,造成后项动词语义弱化,伴随着意义虚化,后项动词在结构中的语法地位也发生了变化,由原来在连谓式中充当并列后项的实义动词变成半虚化性"涉及"义或"完成"义动词,不再对后面宾语构成支配,宾语成为整个"VV涉及/完成"结构的支配对象,这一变化使得原有连谓结构语法化,述补结构产生。

(二)主谓结构

主要是结度述补结构以及"了"字结态述补结构,语法化的发生主要源于结构在句法和语义上的相似性。

(三)小结

结构变化是动结式语法化的重要动因,但因动结式是一个多种语法形式的集合,各形式形成途径不同,所以结构变化在不同类别不同形式动结式的语法化过程中所起的作用又不尽相同,即使是来源于同一结构(如连谓式)的动结式,其具体语法化途径仍有不同。真正以自身结构变化为基底动因的是使结式的语法化,而它的语法化过程对整个动结式的语法化又起到了极其重要的范式类推作用。

就动结式的语法化来说,从连谓结构或主谓结构到述补结构,语法化的重要途径之一是重新分析。重新分析发生的基础在于同一句法结构在分析上存有歧义,即 Parker(1976)所提出的"错派成分结构"(misassignment of constituent structure)。[①] 当某一结构在一定历史时期内所表示的语法意义有歧义时,语言交际的明确性原则便会发生作用,

---

[①] Parker, Frank. 1976. Language Change and the Passive Voice. Language. Vol. 52. P449-60.

通过一定的语法手段如句式更新、词汇替换等去分化歧义句式,从而达到语义表达的明确性要求。所以,重新分析的结果便会产生新的句法形式。从动结式语法化来看,重新分析是在"V_1""V_2"直接相邻的句法环境中发生的,倘若插有宾语("打头破")或副词性成分("放已久"),必须排除掉插入成分才能实现重新分析,具体手段是通过前移(V_2或副词)来构造"V_1""V_2"直接相邻的句法环境,这反映了句法结构发生重新分析的一般规律。相类结构之间的感染类推是动结式产生的另一重要途径,也是它得以扩展丰富的重要手段。类推的主要动力源自使结式,因为使结式是汉语动结式的最早形式,也是动结式发展初期的强势句法格式,而"使用频率高、范围广的强势语法形式是类推的源动力"。[①] 重新分析和类推在动结式的语法化过程中是共同发生作用的。

二 语义变化在动结式述补结构语法化过程中的作用

语义在动结式述补结构语法化过程中的作用有二:其一,是导致结构语法化的主要动因;其二,伴随着结构变化而产生,对结构变化起到推动作用。

(一)是导致结构语法化的主要动因

表现为前项动词语义特征对动结式语法化的影响,主要反映在结态述补式的语法化上。前文曾以"见"为例做过分析,此不赘述。其余结态补语动词等的具体语法化过程虽然不尽相同,但也都与前项动词的语义变化密切相关,不赘述。

(二)伴随着结构变化而产生,对结构变化起到推动作用

表现为后项动词语义特征对动结式形成发展的影响,主要反映在对使结式语法化过程的推动上。前文曾以"破"为例做了分析说明,其

---

① 石毓智《汉语语法化的历程》,第398页,北京大学出版社,2001。

第二节 动结式述补结构的语法化机制

语法化过程表明：先秦汉语的使动表达法是有缺陷的，它不能交代出导致某一结果状态的具体动作原因，为了适应表达精密化要求，句法结构和表达方式出现改变和调整，使动用法走向衰落，作为重要补充手段，述补结构应运而生。在这个过程中，结构变化是主导动因，但结构变化会推动语义变化，使语义伴随结构变化而出现调整变化，进而对结构变化起到推动作用。这种推动作用在动结式的形成发展过程中表现为一种类型化的范式推动。下面就此问题做一说明。

我们对六朝文献《世说新语》《贤愚经》做了初步检查，情况显示：早期动结式的补语成分有限可数，语义上呈现出类型化特征，主要有以下几类：A. 损伤、破败义，有"破、败、断、折、裂、坏、灭、杀（死）"等；B. 结束、完结义，有"尽、成"等；C. 获得义，有"得、取"；D. 涉及义，有"到、及、见、着、住"等；E. 性质、状态形容词，"满、明、清、彻、净"等。其语义特征可以概括为"[－动作]＋[＋结果/状态]"，即动作性弱，基本不表具体动作，而强调动作完结后所造成的结果状态。

从历时发展看，上述成分又可分成两类：一类是本来就不带动作义的结果状态动词，如后四类动词形容词；二类是 A 类"损伤"义动词，它们在先秦两汉是动作性较强的动作行为动词，往往带有具体动作义或宽泛的动作行为义。

具体来说，由于 A 类动词在语法化成补语后项之前都带有一定的动作行为意义，所以，先秦两汉时期，这些动词都是带宾语的及物动词或特殊的使动性及物动词。李佐丰（1983、1994）曾对先秦《左传》《论语》《孟子》《庄子》《荀子》《墨子》《礼记》《韩非子》等典籍中及物动词、不及物动词的使用频率进行过统计，现选择与 A 类动词有关的数据列举如下：[①]

[①] 李佐丰《先秦汉语的自动词及其使动用法》，《语言学论丛》第 10 辑，商务印书馆，1983；《先秦的不及物动词和及物动词》，《中国语文》1994 年第 4 期。

动词＼带宾语情况	不带宾语、补语	带使动宾语
败	54	129
杀	35	844
坏	10	11
灭	19	115

梁银峰(2001)曾对《尚书》《论语》《左传》《韩非子》《孟子》《荀子》等先秦六部典籍中的相关动词进行过统计，与 A 类动词有关的数据如下：[①]

动词＼带宾语情况	不带宾语、补语	带使动宾语
裂	3	8
断	29	50
破	10	29

数据显示：除"坏"不带宾语的频率与带使动宾语的频率大致相近外，其余动词带使动宾语的频率都远远超过了不带宾语的频率，可见，先秦时期这些动词带使动宾语的情况都很普遍。

两汉时期未有人做过详细统计。蒋绍愚师(1999)曾对汉魏六朝时期六部重要文献中的 18 个常用后项动词、形容词诸如"败、破、灭、坏、折、断、杀、伤、怒、明、满、大"等的使用情况进行过统计分析，[②]结果表明：两汉时期 A 类动词的使用情况与先秦大体相同。

由于先秦两汉时期 A 类动词带宾语的频率都远远超过不带宾语的频率，基本用作带使动宾语的不及物动词，所以，当它们作为后项动词与其他动词连用时都构成连谓式，例如：

---

① 梁银峰《先秦汉语的新兼语式》，《中国语文》2001 年第 4 期。
② 蒋绍愚《汉语动结式产生的时代》，《国学研究》第 6 卷，北京大学出版社，1999。

第二节 动结式述补结构的语法化机制

⑰齐因孤之国乱而袭破燕。(史记·燕召公世家)
⑱秦拔去古文,焚灭《诗》《书》。(史记·太史公自序)

六朝以后,随着使动用法的衰落和及物动词的不及物化,这类动词在连谓式中的语义发生了变化:动作义趋弱,进而表示前一动作完成后所造成的结果状态,这种语义变化为它们从连谓式后项向动结式补语的语法化提供了重要语义基础。至于一类动词形容词,因其基本不带动作性,强调的是动作完成后的结果或状态,所以本身就具备作为动结式补语的语义基础。

由此可见,若连谓式后项动词的语义特征重在表结果,不包含具体动作义,它就容易较早地向述补式补语发展;反之,则难以发生上述变化。汉语史中不乏实例,例如"除",上古至近代文献中有大量的"V除",如"剪/扫/剃/剿除"等,就语义看,前一动词表示动作行为的方式手段,后一动词表示结果,语义特征与动结式十分接近,但"V除"从古自今都没有语法化成述补结构,原因就在于"除"始终都是一个动作义较强的及物动词,而非结果状态动词。

在述补结构中充当补语的成分在后续发展中还有一个扩展过程,具有相同语义特征的谓词性成分不断进入,使得后项成分越来越丰富,同时,一些补语动词还出现了意义的引申和转移,如:杀:死亡→表程度的"甚辞",破:破损→透彻,死:死亡→不灵活,等等。不同动词发生语义转移的时间是不同的,最早的在六朝出现,如"杀",有的是在唐以后,如"破","死"则是宋以后才出现语义转移。

综上分析,可以看到:动结式的述语必须是表示具体动作行为的动词,补语必须是表示结果状态的动词或形容词,即便是后项成分继续扩展,出现语义的引申或转移,也必须适应这一语义要求,如此等等,都反映出后项补语成分类型化的语义特征在动结式发展过程中所起到的范式推动作用。

(三)小结

动结式语法化过程表明,结构变化与结构中各成分(指充当述语补语的成分)的语义变化始终都处于一种互动关系状态中,即:一方面结构变化可能带来语义变化,语义变化反过来推动结构变化;另一方面语义变化也会导致结构变化,最终引发结构的语法化。此外,动结式的语法化还反映出语法化过程中句法结构与语义特征的相宜性规律,即"一定的语法范畴总是选择一定语义特征的词语作为其发展对象","只有具备某种语义特征的词语才适宜演化成某种语法范畴"。[①]

三 频率在动结式述补结构语法化过程中的作用

"频率"指的是述语动词与补语的共现频率。

Heine(1991)认为:从人类语言语法发展的普遍性看,频率与语法化密切相关。语法化通常发生在使用频率高、范围广的词语上。[②] Hopper 和 Traugott(1993)也认为:使用频率是语法标记出现时间或语法化程度的一个外显特征,一个词语的出现频率越高,它的语法化程度也越高。[③] 我们关心的问题是,频率在动结式的语法化过程中起到了什么作用?述语动词和补语的高频共现是动结式语法化的直接动因,还是辅助推动力,抑或是伴随性表征?要解决以上问题,需考察动结式早期形式的语法化过程。对早期动结式的性质论定言,带宾语是判断动结式语法化完成的重要标准,带宾语的频率越高,说明该动结式的语法化程度也越高,而语法化程度之所以高,是由于述语补语的共现

[①] 见石毓智《汉语语法化的历程》,第 359 页,北京大学出版社,2001。

[②] Heine, Bernd, Ulrike Claudi and Friederike Hünnemeyer. 1991. Grammaticalization—A Conceptual Framework. Chicago: The University of Chicago Press, 38—39.

[③] Hopper, Paul J., and Elizabeth Closs Traugott. 1993. Grammaticalization. Cambridge: Cambridge University Press, 103.

第二节 动结式述补结构的语法化机制

频率高。因此,可以通过检验早期动结式带宾语的情况来判定其语法化是否完成以及语法化程度的高低,并考察其间有因果语义关系(动作及其结果)的前后项成分的共现频率与带宾语几率的内在联系,进而考察述补共现频率与动结式语法化的内在联系。

我们选择了几个六朝常用动词,考察由它们作补语的动结式从六朝到南宋带宾语情况的变化。统计情况如下:

1. 灭

补语成分\结构类型\年代	六朝 VC	六朝 VCO	六朝 总计	唐五代	唐五代 VC	唐五代 VCO	唐五代 总计	南宋	南宋 VC	南宋 VCO	南宋 总计
诛灭		2	2	扑灭	1		1	焚灭	1		1
摧灭		2	2	除灭	1		1	诛灭	1		1
扇灭		1	1	摧灭	1		1	剿灭	1		1
焚灭	1		1					扑灭	1		1
								扫灭	1		1

2. 断

补语成分\结构类型\年代	六朝 VC	六朝 VCO	六朝 总计	唐五代	唐五代 VC	唐五代 VCO	唐五代 总计	南宋	南宋 VC	南宋 VCO	南宋 总计
掘断		1	1	割断	2	2	4	截断	14	4	18
截断	1		1	哭断		3	3	割断	5	2	7
				望断		2	2	勾断	1		1
				剪断		2	2	放断	2		2
				酹断		1	1	说断	1		1
				推断		1	1	斫断		1	1
				除断		1	1	把断			
				截断		1	1	阑断	1		1

				修断	1		1	顿断	1		1
				锁断		1	1	剿断		1	1
				烧断	1	1					
				刺断	1	1					
				坐断		1	1				

3. 裂

补语成分\结构类型\年代	六朝				唐五代				南宋		
	VC	VCO	总计		VC	VCO	总计		VC	VCO	总计
爪裂		2	2	哭裂		1	1	绷裂	1		1
斫裂		1	1								
擘裂	1		1								
分裂	1		1								
捵裂		1	1								
挽裂		1	1								

4a. 破(破损)

补语成分\结构类型\年代	六朝				唐五代				南宋		
	VC	VCO	总计		VC	VCO	总计		VC	VCO	总计
啮破	1		1	打破	2	5	7	打破		6	6
				劈破	4	1	5	攻破		2	2
				斫破		5	5	嚼破	1	1	2
				踏破		2	2	撅破	2		2
				咬破		1	1	开破	1		1
				张破		1	1	擘破	1		1

第二节 动结式述补结构的语法化机制

			拔破	1	1	支破	1		1
			分破	1	1	撒破	1		1
			笑破	1	1	撞破		1	1
			骂破	1	1	踏破		1	1
			拆破	1	1	决破	1		1
			刺破	1	1	咬破	1		1
			砺破	1	1				
			击破	1	1				
			冲破	1	1				
			勘破	1	1				
			折破	1	1				
			落破	1	1				
			揎破	1	1				

4b. 破（透彻）

补语成分＼结构类型＼年代	六朝			唐五代				南宋		
	VC	VCO	总计		VC	VCO	总计		VC	VCO	总计
				说破	3	2	5	说破	19	7	26
				照破		2	2	看破	3		3
				话破		1	1	论破	1		1
				道破	1		1	点破	1		1
				点破	1		1	识破		1	1
								见破		1	1
								辨破	1		1
								明破		1	1

5a. 杀(死亡)

补语成分\结构类型\年代	六朝 VC	六朝 VCO	六朝 总计	唐五代	唐五代 VC	唐五代 VCO	唐五代 总计	南宋	南宋 VC	南宋 VCO	南宋 总计
蹑杀		2	2	打杀	3	3	6	打杀	1	1	2
蹋杀		1	1	踏杀		1	1	刺杀	1		1
烧杀	1		1	搏杀		1	1	拂杀	1		1
填杀		1	1	缚杀		1	1	溺杀	1		1
射杀	1		1					毒杀	1		1
批杀		1	1					干枯杀	1		1
看杀		1	1					渴杀		1	1
斫杀	1		1					射杀		1	1
刺杀		1	1					掩杀	1		1
								熏杀	1		1

5b. 杀(甚辞)

补语成分\结构类型\年代	六朝 VC	六朝 VCO	六朝 总计	唐五代	唐五代 VC	唐五代 VCO	唐五代 总计	南宋	南宋 VC	南宋 VCO	南宋 总计
				苦杀		2	2	阇杀	1		1
				笑杀		2	2	焦杀	1		1
				惊杀		1	1	高杀	1		1
				赚杀		1	1	解杀	1		1
				冻杀		1	1	伏杀	1		1
								死杀	1		1
								守杀	1		1

第二节 动结式述补结构的语法化机制

6. 折

补语成分\结构类型\年代	六朝 VC	六朝 VCO	六朝 总计	唐五代	唐五代 VC	唐五代 VCO	唐五代 总计	南宋	南宋 VC	南宋 VCO	南宋 总计
打折	1	1	2	摧折	2		2	摧折	3	1	4
遏折	1		1	砍折		1	1	摧折	1		1
				拗折		1	1				
				打折		1	1				

7. 坏

补语成分\结构类型\年代	六朝 VC	六朝 VCO	六朝 总计	唐五代	唐五代 VC	唐五代 VCO	唐五代 总计	南宋	南宋 VC	南宋 VCO	南宋 总计
毁坏	3	1	4	损坏	1		1	作坏	3		3
伤坏	1	3	4	俎坏	1		1	损坏	2		2
分坏		1	1					弄坏	2		2
抓坏		1	1					教坏		2	2
啄坏	1		1					说坏	1	1	1
打坏		1	1					擦坏	1		1
损坏	1		1					变坏	1		1
穿坏	1		1					计坏	1		1
烂坏	1		1					污坏	1		1
								压坏	1		1
								做坏	1		1
								改坏	1		1
								沮坏		1	1
								打坏	1		1

						写坏	1		1
						诱坏	1		1
						穿凿坏	1		1

8.活

年代结构类型补语成分	六朝			唐五代			南宋		
	VC	VCO	总计	VC	VCO	总计	VC	VCO	总计
济活	3	5	8	养活		1	1		
救活		1	1						
给活		1	1						

9.动

年代结构类型补语成分	六朝			唐五代			南宋		
	VC	VCO	总计	VC	VCO	总计	VC	VCO	总计
感动		1	1	摇动	4	3	7	感动	17	6	23
惊动		1	1	移动	4		4	发动	10	1	11
发动		1	1	打动		2	2	变动	7	1	8
吹动		1	1	惊动	2		2	流动	7		7
								转动	7		7
								摇动	3	3	6
								改动	4	2	6
								移动	6		6
								鼓动	4	2	6
								说动	5		5
								牵动		4	4
								引动	1	1	2

						惊动		2	2
						触动	1	1	2
						飞动	1		1
						删动	1		1
						挑动	1		1
						挠动	1		1
						衮动		1	1
						拨动		1	1
						搅动		1	1
						挥动		1	1
						唆动	1		1
						耸动	1		1
						振动	1		1
						迁动	1		1
						吹动	1		1
						放动	1		1

除南宋的"V 坏"和唐五代的"V 折"略有例外外,其余数据均显示出以下规律:凡结构前后项成分共现率高的,都有相应的带宾语的形式,动结式带宾语的频率与其前后项成分的共现率成正比,即:前后项成分的共现率越高,它们发生语法化、融合成述补结构的几率就越大,黏合度及语法化程度也越高,带宾语的几率也高。以"破"为例(表4),六朝文献因用例少见,无法显示规律,唐五代和南宋文献所显示的结果基本一致:唐五代,"打破"的共现频率最高,其次是"劈破""斫破""踏破",南宋,"打破"的共现频率最高,与其共现频率相仿,这些动结式都能带宾语,除个别有例外以外("劈破"),它们带宾语的频率与其述语补语的共现频率大致成正比,述语补语共现率高的,带宾语的频率也高。这种高频共现推动了动结式的语法化进程。从六朝至南宋"V 破(O)"

的发展看,与补语"破"搭配的述语动词渐趋丰富,六朝只有"啮破",唐五代,"破(破损)"前动词明显增多,有"打、劈、斫、踏、骂、拆、刺、粝、击、揎、咬、张、拨、分、勘、折、冲、笑、落"等近20个,这说明"V破(O)"动结式在后代经历了一个基于共同语义和句法特征基础上的类推和扩展,而在这一过程中,频率起到了促进作用,在动结式的类推发展过程中,应该还经历了一个从高频组合向低频组合扩展的过程。

可以说,述语与补语的高频共现对动结式语法化进程有推动作用,即:当连谓结构在使动用法衰落、前后项动词语义变化等因素的共同作用下发生语法化时,频率起到了辅助性推动作用,是动结式语法化进程中的"催化剂",语法化首先发生在述语补语共现频率高的组合上,其后向低频率组合扩展。反之,凡语法化程度高的动结式都表现出述语补语的高频共现率,从这个角度说,述语补语的高频共现又是动结式语法化过程中的伴随性表征。在发展后期,述语补语的高频共现又会导致述语与补语的进一步密切融合,现代汉语中不少补充式复合词就是由此形成的,即动结式在发展后期,会因述语补语的高频共现而发生词化。从近代动结式带宾语的情况看,"单音+单音"式融合程度高,表现为带宾语的频率高,而"双+单"、"单+双"式则不易融合,表现为前者带宾语频率低,后者不能带宾语。所以词化的发生与音节构造关系密切。

总结以上,频率在动结式语法化过程中的作用是:当结构和语义两方面都为语法化准备好条件时,述语补语的高频共现能推动早期动结式的语法化进程;在发展后期,则会导致部分动结式出现词化,这是语法化的更高阶段。

本章参考文献

程湘清 1992《〈论衡〉复音词研究》,载《两汉汉语研究》,山东教育出版社。
何乐士 1992《〈史记〉语法特点研究》,载《两汉汉语研究》,山东教育出版社。

蒋绍愚 1994《近代汉语研究概况》,北京大学出版社。
—— 1999《汉语动结式产生的时代》,《国学研究》第 6 卷,北京大学出版社。
—— 2001《〈世说新语〉、〈齐民要术〉、〈洛阳伽蓝记〉、〈贤愚经〉、〈百喻经〉中的"已"、"竟"、"讫"、"毕"》,《语言研究》第 1 期。
李佐丰 1983《先秦汉语的自动词及其使动用法》,《语言学论丛》第 10 辑,商务印书馆。
—— 1994《先秦的不及物动词和及物动词》,《中国语文》第 4 期。
梁银峰 2001《先秦汉语的新兼语式》,《中国语文》第 4 期。
吕叔湘主编 1980《现代汉语八百词》,商务印书馆。
梅祖麟 1991《从汉代的"动杀"、"动死"来看述补结构的发展》,《语言学论丛》第 16 辑,商务印书馆。
—— 1994《唐代、宋代共同语的语法和现代方言的语法》,《中国境内语言暨语言学》第二辑。
木霁弘 1986《〈朱子语类〉中的时态助词"了"》,《中国语文》第 4 期。
宋绍年 1994《汉语结果补语式的起源再探讨》,《古汉语研究》第 2 期。
石毓智 2001《汉语语法化的历程》,北京大学出版社。
王力 1943/1985《中国现代语法》,《王力文集》第 2 卷,山东教育出版社。
—— 1944/1984《中国语法理论》,《王力文集》第 1 卷,山东教育出版社。
—— 1958/1980《汉语史稿》(中),中华书局。
吴福祥 1996《敦煌变文语法研究》,岳麓书社。
—— 1998《重谈"动+了+宾"格式的来源和完成体助词"了"的产生》,《中国语文》第 6 期。
—— 1999《试论现代汉语述补结构的来源》,《汉语现状与历史的研究》,中国社会科学出版社。
赵元任 1979《汉语口语语法》,商务印书馆。
赵长才 2000《汉语述补结构的历时研究》,中国社会科学院语言研究所博士学位论文,未刊稿。
朱德熙 1982《语法讲义》,商务印书馆。
Heine, Bernd, Ulrike Claudi and Friederike Hünnemeyer. 1991. Grammaticalization—A Conceptual Framework. Chicago: The University of Chicago Press, 38—39.
Hopper, Paul J., and Elizabeth Closs Traugott. 1993. Grammaticalization. Cambridge: Cambridge University Press, 103.
Parker, Frank. 1976. Language Change and the Passive Voice. Language. Vol. 52.

主要引用文献目录

《朱子语类》		中华书局 1986
《春秋左传注》	杨伯峻注	中华书局 1981
《战国策》		上海古籍出版社 1978
《史记》		中华书局 1982
《汉书》		中华书局 1975
《世说新语笺疏》	余嘉锡校笺本	中华书局 1983
《贤愚经》		大正新修大藏经 202
《百喻经》		金陵书画社 1981
《全唐诗》		中华书局 1960
《敦煌变文集》	王重民等编	人民文学出版社 1957
《祖堂集》		上海古籍出版社 1994
《近代汉语语法资料汇编》（宋代卷）	刘坚 蒋绍愚主编	商务印书馆 1990
《近代汉语语法资料汇编》（元明卷）	刘坚 蒋绍愚主编	商务印书馆 1995
《全本金瓶梅词话》		香港太平书局 1982
《红楼梦》		人民文学出版社 1990

后 记

  本书是在我的博士学位论文的基础上修改而成,成文至今,已有几年时光,大致反映了我在 1998—2002 年间研究述补结构的些许心得。

  述补结构的产生发展是汉语语法史研究中一个非常重要的课题,近年来一直是国内外汉语语法史研究领域中最引人关注的问题。述补结构的产生是古代汉语发展成为中古、近代汉语的标志之一,引发了汉语语法结构的一系列变化。近年来,对述补结构的研究日趋深入,但由于述补结构相当复杂,到目前为止,仍有不少问题没有解决,这是我选择涉足述补结构历史发展研究的原因。我以为,理想的历时语言研究应该是建立在扎实的专书研究基础上的,所以当年选择"《朱子语类》述补结构研究"作为自己的学位论文题目。论文写作在 1998—2002 年间完成,2003 年以后一直在海外研修或讲学,教学和科研任务繁重,所以,虽然有些问题已有新的看法,但却没有足够的时间和精力再回头对以往研究做进一步深入探讨和详细梳理,这些新想法将在我现在正在进行的研究课题"汉语述补结构的历史发展及其与相关语法形式发展关系研究"中发表。这次出书主要是根据专家评审意见对部分看法进行了修正,同时对论文的篇章结构及文字做了修改调整,书中的主要结论和观点基本上是几年前的研究结果。有的结论还需要进一步研究,日臻完善。也恳请同行专家批评指正。

  这本小书得以面世,要感谢我的研究生导师郭锡良先生和蒋绍愚先生,是两位恩师的扶持和栽培,使我走上了语言学的研究道路。如果说今天我对语言学略有所知的话,与两位恩师的指导和教诲分不开。

还要感谢在我学术成长的岁月中惠予我知识和帮助的众多师长及朋友们。博士论文是在蒋绍愚师的指导下完成的，又蒙先生推荐，申报参加商务印书馆"青年语言学者文库"的评选，2003年入选。感谢文库评议委员会的各位专家及商务印书馆领导的奖掖携持，给予了我这个弥足珍贵的机会。责编由明智先生、宿娟女士为本书的编辑出版付出了辛勤劳动，谨此深表谢意。

最后要感谢我的家人。在我求学成长的岁月中，一直深沐家父刘宋川先生的恩泽，因为有家父的垂爱、诲谕和鞭策，我得以始终不渝地在语言学研究的道路上跋涉前行。感谢我先生刘林在论文写作中所给予的关心和鼓励。

刘子瑜

2005年岁末于日本九州

专家评审意见

何乐士

作者所探讨的是汉语语法史中一个十分重要的课题：述补结构的产生和发展、功能和分类。作者的切入点是述补结构最为丰富多样的南宋时期；所选择的语料是南宋时期最有代表性的白话著作《朱子语类》，过去尚未有人对这部巨著的述补结构做过全面系统的研究。由以上几点可知作者的选题很有意义，非同一般。

作者的实际工作又做得如何？总的感觉还是比较好的。主要表现在以下几点：

一、重视对第一手资料的调查研究。作者对《朱子语类》的述补结构进行了全面调查，逐类做了穷尽统计和定量分析。尤其可贵的是，对每类述补结构中充任述语的词语和充任补语的动词或形容词都按其相互搭配关系逐类逐例列表显示，并标明出现次数。这就要求作者对每个用例的述补结构都分析到位，各归其类，并有精确统计。读者通过这种表格可以一目了然地看到多类述补结构之下，用作补语成分的是什么词语，与同一补语成分搭配的述语又有哪些。由于《朱子语类》篇幅浩大，语料丰富；述补结构种类繁杂，例句众多，要完成这样深入细致的分类调查统计是十分艰巨的。作者知难而进地完成了这项工作，表明作者对掌握第一手资料的充分重视，也表明作者有较强的驾驭语料的能力。这项工作以及其他一些调查分析统计工作的完成，无疑十分有利于作者对研究对象的进一步观察和认识，从而提高论著的科学性和可信度。同时对于同行学者,也有较多的参考价值。

二、作者重视以一定的理论指导自己的研究。本稿最重要的理论指导原则就是句法平面与语义平面相结合,也就是形式和意义相结合。看得出来,作者为贯彻这一原则做了很大努力。这既是一个理论上的指导原则,也决定着作者的研究方法。作者在研究中尤其重视语义在语法演变和语法分析中的作用,形成本文的一个特色。譬如作者不但重视述补结构组成成分的语义特征,同时还重视各成分搭配时的语义选择和语义指向。在这种思想指导下对述补结构的分类有所突破。特别值得注意的是作者根据补语的语义类别和结构的语法形式,结合补语的语义指向以及动结式的发展途径,把动结式又细分为结成式、结态式和结度式,观察敏锐,分类科学,是作者的重要创新。

作者对多类述补结构的来龙去脉力求做出规律性的总结与阐述以加强理论深度,试图从理论的高度去把握和统率材料。思路比较开阔,富于探求和创新精神。譬如在描写语言事实的基础上对语言变化的背景和机制进行解释;对汉语述补结构的语法化过程提出自己的独到见解;对"V 得 C"述补结构中结构助词"得"的来源及演变过程发表了颇有新意的看法,等等。

三、在研究方法上,除坚持形式与意义相结合的方法,重视第一手材料的调查与定性定量分析、归纳描写外,还有一个突出的特点就是重视语法结构发展演变的系统性,把点的解剖与共时、历时的分析研究结合起来,从纵横两方面扩大自己的调查范围,拓展思路,开阔视野,对多类述补结构的历史演变和相互影响进行全面而深入的考察,在纵横比较之中作了深入细致的描写,提出不少有启发性的见解。

基于以上看法,我认为本稿具有较好的质量和水平,具有其特有的价值。作者的一些见解在学术界可能有不同意见,但这是学术领域的正常现象。作者既重视第一手资料的调查,又勇于在理论上探索,这种精神和尝试都值得鼓励。

但本文也存在一些问题：

一、全文组织不够精练，行文不够简洁，缺乏进一步的加工打磨，读来有臃肿冗长之感。可否考虑将第一、二章精简合并，删去重复之处，有些内容则可移到别的有关章节。其他各章节也宜适当调整、删节。

二、在论述中有时带有主观随意性。比如在第三章的"完成动词及相关结构"部分，作者不同意完成动词"毕、讫、竟、已、罢"所构成的结构是补结构，原因之一是"这些结构最早的用例出现在战国时代，《史记》中用例已相当普遍，若将它们看成述补结构，也就意味着要把述补结构的产生时间往前推移至少七百年，这就与述补结构系统的形成发生冲突"。似乎作者头脑中先有一个框框，规定了述补结构的形成时间，作者对语言事实的承认或否认，必须以这个"框框"来衡量。若不符合这个"框框"，就是"与述补结构系统的形成发生冲突"。

三、有时在论述上有些前后矛盾。比如"语义"在述补结构的形成和发展过程中的作用，作者在谈到判定动结式述补结构的依据时，似乎更多强调的是句法结构的形式特点，"述补结构得以确立的关键是看'V2/A'是否自动化，不用作使动，不再带宾语，与后面的宾语不构成述宾关系"（77 页），而在谈到动结式述补结构的语法化过程时，又特别强调语义的作用，认为它"是导致结构语法化的主要动因"（28 页）。那么语义在述补结构的形成和发展演变过程中的作用是否时轻时重呢？

以上意见不够成熟，仅供参考。

2003 年 4 月 26 日

专家评审意见

曹广顺

述补结构是汉语一种较有特色的重要句法结构,对该结构历史演变的研究一直是汉语史研究领域中的一个热点问题。在近几十年来众多学者的不懈努力下,已经取得了一些共识,人们对该句法结构的基本特点、发展规律有了更深入的认识和了解。尽管如此,还有很多问题尚未得到完满的解决。

对这一问题的研究,以往有从纵的方面历时地探讨其历史演变过程的,也有就某一时代或某一部专书进行断面的共时描写的,还有从述补结构与其他相关句法现象或句法格式的相互关系的角度进行探讨的。刘子瑜先生的这篇论文立足于专书的共时断代描写,同时又能够以历史的眼光对述补结构的每一个重要类型寻根溯源,探讨其历时发展演变的轨迹,而且还对与该结构有关的一些复杂句法现象做了描写和讨论。是比较全面反映《朱子语类》述补结构面貌的重要成果。

这篇论文有下面一些主要特色:

1. 文本语料的选择具有代表性

在汉语史尤其是近代汉语的研究中,《朱子语类》因其篇幅的巨大和口语性强,具有极高的价值,其重要性不言而喻。以往人们虽然认识到这些,但在具体研究(包括对述补结构的研究)时取样篇幅往往偏小,这样有可能难以比较全面地反映该书的真实面貌,从而影响到结论的可靠性。本文在这方面做得较好,作者选取了一、六、七、八这四册篇幅的文本(中华书局,1986年版)做穷尽性的统计分析(其中七、八两册是公认口语化程度较高的,故特选;一、六两册则随机抽选),取样占到全书篇幅的一半(约120万字)。在此基础上进行的量化统计和定性分类也就为真实而全面地反映该书述补结构的面貌提供了可靠保证。

论文材料做得非常扎实,分析绵密细致。

2. 提出了新的分析标准和框架

作者在对《朱子语类》的述补结构进行分类时,采用了以下四个标准:

标准一:语境的预设,指是否有可能性语境的预设。

标准二:述语与补语之间是否有插入性成分,如"得、得来、个、不"等。

标准三:述语与补语之间的语义关系,以及补语与相关体词性成分之间的语义关系。

标准四:补语的语法构成,即补语由什么语法成分充当。

根据这四项标准,作者得出了《朱子语类》述补结构的层级分类框架。

对该分类标准和分类结果,学者们也许不一定完全同意,具体的细节当然还可以进一步探讨,但作者试图建立一个能够全面反映《朱子语类》(甚而整个近代汉语)述补结构面貌的尝试和努力却是不可忽视的,也是难能可贵的。

3. 作者对分类体系中所涉及的动结式、趋向式、V得(O)、V得C及其次类均从形式和语义特征两个方面进行了细致的共时描写和量化统计分析,并对一些重要问题和相关格式从语法史的角度作了进一步探讨,如对"V_1(NP)+使/令/教/叫(+NP)+V_2/A"结构及相关格式的讨论就比较深入。对"V得(O)"、"V得C"述补结构各类形式间的类推发展也提出了自己的看法。

4. 共时描写与历时演变研究的结合,是这篇论文的一个突出特点。

论文单辟一章（第七章）专门对各类述补结构进行共时历时的比较研究。作者对所选择的各个历史时期的语料也都做了穷尽性的量化分析，对一些语法现象提出了新的解释，得出了一些值得重视的有价值的结论。

几点商榷意见：

1. 关于分类框架

作者最后一层的分类将动结式又细分为结成、动态和结度三个次类，我们不容易看出这样区分和命名的必要性。

2. 关于"V/A 得到 C"结构及"得来"的性质（原文 183—184 页）

作者将"V/A 得来 C"结构中的"得来"看作是结构助词，是对的。但对"得来"来源的解释，江蓝生先生（1992）的结论是，"得来"是由结构助词"得"与结构助词"来"叠用而成。这一解释可能更合理。

3. 对一些例句的理解和归类有不当或矛盾之处

如论文第 181 页例⑨："建阳旧有一村僧宗元，一日走上径山，往得七八十日，悟禅而归。"182 页例⑲："且教他在湖洲时好，止往得一年。"以及 189 页的例子"近日陆子静门人寄得数篇诗来，只将颜渊、曾点数件事重迭说，其他诗、书、礼、乐都不说。"这三个例子，作者认为是"V 得 C"结果述补结构，是不恰当的。这些例子中的"得"与真正"V 得 C"结果述补结构的"得"性质是不同的，似更应看作是动态助词，而非结构助词。（可参看曹广顺 1995:73—83）

论文第四章第 106 页例㉗"有敢去柳下季陇而樵采，死不赦。"作者认为该例的"去"已经是"前往、去往"义，显然是不对的。这句话出自《战国策·齐策四》，但作者引文有误。今核查原文，应为："昔者秦攻齐，令曰：'有敢去柳下季陇五十步而樵采者，死不赦。'"原文"去"仍是"离开"、"距离"，该句的意思是说，有胆敢在距离柳下季田陇五十步而樵采的，杀不赦。因此将这句话中的"去"看作是动趋式的一个重要来源也就不太合适了。

虽然有一些需要修改之处,但我们认为本书仍是一部质量较高的书稿。

2003年11月20日